Für Lindsey.
Deine Anstößigkeit inspiriert mich.

I

In der Portobello Road herrschte frühmorgendliches Treiben. Händler bauten ihre Stände auf, Ladenbesitzer fegten die Stufen vor ihren Geschäften. Um mich herum erwachte das hübsche, vertraute Viertel; ein neuer Tag begann. Ich aber war in einem Albtraum gefangen. Die Erde drehte sich weiter, doch ich konnte nicht einfach weitermachen mit den alltäglichen Dingen des normalen Lebens, ebenso wenig wie ich begreifen konnte, was passiert war. In meiner Brust pochte der stechende Schmerz eines gebrochenen Herzens. Als ich am Vortag hierhergekommen war, hatte ich nur eins im Sinn gehabt: endlich einen Schlussstrich zu ziehen. Und es war mir auch gelungen; zumindest hatte ich das geglaubt. Doch mit jedem einzelnen Schritt, der mich weiter von Alexander entfernte, fiel es mir schwerer zu atmen. Meine Lunge hatte sich in Blei verwandelt, unfähig, die warme Sommerluft einzuatmen. Meine Knie waren weich, kaum fähig, meinen Körper zu tragen.

Ich konnte nicht Alexanders Geheimnis sein. Wollte es nicht. Niemals. Doch ihn aus meinem Leben zu streichen fühlte sich an, als risse ich mir das eigene Herz heraus. Ich konnte mir ein Leben ohne ihn nicht vorstellen, und doch wollte ich keine Lüge mit ihm leben – war es da nicht klüger, einen sauberen Schlussstrich zu ziehen, statt mich von Geheimniskrämerei, Klatsch und Lügen systematisch zerstören zu lassen? Ich hatte getan, was ich hatte tun müssen, aber das war nur ein schwacher Trost.

Ja, ich hatte ihn verlassen. Was er mir angeboten hatte, war kein Leben – jedenfalls kein richtiges. Ob ihm das überhaupt klar gewesen war? Und trotzdem hatte er für mich so tief empfunden wie ich für ihn, da war ich mir ganz sicher. Doch statt ihm zu zeigen, wie sehr ich ihn liebte, war ich gegangen. Aber was hätte ich auch sonst tun sollen? Wenn er mir sogar die einfachsten und schönsten drei Worte der Welt verweigerte. Von ihm wurde erwartet, standesgemäß zu heiraten. Von ihm wurde erwartet, dieses Land zu regieren.

Keiner von uns beiden hatte erwartet, sich in den anderen zu verlieben.

Und nun hatten wir uns gegenseitig zerstört.

Die Erkenntnis traf mich mit solcher Wucht, dass ich stolperte und um ein Haar gegen die nächste Ladenfront geprallt wäre. Wie sollte ich nur ohne Alexander weiterleben?

Das Gefühl der Lähmung wich einer tiefen Trauer. Der Kloß in meinem Hals löste sich auf in einem Strom von Tränen, der unkontrolliert über meine Wangen lief. Ich machte mir nicht die Mühe, sie wegzuwischen, selbst als sie sich in meinen Wimpern verfingen und ich kaum noch etwas sehen konnte.

Egal. Jetzt war sowieso alles egal.

Ich hatte es gewagt, ihn zu lieben. Ungeachtet des Risikos, das ich damit eingegangen war. Er hatte mich gewarnt. Ich hatte mich selbst immer wieder gewarnt. Und auch wenn ich nicht blindlings mit ihm ins Bett gegangen war, hatte ich doch nicht mehr erwartet als eine flüchtige Affäre. Und für diesen Leichtsinn hatte ich mit meinem Herzen bezahlt.

Ich hatte ihm meinen Körper geschenkt, und er hatte mir die Seele geraubt.

Und dann stand er plötzlich vor mir, in seinen wunderschönen blauen Augen schimmerte derselbe tiefe Schmerz. Mit jeder Faser meines Körpers sehnte ich mich danach, zu ihm zu stürzen und die Arme um seinen Hals zu schlingen. Ich spürte, dass er Trost brauchte, und ich wusste, dass ich der einzige Mensch war, der ihm Frieden geben konnte. Und trotzdem hielt ich mich mit aller Macht zurück, auch wenn mir die Tränen über die Wangen strömten.

»Clara, du kannst nicht gehen. Komm mit mir zurück«, befahl er, aber die Unsicherheit in seiner Stimme wollte nicht zu der Forderung passen, die fragend über seine perfekten Lippen kam. Alexander war kein zögerlicher Mann. Was er wollte, nahm er sich, ohne zu fragen. Weil er der Kronprinz von England war, aber auch weil es seinem fordernden, entschiedenen Naturell entsprach. Er war kein Mann, der sich infrage stellen ließ, und er war kein Mann, der Widerspruch duldete. Doch nun stand er vor mir und tat das eine, womit ich niemals gerechnet hätte.

Ich blinzelte gegen das Meer der Tränen an. Oh Gott, ich konnte mich einfach nicht an ihm sattsehen. Mir stockte der Atem, während ich in seine unendlich blauen Augen sah. Sein rabenschwarzes Haar war immer noch zerzaust von meinen Fingern, die ich bei unserem Liebesspiel nur Stunden zuvor hineingegraben hatte. War es wirklich erst so kurz her, dass seine vollen, sinnlichen Lippen auf meinen lagen? Es fühlte sich an, als wäre eine Ewigkeit vergangen, seit ich an meinen Schenkeln ihren sanften, fordernden Druck gespürt hatte, der so viel mehr Lust versprach. Aber es war nicht sein wunderschönes Gesicht, das mir den Atem raubte, und auch nicht die Verletzlichkeit in seinem Blick.

Er trug Sandalen und eine zerschlissene Jeans, die lässig auf seinen Hüften hing, aber kein Hemd. Ich hatte freien Blick auf seinen Körper, den er so lange vor mir verborgen gehalten hatte – diesen atemberaubenden Körper, den ich so unwiderstehlich fand –, auf die hässlichen Narben seiner Vergangenheit. Aus Scham hatte er sie vor mir geheim gehalten, bis ich ihn dazu gebracht hatte, sie mir zu offenbaren – in einer Nacht, die uns beide über unsere Grenzen hinausgetrieben hatte. Und nun stand er vor mir, verlangte mehr von mir. Trotz seines Tonfalls kannte ich die Wahrheit. Er war so wehrlos wie ich selbst, entblößte sein Innerstes vor mir und riskierte alles, um mich zurückzubekommen.

Dafür liebte ich ihn noch mehr. Aber es änderte nichts. Ich durfte nicht nachgeben.

»Ich kann nicht, Alexander.« Die Worte klangen hohl, kamen über meine Lippen wie ein leeres Versprechen. Jedes Mal wenn ich mich ihm zu entziehen versuchte, fühlte ich mich noch elender – es war, als würde mein Herz in Millionen Splitter zerbersten, und ich konnte mir nicht vorstellen, dass meine Wunden je wieder heilen würden.

»Ich akzeptiere das nicht.« Er war so schnell bei mir, dass sich alles in mir drehte, und jetzt, da er mir so nah war, konnte ich kaum einen klaren Gedanken fassen – mein Körper ließ mich im Stich, wollte nur noch eins mit ihm werden. Ich kam einfach nicht dagegen an. Seine Hände schlossen sich fest um meine Hüften, als er mich abrupt an sich zog. Meine Nippel wurden hart, als sie über seine nackte Brust strichen, und tief in mir, wo ich ihn immer noch spüren konnte, begann es zu pulsieren. Mein Körper unterwarf sich ihm instinktiv. Alexander war meine Droge, und ich war meinen Gefühlen hilflos ausgeliefert. Ich sehnte mich nach ihm – nach seiner unermüdlichen Zunge, seinem Schwanz und vor allem nach der Befreiung, die ich unter seiner Kontrolle erlebte. »Du gehörst mir, Clara, auch wenn du dich noch so sehr dagegen sträubst.«

Seine Worte betörten mich, und das lustvolle Ziehen zwischen meinen Schenkeln erinnerte mich daran, was es hieß, ihm zu gehören. Aber ich konnte die Wahrheit nicht ignorieren. »Aber du gehörst nicht mir.«

»Den Teufel tue ich«, gab er mit rauer Stimme zurück. »Du hast mich bei den Eiern, Clara. Ich kann an nichts anderes denken, als in dir zu sein. Du hast keine Ahnung, welche Mühe es mich kostet, dich nicht auf der Stelle zu packen, ins Haus zu tragen und dich so lange zu ficken, bis du zu wund bist, um wegzugehen. Bis du verstehst, dass ich dich nicht gehen lasse – niemals!«

Ich schüttelte den Kopf und riss mich von ihm los. Von einer Sekunde auf die andere verwandelte sich meine Trauer in blanke Wut. »Ich kann nicht dein Geheimnis sein. Sag mir, dass ich für dich mehr bin als ein guter Fick, Alexander. Sag, dass du mir gehörst, egal was auch geschieht – egal was dein Vater sagt oder was dein Geburtsrecht verlangt.«

Alexander fixierte mich mit versteinerter Miene, während er sich mit der Hand durch die Haare fuhr. »So einfach ist das nicht.«

»Doch, das ist es.« Ich verschränkte die Arme vor der Brust als Zeichen, dass er mir nicht zu nahe kommen sollte, auch wenn ich mich am liebsten fest an ihn gepresst hätte. »Du bist derjenige, der es kompliziert macht!«

»Ich habe dir gesagt, wie kaputt meine Familie ist.« Seine Mundwinkel verzogen sich angewidert. »Und ich bin der Kaputteste von allen.«

»Triff deine eigene Entscheidung.« Meine Worte klangen schroff, doch es gelang mir nicht, den flehentlichen Unterton zu unterdrücken. »Du hast die Wahl.«

Er lachte freudlos. »Verstehst du nicht, dass ich keine Wahl habe?«

Ich holte tief Luft. Ich musste es ihm sagen, weil ich wusste, wie wichtig es für ihn war, die drei Worte zu hören – sich ihnen zu stellen –, auch wenn es mir das Herz erneut zerreißen würde. »Ich liebe dich, Alexander.«

Das Feuer in seinen Augen erlosch, und er wich einen Schritt zurück. Ich hatte diese Reaktion erwartet; weh tat sie trotzdem. Es war ziemlich viel verlangt, aber ich wollte die Worte auch von ihm hören, wollte, dass er meine Liebe erwiderte. Ich war mir sicher, ganz sicher, dass er mich liebte, aber solange er nicht über seinen Schatten springen konnte, war es einfach nicht genug.

»Ich kann es nicht, Clara.« Er klang nicht traurig, sondern kalt.

Meine Lippen bebten, und ich spürte, wie mir erneut Tränen in die Augen stiegen. »Du willst es nicht.«

Er musterte mich. Ein Muskel an seinem Hals zuckte, ehe er den Mund öffnete. »Ich will es nicht.«

»Dann kann ich nicht mit dir zurückgehen.« Ich gab mir

keine Mühe mehr, gegen die Tränen anzukämpfen. Endlich war sie heraus – die Wahrheit. Und uns blieb keine andere Wahl, als getrennt unserer Wege zu gehen.

Wie erstarrt stand ich da. Als Alexander einen Arm um meine Taille schlang und mich langsam an sich zog, leistete ich keinen Widerstand. Ich konnte es nicht. Statt Schmerz empfand ich plötzlich nur noch eine schreckliche Leere, die sich wie ein Abgrund in mir ausbreitete, der all die Tage, Monate und Jahre zu schlucken schien, die noch vor mir lagen. Jahre ohne ihn. Ich nahm kaum wahr, wie Alexander mir eine Haarsträhne aus der Stirn strich.

»Kannst du nicht einmal tun, was ich dir sage«, murmelte er, und diesmal war nur Traurigkeit in seiner Stimme.

»Hör auf damit«, flüsterte ich.

Ein schwaches Grinsen spielte um seine Mundwinkel, war aber sofort wieder verschwunden. »Du fehlst mir jetzt schon.«

Ich schloss die Augen, ließ meinen Tränen freien Lauf. Warum noch so tun, als wäre alles in Ordnung? Nichts, aber auch gar nichts war in Ordnung. Mein Leben war kein Märchen, und es gab kein Happy End. Das wusste ich, auch als sein Mund sich meinem näherte.

Unsere Lippen berührten einander, verrieten, wie sehr wir einander brauchten. Es gab so vieles, was nun für immer ungesagt bleiben würde, und ich öffnete meinen Mund, erlaubte seiner Zunge, mich ein letztes Mal zu erobern und zu beherrschen. Sein Kuss brannte sich durch meinen Körper, erhitzte mein Blut, bis es in mir zu lodern begann. Ich gab mich ihm ganz hin, spürte aber, wie gleichzeitig eine ungekannte Angst Besitz von mir ergriff, und während ich mich an ihn klammerte, fühlte ich mich, als würden die Flammen eines Scheiterhaufens an mir emporlecken. Ich keuchte, grub die Fingernägel tief in seine Schultern; ich hatte Angst davor, ihn wieder loslassen zu müssen, Angst vor dem Leben, das mich nach diesem Kuss erwartete. Doch er ließ mich nicht los, auch als sich unsere Lippen voneinander lösten und wir beide Atem schöpften.

Wir wussten beide, was uns bevorstand.

Alexander hauchte einen Kuss auf meine Stirn, und ich schloss die Augen, nahm noch einmal meine ganze Kraft zusammen, um das hier durchzustehen. Das Traurige war, dass ich diese Kraft ihm verdankte. Ihm. Uns. Er hatte sie mir verliehen.

Die Kraft, mich von ihm lösen zu können.

Alexander senkte den Kopf, und als er ihn schließlich wieder hob, sagte er nur drei Worte.

»Leb wohl, Clara.«

Er hob die Hand, und eine Sekunde später hielt ein Rolls-Royce am Bordstein. Er öffnete die Tür und bedeutete mir, in den Wagen zu steigen. Ich widersetzte mich nicht.

Wortlos ließ ich mich auf den Rücksitz sinken. Alexander schenkte mir ein stilles Lächeln, so ganz anders als das arrogante Grinsen, in das ich mich verliebt hatte, und schlug die Tür hinter mir zu.

Norris schwieg. Er wusste auch ohne Anweisung, was von ihm erwartet wurde, und während er losfuhr, marschierte Alexander zurück zu dem Haus, das unseres hätte sein können. Er ging so zielstrebig, als hätte es nie eine andere Wahl gegeben. Er hatte ja auch klargemacht, dass es keine gab. Und so weinte ich um mein gebrochenes Herz und um meinen gebrochenen Mann, während er einer Zukunft entgegenging, die wir nicht miteinander teilen würden – während er aus meinem Leben ging.

Mit einem leisen Klicken fiel die Tür hinter mir ins Schloss. Durch den Schlitz zwischen den Vorhängen fiel das Morgenlicht, aber ich ging gleich weiter zu meinem Zimmer. Ich wollte nur noch ins Bett. Der Gedanke, diesem Tag die Stirn bieten zu müssen, war mir schlicht zu viel. Ich wollte an gar nichts mehr denken, meinen Kopf komplett ausschalten, doch gleichzeitig wusste ich, dass mir selbst der Schlaf keine Zuflucht bieten konnte. Alexander würde mir bis in meine Träume folgen.

Auf dem Sofa regte sich etwas. Völlig verschlafen setzte Belle sich auf und rieb sich die Augen. Ihrem zerzausten Haar und den Yoga Pants nach zu urteilen war sie eingeschlafen, während sie auf mich gewartet hatte. Sie öffnete den Mund, schloss ihn aber gleich wieder, als sie mein Gesicht sah. Und ich benötigte keinen Spiegel, um zu wissen, dass meine Nase lief und meine Augen rote Ränder hatten.

»Du hast dich mit ihm getroffen.« Das war keine Frage, sondern eine Feststellung. Keine Anklage, kein Vorwurf. Sie hatte in ihrem Liebesleben selbst einige Male schwer danebengegriffen, was wahrscheinlich auch der Grund dafür war, weshalb sie ohne ein weiteres Wort die Initiative ergriff. Innerhalb von Sekunden hatte sie mir die Decke, unter der sie eben noch geschlafen hatte, um die Schultern geschlungen.

Leer starrte ich vor mich hin, während Belle einen Küchenschrank nach dem anderen öffnete. Dann hatte sie den Kaffee gefunden, warf einen Blick auf die Dose und stellte sie zurück. »Pfeif drauf. Wir brauchen was Stärkeres.«

Es war noch nicht mal neun Uhr morgens, aber ich sagte nichts. Selbst dazu fehlte mir die Kraft. Sie schenkte mir ein Glas Weißwein ein und reichte es mir. Ich nahm es entgegen und nippte geistesabwesend daran.

Ich spürte, dass Belle ihre Neugier kaum bezähmen konnte. Sie wollte wissen, was passiert war, und so wie ich meine beste Freundin kannte, gab sie sich eine Menge Mühe, nicht sofort mit ihren Fragen herauszuplatzen. Deshalb war sie auch meine beste Freundin. Alle anderen hätten sich niemals zurückhalten können, meine Mutter eingeschlossen. Belle war bewusst, was ich im Moment am dringendsten benötigte: Zeit.

Zeit, um das Geschehene zu verarbeiten. Zeit, um mich an den Gedanken zu gewöhnen, dass Alexander nicht länger Teil meines Lebens war – und auch nie wieder Teil meines Lebens sein würde. In diesem Moment erschien mir das unvorstellbar. Ich konnte es nicht fassen, dass sich die Welt einfach weiterdrehte.

Belle führte mich ins Bad und ließ mir ein heißes Bad einlaufen. Ich sah ihr einfach nur zu, bis sie mir schließlich das Weinglas aus der Hand nahm. Im selben Augenblick drang ein heftiges Schluchzen aus meiner Kehle. Was sollte mir noch genommen werden? Es war ein völlig irrationaler Gedanke, aber es war mir egal. Wie mir überhaupt alles egal war. Mein Leben – das sich anfühlte, als hätte es erst vor ein paar Wochen richtig begonnen – war vorbei. Ab morgen würde ich ganz von vorn anfangen, einem Leben ohne Alexander ins Auge sehen müssen.

»Heute weinst du noch«, sagte Belle leise, als hätte sie meine Gedanken gelesen.

Ja, heute weine ich, stimmte ich ihr im Stillen zu. Ich würde mich in die Wanne legen und meine bitteren Tränen ins warme Wasser tropfen lassen, bis keine mehr übrig waren, bis ich keinen Schmerz mehr empfand. Doch selbst als mich das warme Wasser umfing, wusste ich, dass es mir niemals gelingen würde, Alexander aus meiner Erinnerung zu löschen. Ich hatte ihn im Blut. Seine Berührungen waren wie Brandmale auf meiner Haut. Ich gehörte ihm, auch wenn ich nicht zu ihm gehören durfte.

»Aber morgen sieht die Welt schon wieder ganz anders aus.« Belle setzte sich auf den Wannenrand. Sie drängte mich nicht. Stattdessen saßen wir nur schweigend da.

Belle hatte unrecht. Die Welt würde morgen nicht anders aussehen – morgen ebenso wenig wie in zwanzig Jahren. Es war nicht das erste Mal, dass mir das Herz gebrochen worden war, doch die Trennung von Alexander hatte etwas in mir zerstört. Er hatte mir tiefe Wunden an Leib und Seele geschlagen. Nie zuvor hatte ich mich einem Mann so ganz und gar hingegeben, ja ausgeliefert. Und es würde mir auch nie mehr passieren. Es war unmöglich. Eine so atemberaubend schöne, heftige Liebe wie die unsere gab es nur einmal im Leben. Einen solchen Verlust konnte man vielleicht einmal verschmerzen, doch der Selbsterhaltungstrieb wappnete uns dagegen, derartige Qualen noch einmal erleben zu müssen.

»Ich bin drüben, wenn du mich brauchst.« Belle schlüpfte aus dem Bad. Wenigstens das gab mir ein gutes Gefühl: dass sie mir den nötigen Freiraum ließ, aber immer in der Nähe blieb.

Nun war ich allein, und ich kämpfte nicht länger gegen das Unausweichliche, ließ meiner Trauer freien Lauf. Der Schmerz war so gewaltig, dass es mir vorkam, als würde er mich innerlich zerreißen, mein Herz in tausend Stücke bersten lassen – und schließlich herrschte nur noch eine schreckliche Leere in meiner Brust, die mir die Luft abschnürte. Doch selbst in jenem Moment hätte ich es mir nicht anders überlegt. Ein Leben ohne Alexander schien mir unmöglich, doch so zu tun, als wäre er nie Teil meines Lebens gewesen, war ebenso ausgeschlossen. Ich würde von meinen Erinnerungen zehren, nie vergessen, wie leer mein Leben vor unserer Liebe gewesen war. Ich hatte die richtige Entscheidung getroffen. Wären wir noch länger zusammen gewesen, hätte ich eine Trennung womöglich nicht verkraftet. Hier und heute ging es nicht darum, was mein Herz sich wünschte; es ging ums nackte Überleben. Für einen flüchtigen Augenblick hatte er mir gehört. Unsere gemeinsame Zeit war viel zu kurz gewesen, aber ich wusste, es musste genug sein.

2

Ich stürmte an dem Mann vorbei, der mir die Tür aufhielt, murmelte noch ein Danke und eilte schnell weiter, als ich merkte, dass er mich ansprechen wollte. Er sah nicht nach Reporter aus, doch ich hatte es auf die harte Tour gelernt, scheinbar zufällig interessiert wirkenden Fremden grundsätzlich zu misstrauen. Davon abgesehen hatte ich an diesem Morgen wirklich keine Zeit. Mir blieb gerade noch eine knappe halbe Stunde, um mich auf das Meeting mit einem unserer wichtigsten Klienten vorzubereiten.

Bei Peters & Clarkwell war es an diesem Dienstagmorgen noch relativ ruhig, doch das würde nicht lange vorhalten. Seit wir den Zuschlag für die Isaac-Blue-Kampagne erhalten hatten, ging es nicht mehr entspannt, sondern gnadenlos hektisch zu – und ich fand das großartig. Während viele meiner Kollegen nicht mit dem neuen Arbeitstempo klarkamen, war ich in meinem Element. Die Arbeit ließ mir kaum Zeit, über mein verkorkstes Leben nachzusinnen oder Alexander hinterherzutrauern. Zweieinhalb Monate lang hatte ich praktisch im Büro gelebt, war als Erste gekommen und als Letzte gegangen. Ich arbeitete, bis mir die Augen zufielen, verdrängte jeden Gedanken an Alexander, so gut es ging. Nur nachts erschien er mir immer wieder – bis jetzt war mir kein Mittel eingefallen, wie ich ihn aus meinen Träumen heraushalten konnte.

Überrascht sah ich Tori mir von ihrem Schreibtisch aus zuwinken. Im Gegensatz zu mir hatte die quirlige Rothaarige ein funktionierendes Privatleben – oft genug hatte sie mich eingeladen, mit ihr um die Häuser zu ziehen – und war noch nie vor mir im Büro gewesen. Ich blieb bei ihr stehen, während ich mich darauf einstellte, zum x-ten Mal von ihr zum Dinner oder auf ein paar Drinks eingeladen zu werden. »Du bist aber früh hier.«

Ich zwang mich zu einem Lächeln. Ich mochte Tori; möglich, dass wir eines Tages sogar Freundinnen werden würden. Aber momentan kreisten meine Gedanken ausschließlich um meine Arbeit. Das Wörtchen »Spaß« kam in meinem Vokabular nicht vor. Im Lauf des Sommers war ich einige Male mit Belle und ein paar Freundinnen ausgegangen, allerdings war mir dabei nur immer wieder schmerzlich bewusst geworden, wie sehr mir Alexander fehlte. Jetzt war ich schlauer und blieb daheim.

Tori zog eine Grimasse und hielt ihre Jacke zusammen, um das Glitzertop darunter zu verbergen.

Verschmierter Eyeliner und fragwürdige Arbeitskleidung? »Na? Heiße Nacht gehabt?«, fragte ich.

Sie beugte sich vor und senkte die Stimme, obwohl wir die Einzigen im Büro waren. »Sieht man mir an, dass ich nicht geschlafen habe? Tja, blöd, wenn einem um vier Uhr morgens einfällt, dass man die letzten Kalkulationen für die Blue-Kampagne noch nicht erstellt hat – besonders, wenn man gerade im Brimstone abfeiert.«

Ich lachte und hoffte, einigermaßen mitfühlend zu wirken, doch innerlich brachte mich ihr kleines, harmloses Geständnis völlig aus dem Konzept – tausend Erinnerungen stürmten plötzlich auf mich ein. Ich war selbst diverse Male in dem Club gewesen, und plötzlich verspürte ich eine Eifersucht, die mich selbst verblüffte. War er gestern Nacht ebenfalls dort gewesen? Hatte sie vielleicht sogar zufällig neben ihm gestanden? Und es war ja nicht nur das. Tori konnte nicht wissen, dass das Wort *Brimstone* eine ganz besondere Bedeutung für mich hatte. Weil es in alltäglichen Unterhaltungen nicht eben häufig vorkam, hatte ich es zu meinem Safeword auserkoren, jenes Wort, das mich absicherte, falls Alexander das Spiel zu weit trieb und mehr von mir verlangte, als ich ihm geben konnte.

Ein einziges Mal hatte ich es gebraucht, und es würde nie wieder über meine Lippen kommen.

Tori gab ein Hüsteln von sich, und ich schüttelte die schmerzhaften Erinnerungen ab. »Tut mir leid«, murmelte ich. »Ich habe auch noch ein paar Sachen zu erledigen, bevor Isaac kommt. Oh Mann, ich weiß nicht, wo mir der Kopf steht.«

»Geht mir genauso«, sagte sie. »Lass uns doch mal zusammen Mittag essen, wenn wir alles unter Dach und Fach haben.«

Ich zögerte, suchte reflexartig nach einer Ausrede. »Ich fürchte, diese Woche klappt es nicht. Ich habe noch tausend Dinge mit Isaacs Management zu klären.«

Tori zuckte die Achseln. »Dann vielleicht ein andermal.«

»Machen wir«, erwiderte ich. Mehr an Zusage war momentan nicht möglich. Ein Blick auf die Brouhr sagte mir, dass ich gerade satte fünf Minuten wertvolle Arbeitszeit mit Tori verschwendet hatte.

Ich verstaute meine Handtasche in meinem Schreibtisch und fuhr meinen Computer hoch.

»Na, startklar für unseren großen Tag?«, fragte eine vertraute Stimme. Als ich aufsah, stand Bennett vor mir. Sein sonst so warmes Lächeln wirkte schwach und müde.

Ich musterte meinen Boss. Er hatte dunkle Ringe unter den Augen, und sein lockiges braunes Haar sah aus, als hätte er seinen Kamm nicht gefunden. »Und selber?«

»Sehe ich so schlimm aus?« Er ließ sich in den Stuhl neben mir fallen und fingerte an seiner Krawatte herum. »Wieso haben Kids eigentlich ständig irgendwelche Ferien, während ihre Eltern pausenlos arbeiten müssen?«

»Tja, das Leben ist eben verdammt ungerecht«, erwiderte ich. Bennett war Vater zweier sechsjähriger Zwillingsmädchen, die er allein aufziehen musste, da ihre Mutter ein Jahr zuvor völlig unerwartet gestorben war. Ein echter Kraftakt, auch wenn er sich bemühte, sich nichts anmerken zu lassen. »Wie wär's, wenn ich am Freitagabend Babysitter spiele und ein paar Stunden auf die beiden aufpasse?«

Bennett riss die Augen auf. »Als ob du nicht schon genug arbeiten würdest!«

»Ach was«, sagte ich und winkte ab. »Die Blue-Foundation-Kampagne ist ohnehin in der Abschlussphase.« Ich verschwieg wohlweislich, dass mir jede noch so kleine Beschäftigung recht war, um mich von Alexander abzulenken, bis das nächste Großprojekt anstand.

»Hm, ein verlockendes Angebot.« Bennett rieb sich die Schläfen und stieß einen lauten Seufzer aus. »Würde es dir etwas ausmachen, wenn ich mich ein paar Stunden ins Bett lege, während du auf sie aufpasst?«

Du liebe Güte, er sah wirklich abgespannt aus. Ich hob die Augenbrauen. »Ausmachen? Ich *bestehe* darauf.«

»Ohne dich wäre ich aufgeschmissen, Clara.« Er hielt einen Moment lang inne, warf dann einen Blick in seine Aktentasche und kramte darin herum. »Jemand hat hier gestern für dich angerufen. Hm, ich dachte, ich hätte irgendwo die Nummer notiert.«

Mir wurde heiß und kalt. Es kam nur eine einzige Person infrage. Derjenige, von dem ich seit mehr als zwei Monaten nichts gehört hatte.

»Du hast dich doch nicht anderswo beworben?«, fragte Bennett besorgt.

Ich schüttelte den Kopf. »Nein, nirgends.«

»Schon gut. Ich habe bloß gefragt, weil du plötzlich so nervös wirkst.« Dann schien ihm ein Licht aufzugehen. »Oh. Ich glaube nicht, dass er es war, Clara.«

Wahrscheinlich hatte er recht. Ich verkniff mir die Fragen, die mir auf der Zunge lagen. Hatte der Anrufer seinen Namen genannt? Wie hatte seine Stimme geklungen? Hatte er tatsächlich eine Nummer hinterlassen? Eigentlich war Alexander nicht der Typ, der zum Hörer griff. »Wahrscheinlich war es bloß wieder irgendein Reporter.«

Trotzdem konnte ich meine Unruhe nicht abschütteln.

»Wie wär's mit einem Tee, bevor wir losgehen?«, fragte er.

»Lieber einen Kaffee. Das Protokoll ist auch so weit geprüft.« Ich hatte mich minutiös auf den heutigen Tag vorbereitet und würde mich jetzt bestimmt nicht wegen eines läppischen Anrufs aus dem Konzept bringen lassen.

Bennett grinste. »Kaum habe ich mal vergessen, dass du Amerikanerin bist, fragst du nach Kaffee.«

Ich drohte ihm mit dem Zeigefinger, während ich mich dem Bildschirm zuwandte. »Erstens bin ich nicht die Einzige hier, die Kaffee trinkt, und zweitens bin ich keine Amerikanerin.«

»Du bist mehr Amerikanerin, als du zugeben willst. Aber wenn ich dich mit genug Tee und Biskuits vollstopfe, entdeckst du vielleicht doch noch die Britin in dir.«

»God Save the Queen«, erwiderte ich mit meinem schlimmsten Cockney-Akzent.

Bennett lachte und machte sich auf den Weg zum Pausenraum. Ich war froh, dass sich seine Stimmung ein wenig aufhellte. Er witzelte zwar immer, ich würde zu viel arbeiten, doch in Wahrheit war er es, dem der Stress sichtlich über den Kopf wuchs. Ich machte mir Sorgen – die Mädchen hatten schließlich nur noch ihren Vater.

Als ich mein Handy anschaltete, um nach der Uhrzeit zu sehen, bemerkte ich einen entgangenen Anruf von meiner Mutter.

Sie greifen von allen Seiten an.

Meine Mutter konnte einfach keine Ruhe geben. Ich hatte schon seit Wochen nicht mehr auf ihre Anrufe reagiert. Tatsache war, dass es mir schwer auf die Nerven ging, dass sie sich die ganze Zeit einmischen musste. Daher hatte ich ihr nichts erzählt; für sie waren Alexander und ich nach wie vor zusammen. Sobald sie von unserer Trennung erfuhr, würde sie mich nicht nur nach allen Regeln der Kunst aushorchen, sondern mir obendrein in aller Ausführlichkeit auseinandersetzen, was ich falsch gemacht hatte und wie ich das in Ordnung bringen konnte. Meiner Mutter zufolge gab es nichts, was sich nicht irgendwie kitten ließ. Und ich hatte nicht die Nerven, ihr zu erklären, dass es zwischen Alexander und mir nichts mehr zu kitten gab.

Ich hatte Alexander gesagt, dass ich nicht bereit war, sein kleines Geheimnis zu spielen, doch die Wahrheit über unsere Beziehung hielt ich nach wie vor selbst geheim. Vielleicht war ich gar nicht so stark, wie ich glaubte.

Bennett kam zurück und reichte mir eine dampfende Tasse Kaffee. »Und? Alles paletti?«

Ich nippte an meinem Kaffee. Ihm gegenüber hätte ich eigentlich mit offenen Karten spielen können. Doch so zu tun, als wäre ich gut drauf, war mir zur zweiten Natur geworden. Also setzte ich mein bezauberndstes Lächeln auf. »Stets zu Diensten, Boss.«

Ich staunte nicht schlecht über die Verwandlung unseres Klienten. In den vergangenen Monaten hatte sich der berühmte Schauspieler vom Problemfall zum engagierten Vorbild entwickelt – Isaac Blue war Feuer und Flamme für unsere Kampagne. Für mich bestand kein Zweifel, dass Sophia King, seine blonde PR-Frau, einen gehörigen Anteil daran hatte. Die Medien spekulierten schon seit geraumer Zeit, ob zwischen den beiden etwas lief. Und es deutete einiges darauf hin – in einer Beschützergeste legte er ihr die Hand auf den Rücken, als wir den Konferenzraum betraten, zog sie jedoch so schnell zurück, dass niemand außer mir etwas bemerkte – auch nicht den glühenden Blick, mit dem sie ihn einen Moment lang anschmachtete.

Es war, als würde sich eine eisige Faust um mein Herz legen. So einen Blick würde ich nie wieder mit einem anderen Menschen teilen. Ich sehnte mich nach Alexanders Berührungen wie nie zuvor. Sophia sah mich an, aber ich wich ihrem Blick aus – oh Gott, jetzt hatte sie mich dabei ertappt, wie ich sie anstarrte.

»Zuallererst möchte ich mich herzlich für die gute Arbeit bedanken.« Isaac streckte Bennett die Hand hin. »Dank Peters & Clarkwell steht die Blue Foundation auf einem soliden und erfolgversprechenden Fundament.«

Bennett ergriff seine Hand, schüttelte aber den Kopf. »Bedanken Sie sich bei ihr.«

Trotz all der Arbeit, die ich in die Kampagne gesteckt hatte, war es mir peinlich, extra erwähnt zu werden. Klar wollte ich beruflich vorwärtskommen, aber am wichtigsten war für den Moment, dass mein Name erst einmal aus den Boulevardmagazinen und Klatschblättern verschwand. Isaac wandte sich mir zu und zuckte bei meinem Anblick zusammen. Mit seinem kurz geschnittenen braunen Haar, den attraktiven Grübchen und seinem Waschbrettbauch hätte er die meisten Frauenherzen im Sturm erobert. Aber nicht meins. Isaac war wirklich supersexy, doch Alexander konnte er nicht das Wasser reichen.

Ganz routinierter Schauspieler, hatte er sich sofort wieder im Griff und streckte mir die Hand hin. »Herzlichen Dank, Miss...«

»Bishop«, spielte ich mit. Keine Frage, er hatte mich erkannt. Wenn man einmal auf dem Cover von *People* geprangt hatte, war es mit der Anonymität nicht mehr weit her. Wir tauschten noch ein paar Nettigkeiten aus, und trotz des peinlichen ersten Augenblicks konnte ich mich seinem Charme nicht entziehen.

Die anderen hatten den Konferenzraum bereits wieder verlassen, als Sophia mich aufhielt.

»Kann ich noch etwas für Sie tun?«, fragte ich.

»Wirklich verblüffend«, sagte sie. »Sie klingen wie eine Amerikanerin, verhalten sich aber ekelhaft britisch. Immer höflich, immer freundlich. Geradezu beispielhaft.«

Wenigstens war sie nicht auf blöde Spielchen aus. »Ich kann auch anders, wenn's sein muss.«

Sie lachte und verschränkte die dünnen Arme vor der Brust. »Ich will Ihnen nicht zu nahe treten, aber Ihnen sind beim Hereinkommen fast die Augen aus dem Kopf gefallen.«

»Den Effekt hat er nun mal auf Frauen«, erwiderte ich lässig.

»Das stimmt. Aber lassen wir das Geplänkel. Sie wissen genau, dass ich nicht von ihm rede. Und Sie verstehen sicher besser als die meisten anderen Menschen, dass auch Prominente einen Anspruch auf Privatleben haben.« Sie trat beiseite, sodass sie nicht länger die Tür blockierte. »Ich appelliere an Ihre Diskretion, das ist alles.«

»Oh, kein Problem«, gab ich zurück. »Von mir erfährt keiner was.«

»Es ist kein Geheimnis, aber wir hängen es auch nicht an die große Glocke«, sagte sie. »Meine Beziehung zu Isaac ist mir heilig, Clara. Aber nicht deshalb wollte ich mit Ihnen sprechen. Sie könnten jemanden in Ihrer Ecke des Rings brauchen, finde ich…«

Sie griff in ihre Birkin Bag und reichte mir eine elfenbeinfarbene Visitenkarte.

»Wie soll ich das verstehen?«, fragte ich.

»Vielleicht kann ich ja etwas für Sie tun. Ich bin ziemlich gut darin, Dinge wieder in Ordnung zu bringen.«

Ich lächelte schwach. »Dafür ist es zu spät.«

Sophia blickte auf den Flur hinaus. Als sie mich wieder ansah, funkelten ihre Augen. »Es ist nie zu spät.«

Als ich ihre Karte in meine Schreibtischschublade legte, gingen mir ihre Worte immer noch im Kopf herum. Keine Frage, Sophia King war ein Profi, eine, der in ihrem Job keiner etwas vormachte, aber ich brauchte keine Hilfe. Es war wirklich zu spät. Zweieinhalb Monate hatte ich vor Verzweiflung nicht ein noch aus gewusst, doch allmählich, wenn auch quälend langsam, fing ich mich wieder. Mir blieb nur eins: die Vergangenheit hinter mir zu lassen und das Beste aus meinem Leben zu machen. Ich holte tief Luft, ging zu Toris Schreibtisch und wartete, bis sie ihr Telefonat beendet hatte.

»Wie wär's mit nächster Woche?«, fragte ich, ehe ich es mir anders überlegen konnte. »Ich habe den ganzen Sommer über nur geschuftet. Es wird allmählich Zeit, mal wieder unter die Leute zu gehen.«

»Super!« Tori klatschte in die Hände. »Ich nehme dich beim Wort.«

Ich lächelte. »Tu das.«

Erste kleine Schritte, so nannte man das wohl.

Ich legte meine Tasche auf die Arbeitsplatte in der Küche und ging die Post durch. Leise Enttäuschung stieg in mir auf, als ich feststellte, dass es einmal mehr nur Rechnungen und Werbeblättchen waren.

Im selben Moment betrat Belle die Küche. Sie trug ein türkisfarbenes Maxikleid, das ihre Figur elegant umschmeichelte, und fächelte sich Luft zu, während sie sich ein paar schweißfeuchte Haarsträhnen aus dem Nacken strich. Ihre Tante hatte uns diese Wohnung überlassen, und so sehr ich die Vorkriegsarchitektur und die preiswerte Miete zu schätzen wusste, fehlten leider ein paar moderne Annehmlichkeiten – eine Klimaanlage zum Beispiel.

»Wie wär's mit Sommerurlaub?«, schlug Belle vor. »Mallorca oder Seychellen, was meinst du?«

»Da ist es doch noch heißer. Außerdem habe ich einen Job.«

»Heißer Strand ist ja wohl was anderes als eine brütend heiße Küche.« Seufzend nahm sie sich einen Eiswürfel aus dem Gefrierfach. »Hier in der Stadt hält es doch kein Mensch aus. Kannst du dir nicht ein paar Tage freinehmen – oder wenigstens ein langes Wochenende?«

»War das alles?« Ich hielt die Post in die Höhe, ohne auf ihre Frage einzugehen.

»Soweit ich weiß, ja.« Sie musterte mich prüfend. »Wie war dein Meeting?«

»Fantastisch«, erwiderte ich, während ich hoffte, dass sie nicht weiter nachhaken würde. Ich war mir immer noch unsicher, ob ich Sophia Kings Angebot nicht vielleicht doch annehmen sollte.

»Du hast ja auch erstklassige Arbeit für die Kampagne geleistet«, sagte Belle. »Das sollten wir feiern. Komm, lass uns was trinken gehen.«

»Ich glaube, ich muss erst mal eine Runde joggen.« Damit redete ich mich immer heraus, wenn mich nicht gerade die Arbeit auf Trapp hielt.

»Schwachsinn«, gab Belle zurück. »Du lässt mich jetzt schon eine ganze Weile am ausgestreckten Arm verhungern.«

»Das stimmt nicht.« Ich seufzte, während ich mir den Kopf

zerbrach, wie ich ihr erklären sollte, was los war, ohne Alexander zu erwähnen. »Ich habe einfach keine Lust, um die Häuser zu ziehen.«

»So geht das jetzt seit Wochen«, maulte sie. »Ich habe dich echt lieb, Süße, aber du kannst dich nicht ewig vor dem Leben verstecken. Wann hörst du endlich auf, Trübsal zu blasen?«

»Ich will bloß eine Runde laufen, das ist alles.« Ich griff nach meiner Handtasche und flüchtete, ehe sie mich weiter bedrängen konnte.

Als ich eine Viertelstunde später aus meinem Zimmer kam, hatte Belle die Tür hinter sich zugemacht. Ich band mein Haar zum Pferdeschwanz und verließ das Haus. Obwohl es draußen immer noch ziemlich schwül war, fühlte sich die Luft angenehm kühl auf meiner Haut an, als ich das Tempo ein wenig anzog. Wenn ich joggte, war mein Kopf irgendwann völlig leer – denselben Effekt erzielte ich, wenn ich mich bis über beide Ohren mit Arbeit zubaggerte.

An der nächsten Kreuzung blieb ich stehen und wartete, dass die Ampel umsprang. Das Herz schlug mir bis zum Hals, als mir auf der gegenüberliegenden Straßenseite ein schnittiger Rolls-Royce ins Auge stach. Ich atmete tief durch und sah genauer hin, erkannte zu meiner Enttäuschung, dass es nicht Alexanders Wagen war.

Krieg dich wieder ein, ermahnte ich mich. Und ausnahmsweise mit Erfolg. Ich lief los, spürte das Blut in meinen Adern pumpen und gab Vollgas, bis ich alles um mich herum vergaß. Klar, ich rannte vor meinen Problemen davon. Aber welche Wahl blieb mir auch, allein wie ich war, ohne einen Menschen, bei dem ich Zuflucht suchen konnte?

Doch auch dieser Gedanke verflüchtigte sich mit zunehmender Anstrengung. Als ich eine halbe Stunde später die Stufen zu unserer Haustür hinauflief, hatte ich einen komplett klaren Kopf. Ich war kaputt und glücklich, und ich hätte so ziemlich alles dafür gegeben, mir diesen Zustand bewahren zu können.

»Clara!«, hörte ich eine Stimme.

Tante Jane stand in ihrer Tür und winkte mir zu.

»Hi, Jane«, keuchte ich.

»Komm rein und trink erst mal was. Du siehst aus, als wärst du gerade einen Marathon gelaufen.«

Genauso fühlte ich mich auch, aber trotz meiner trockenen Kehle schüttelte ich den Kopf. »Danke, aber ich bin total verschwitzt und muss dringend unter die Dusche.«

»Unsinn.« Jane trat auf den Hausflur hinaus. »Jetzt komm schon rein.«

Es war sinnlos, mit Tante Jane zu diskutieren, wenn sie sich resolut gab. Belles Tante hatte trotz ihres Alters immer noch eine Figur wie eine Elfe, dazu trug sie eine graue Kurzhaarfrisur. Ihre geringe Größe machte sie problemlos mit ihrer Power wett, und ein großes Herz hatte sie noch dazu. Ich kapitulierte und folgte ihr nach drinnen.

Und dann trank ich erst einmal gierig das Glas Wasser aus, das sie mir reichte.

»Danke«, sagte ich.

»Erzähl mir nicht, du würdest bloß joggen«, sagte Jane. »Das sieht mir eher danach aus, als würdest du vor irgendwas weglaufen.« Jane konnte man nichts vormachen.

»Quatsch«, wiegelte ich mit einem Achselzucken ab. »Ich blicke einfach nach vorn.«

»Und warum?«

Ich wusste nicht, was ich erwartet hatte, aber ganz bestimmt nicht diese Frage. Zumal mir von anderen Leuten noch tausend tolle Ratschläge in den Ohren klingelten. Ich überlegte, was ich erwidern sollte, doch schließlich blickte ich sie nur schweigend an.

»Du liebst ihn, Clara.« Jane ergriff meine Hand und tätschelte sie. »Das sieht doch ein Blinder, meine Liebe. Aber warum bist du dann nicht mehr mit ihm zusammen?«

Ich schloss die Augen, nahm meine ganze Kraft zusammen, ehe ich antwortete. »Manchmal ist Liebe eben nicht genug.«

»Was ist denn je genug?«, gab Jane zurück. »Clara, jede Liebe hat ihre Zeit. Manche Beziehungen halten ein ganzes Leben, andere nur ein paar Wochen.«

»Ich weiß«, flüsterte ich.

Sie ließ nicht locker. »Und deine Zeit mit Alexander ist vorüber?«

Ich wandte mich ab und starrte aus dem Fenster. Der Rolls-Royce stand immer noch am Bordstein, und abermals bekam ich Herzklopfen. »Ich liebe ihn noch«, gab ich zu. »Aber es geht nicht. Unsere Zeit ist vorbei.«

»Bist du dir ganz sicher? Nur weil man eine Liebe beendet, heißt das noch lange nicht, dass sie auch vorbei ist. Nicht, wenn man aus den falschen Gründen Schluss macht. Wenn man eine Beziehung zerstört, bereut man es später, und zwar bitter.« Ich spürte, wie ihr Blick auf mir ruhte. »Und diese Bitterkeit wirkt wie ein Gift, das einen langsam von innen zerfrisst.«

Ihr Tonfall ließ darauf schließen, dass sie dieses Gift selbst schon getrunken hatte.

Ich war nicht so alt wie Tante Jane, aber die Liebe hatte auch mich schon so manche Lektion gelehrt. Ja, irgendwie war es ein tröstlicher Gedanke, dass die Zeit alle Wunden heilt, doch im Grunde war das nichts weiter als eine Lüge. Ein gebrochenes Herz wurde nie wieder heil, in hundert Jahren nicht. Man spürte es sein ganzes Leben, egal wie massiv man die Vergangenheit auch zu verdrängen versuchte.

»Ich fürchte, ich habe keine Wahl«, sagte ich. »Und er will mich ja sowieso nicht.«

Meine eigenen Worte trafen mich wie eine spitze Klinge mitten ins Herz. Ich hatte niemandem – nicht einmal Belle – erzählt, dass ich seit über zwei Monaten nichts mehr von Alexander gehört hatte. Seit wir uns in Notting Hill auf der Straße gegenübergestanden hatten, herrschte absolute Funkstille. Und selbst wenn Jane mit dem richtig lag, was sie mir gerade erklärt hatte – es war sinnlos. Alexander hatte mich abgehakt. Ich spielte in seinem Leben längst keine Rolle mehr.

»Woher willst du das wissen?«

»Ich weiß es einfach.«

Belle hatte darauf geachtet, keine Klatschblätter mit nach Hause zu bringen, doch an den Zeitungsständen hatte ich sie ohnehin jeden Tag gesehen. All die Fotos, die Alexander in irgendwelchen Clubs und Bars zeigten. Ein paar seiner Freunde hatte ich ebenfalls auf den Bildern erkannt, darunter auch Jonathan Thompson, seinen alten Schulfreund, dem Belle auf den Leim gegangen war. Wenn Alexander mit ihm durch die Clubs zog, konnte ich mir nur allzu lebhaft vorstellen, was hinter den Kulissen passierte, sodass es die Boulevardreporter nicht zu sehen bekamen. Soweit ich wusste, war Alexander bislang nicht in Begleitung einer anderen Frau gesichtet worden, aber lange konnte es nicht mehr dauern. Und ich selbst war ebenfalls immer noch Thema. Die letzte Headline, die ich gesehen hatte, lautete: *Nach wie vor unklar – Wo steckt Clara?*

Jane schürzte die Lippen, während sie mich eingehend betrachtete. »Warte mal einen Moment.«

Ihr seltsamer Unterton ließ mich erstarren. Wie angewurzelt stand ich in ihrer Küche, doch als sie kurz darauf mit einem Stapel Briefe zurückkam, spürte ich, wie glutheißer Zorn Besitz von mir ergriff. Ich erkannte die cremefarbenen Umschläge, noch bevor mir das rote Wachssiegel ins Auge stach.

Das Herz schlug mir bis zum Hals.

»Wo hast du die denn her?«, platzte ich heraus, als sie mir Alexanders Briefe in die Hand drückte.

»Wir wollten nur, dass du ein bisschen zur Ruhe kommst«, sagte Jane leise.

»*Wir?*« Ich konnte es nicht fassen. »Du meinst, *Belle.*«

Jane blinzelte verlegen. »Sei ihr nicht böse. Sie hat es doch nur gut gemeint.«

Ich stieß ein ungläubiges Schnauben aus, während ich Alexanders Briefe an meine Brust presste. Wie hatte meine beste Freundin sie vor mir geheim halten können? Ein ums andere Mal hatte Belle mir damit in den Ohren gelegen, ihn zu vergessen und nach vorne zu blicken. Nun sah es danach aus, als hätte sie eine mögliche Versöhnung zwischen mir und Alexander vorsätzlich sabotiert.

»Ach ja?«, sagte ich. »So sehr hat mir in meinem ganzen Leben noch niemand wehgetan.«

Doch im selben Moment wusste ich, dass das nicht stimmte.

Es gab jemanden, der mir weit mehr wehgetan hatte. Es war der Verfasser ebenjener Briefe, die ich gerade in der Hand hielt.

Warum also war ich so scharf darauf, sie zu lesen?

3

Ich verzichtete auf die Dusche, ging in mein Zimmer und schloss die Tür hinter mir. Meine Hände zitterten, als ich die Umschläge zählte. Es waren Dutzende. Ich wusste nicht, mit welchem Brief ich anfangen sollte – aber spielte das überhaupt eine Rolle? Versonnen ließ ich den Finger über meinen Namen gleiten. Oh, Alexander. Er hatte diese Kuverts, dieses Papier berührt, und nach den langen Wochen ohne ihn verspürte ich unvermittelt eine solche Sehnsucht, dass mir einen Moment lang die Luft wegblieb.

Ich brach das Wachssiegel des ersten Briefs. Er hatte ihn Ende Juni geschrieben. Seitdem waren nur wenige Wochen vergangen, die sich aber wie eine Ewigkeit angefühlt hatten. Gespannt hielt ich den Atem an, holte tief Luft und begann zu lesen:

Clara,

ist es wirklich erst ein paar Tage her, dass ich dich zuletzt berührt habe? Inzwischen plagen mich nachts keine

Albträume mehr. Stattdessen träume ich von dir – deinem Körper, wie er sich an meinen schmiegt, deinem Geschmack auf meiner Zunge, während ich dich mit dem Mund verwöhne, deinen Lippen, wie sie sich um meinen Schwanz schließen. Die Nächte sind meine Zuflucht, die Tage eine einzige Tortur – weil du nicht da bist, wenn ich erwache.

X

Unbändiges Verlangen ergriff Besitz von mir, doch dann war mir, als würde sich eine kalte Faust um mein Herz krampfen. Wie war das möglich – dass er mich so unendlich anmachte, ich aber gleichzeitig am liebsten losgeheult hätte?

Mr. X. Ich hauchte einen Kuss über seine Initiale. Auch mir erschien er in meinen Träumen, doch er verließ mich darin jedes Mal – manchmal wegen einer anderen Frau, manchmal ohne ersichtlichen Grund. Unweigerlich wachte ich dann auf, lag da und starrte an die Decke in der Gewissheit, dass die Verzweiflung, die mich in meinen Träumen befiel, auch am Tag nicht verschwinden würde. Was, wenn er in meinen Träumen mit mir geschlafen hätte? Wäre ich dann nächtelang wach geblieben, um mich gegen diese Trugbilder zu wehren? Ich war mir nicht sicher. Schon der bloße Gedanke an seine zärtlichen Berührungen machte mir Angst.

Die Sehnsucht nach ihm wurde so heftig, dass ich mich nicht länger beherrschen konnte und einen Brief nach dem anderen aufriss. Seine Fantasien überwältigten mich. Sie waren so männlich, archaisch und raubtierhaft wie Alexander selbst.

Er beschrieb, wie er vor mir kniete und sich meine Finger in seinem seidigen schwarzen Haar verkrallten, während er mich mit dem Mund vögelte. Oder wie ich seinen harten Schwanz leckte, bis er auf meiner Zunge kam.

Zwischen meinen Schenkeln begann es zu pulsieren, und ich ließ eine Hand in meine Shorts gleiten, verschaffte mir Erleichterung, indem ich den Mittelfinger auf meine pochende Perle presste. Ich wusste nicht mehr genau, wann ich mich zuletzt selbst berührt hatte. Auf jeden Fall war es vor unserem ersten Mal gewesen – danach hatte ich kein Bedürfnis mehr verspürt, mich selbst zu befriedigen. Er allein konnte mein Verlangen stillen, mir die Erlösung verschaffen, nach der ich mich sehnte. Er allein, und nun waren es seine Briefe, die mich erlösten.

Mit sanftem Druck ließ ich den Finger um meine Klitoris kreisen, während ich den nächsten Brief las. Ich spürte das vertraute Ziehen zwischen den Beinen, doch gleichzeitig traten mir Tränen in die Augen und strömten mir über die Wangen. Ich sog seine Worte in mich auf, während eine Woge der Lust durch mich hindurchflutete.

Süße,

ich kann nicht schlafen. Aus meinen Träumen bist du genauso entschwunden wie aus meinem Leben. Ich schreibe dir aus unserem Haus in Notting Hill. Seltsam, dass ich selbst jetzt, nach all den Tagen und Wochen ohne dich, immer noch nicht loslassen kann. Hier habe ich dich zum letzten Mal gefickt. Hier habe ich zum letzten Mal deine Lippen geküsst. Hier hast du zuletzt meinen Namen gehaucht, mir die kostbarsten drei Worte der Welt gesagt. Ich weiß, dass du meine Briefe nicht liest. Würdest du es tun, wärst du längst hier. Wie lange willst du dich noch gegen deine Gefühle wehren, Clara? Du gehörst zu mir. Und ich will nur dich. Immer.

X

Ich keuchte seinen Namen, als ich kam, und alles um mich herum, einschließlich mir selbst, schien in tausend Teile zu zersplittern. Ich ließ mich auf mein Kissen zurücksinken, während mein Körper in den Nachwehen des Orgasmus bebte. Ich drückte seinen Brief fest an meine Brust. Wie sollte ich aus diesem Gefühlschaos wieder herauskommen? In einem Brief nach dem anderen hatte er mir seine Seele entblößt, die Wahrheit hinter seinen Fantasien. Mein Körper verzehrte sich nach ihm – und nach dem Versprechen, das in seinen Worten lag.

Verschmelzen.

Erlösung.

Sicherheit.

Trotz meiner Erregung entging mir nicht, was in seinen Briefen fehlte. Ein klares Bekenntnis. Auf tausend verschiedene Arten hatte er mir gesagt, was er für mich empfand, aber nie so, wie ich es hören musste.

Ich war nach wie vor sein Geheimnis, und immer noch befand sich eine Mauer zwischen uns, die mit jedem Tag unserer Trennung weiterwuchs.

Es klopfte an meiner Tür, und ich wollte instinktiv die Briefe verstecken, ehe mir aufging, was ich vorhatte.

Er kann genauso wenig dein kleines Geheimnis sein, Clara.

Ich ließ die Briefe offen auf dem Bett liegen und öffnete die Tür. Belle stürmte herein, blieb aber wie angewurzelt stehen, als sie die Briefe erblickte.

»Clara ...«, stieß sie hervor, aber ich hob warnend den Zeigefinger.

»So wie du hier hereinplatzt, nehme ich an, Jane hat dir erzählt, dass sie mir die Briefe gegeben hat.« Sie wollte etwas sagen, aber ich schüttelte den Kopf. »Verschone mich mit irgendwelchen Rechtfertigungen.«

Wie erstarrt stand Belle da, fing sich aber schnell wieder. »Ich lasse mir von dir nicht den Mund verbieten.«

»Wie konntest du nur?«, zischte ich.

»Wie konnte ich nur was?«, rief sie. »Meine beste Freundin davor schützen, dass ihr wieder und wieder das Herz gebrochen wird?«

»Zwei Monate lang habe ich in dem Glauben gelebt, dass ich in seinem Leben keine Rolle mehr spiele.« Ich kochte vor Wut.

»Du hast mir nicht erzählt, was zwischen euch gelaufen ist! Wovon sollte ich denn ausgehen?«

»Nichts erzählt? Das stimmt doch nicht!«, gab ich wutentbrannt zurück.

Diesmal war sie es, die den manikürten Zeigefinger hob. »Ja, das eine oder andere hast du schon erzählt, aber nicht alles. Da ist noch mehr zwischen euch vorgefallen, Clara. Er hat dich *gebrochen* – ich hab es dir angesehen. Und ich konnte nicht zulassen, dass er dir noch mehr wehtut!«

»Du hast doch keine Ahnung, was passiert ist!«

»Dann sag es mir«, flehte sie mich an. »Sag mir, wie du es fertigbringst, ihn gleichzeitig zu lieben und zu fürchten. Sag mir, warum du vor ihm geflohen bist! Ich begreife es nämlich nicht, Clara. Er hat dich zutiefst verletzt. Du warst nur noch ein Schatten deiner selbst – und das konnte ich nicht mit ansehen.«

»Ein Schatten meiner selbst?«, wiederholte ich empört. Aber dann musste ich mir eingestehen, dass sie ins Schwarze getroffen hatte.

»Stimmt das etwa nicht? Immer nur Arbeit, Arbeit, Arbeit, bis kurz vorm Kollaps. Ein bisschen Schlaf und dann alles wieder von vorn. Nur eine kleine Frage: Wann hast du das letzte Mal etwas gegessen, ohne dass dein Wecker dich daran erinnert hat?«

Das war ein schwerer Vorwurf. Und Belle kannte die Antwort bereits. »Und das willst du mir jetzt vorhalten?«, entgegnete ich, während mir Tränen des Zorns in die Augen stiegen. »Du kapierst es einfach nicht. Der einzige Mensch, der mir je das Gefühl gegeben hat, am Leben zu sein, macht mich total fertig. Bin ich mit ihm zusammen, laugt er mich aus, bin ich von ihm getrennt, weiß ich nicht mehr weiter. Sag du mir doch, was ich tun soll, Miss Superschlau!«

Statt etwas zu erwidern, trat sie zögernd einen Schritt auf mich zu, blieb stehen und schlang die Arme um mich. Schluchzend sank ich an ihre Brust. Ich hatte ihr nicht erzählt, was nach dem Drama mit seiner Familie, die mich offen ablehnte, geschehen war. Und sie spürte instinktiv, dass ich ihr etwas verschwiegen hatte. Sie kannte mich zu gut, um nicht zu sehen, dass ich ihm mit Haut und Haar verfallen war.

»Ich wollte doch nur dein Bestes«, flüsterte sie.

»Warum sagen das immer alle, nachdem sie mir einen Dolch ins Herz gestoßen haben«, krächzte ich.

»Oh, Clara.« Sanft strich mir Belle über die Haare. »Ich dachte, das Ganze wäre einfacher für dich, wenn du nicht erfährst, dass ...«

Ich löste mich von ihr und wischte mir die Tränen trocken.

»Wenn ich *was* nicht erfahre?«

»Dass er dich liebt«, erwiderte sie sanft.

»Er hat es mir nie gesagt«, flüsterte ich mit bebender Stimme.

»Clara, er hat dir jeden einzelnen Tag geschrieben, seit du ihn verlassen hast. Und das Gedächtnis der meisten Männer reicht gerade mal bis zu ihrer Schwanzspitze. Glaub mir.«

»Aber das genügt nicht.« Eigentlich sagte ich das nur, um mir in Erinnerung zu rufen, warum ich einen Schlussstrich gezogen hatte. So konnte ich nicht leben. Oder doch?

Jetzt war ich vollends verwirrt. Belle hatte Alexanders Briefe vor mir geheim gehalten, um mich zu schützen, und nun zwang sie mich, den Umständen ins Auge zu sehen, die Alexander und mich auseinandergebracht hatten. Großer Gott – unsere Beziehung war so verkorkst, dass nicht einmal Belle sich mehr auskannte.

»Ich kann keine Entscheidung für dich treffen.« Belle legte einen Arm um meine Taille. »Aber während du dich zu einer Entscheidung durchringst, solltest du endlich auch wieder ein bisschen *leben*. Nicht nur für mich oder für ihn. Sondern in allererster Linie für dich. Du fehlst mir. Ich liebe dich, und ich bin nicht die Einzige, die sich Sorgen um dich macht.«

Ich ließ meinen Kopf an ihre Schulter sinken. »Ich dachte,

es würde schon wieder werden, wenn ich alles nur lange genug verdränge.«

»So funktioniert das Leben leider nicht, insbesondere wenn Liebe im Spiel ist.« Belle trat einen Schritt zurück. »Ich ahne zwar, was du mir jetzt antworten wirst, aber hättest du Lust, etwas mit mir trinken zu gehen?«

Ich ließ den Blick über die Briefe auf meinem Bett schweifen. Na ja, sie würden mir ja nicht weglaufen, genauso wenig wie Alexander. Die vergangenen Monate hatte ich mich endlos mit Arbeit zugeschüttet. Vielleicht würde ich nie erfahren, was ich wirklich wollte, wenn ich dem Leben ohne Alexander nicht endlich die Stirn bot.

Ich spürte, wie ein kleines Lächeln um meine Mundwinkel spielte. »Kann ich davor noch duschen?«

»Ja!« Belles Miene hellte sich schlagartig auf. »So wie du gerade riechst, mische ich mich ganz bestimmt nicht mit dir unters Volk. Aber nur damit eins klar ist, Clara Bishop. Bist du in dreißig Minuten nicht wieder draußen, gibt's Ärger.«

»Ich beeile mich«, versprach ich ihr. Eine Zentnerlast fiel von meinen Schultern. Vielleicht war es nur ein sinnloser Versuch. Vielleicht würde morgen kein weiterer Brief kommen. Vielleicht würde es nur noch mehr wehtun. Aber plötzlich konnte ich es kaum erwarten, mein Leben wieder in die eigenen Hände zu nehmen.

Der Pub um die Ecke war gerammelt voll. Belle packte mich am Arm und zog mich hinter sich her zu zwei Barhockern, die gerade frei geworden waren. Womit wir zwei anderen Mädchen zuvorkamen, die ebenfalls ein Auge auf die freien Sitzplätze geworfen hatten. Die eine musterte uns mit bösen Blicken, doch Belle schenkte ihr ein dreistes Lächeln.

»Du elendes Miststück«, rief ich ihr über das Stimmengewirr hinweg zu.

Augenzwinkernd gab sie dem Barkeeper ein Zeichen. »Ich nehme mir eben, was ich will.«

»Da bist du Alexander durchaus ähnlich«, gab ich zurück. Schließlich nahm auch er sich, was er wollte, obwohl er sich in den vergangenen zwei Monaten erstaunlich zurückgehalten hatte. Ich hingegen zögerte stets viel zu lange. Aber Menschen konnten sich doch ändern, oder?

Aber dazu musste ich erst einmal herausfinden, was ich mir überhaupt nehmen wollte.

Belle schob mir ein Glas hin und richtete den Zeigefinger auf mich. »Keine Grübeleien. Heute amüsierst du dich, dafür werde ich persönlich sorgen.«

Am liebsten hätte ich ihr gesagt, dass mich auch dieser Spruch an Alexander erinnerte. Doch stattdessen nahm ich mein Glas, stieß mit ihr an und trank einen großen Schluck. Im selben Augenblick musste ich husten, weil mir das starke Zeug die Kehle verbrannte. »Was ist das denn?«

»Bourbon.« Belle grinste über ihr Glas hinweg.

»Bourbon und?«

»Bloß Bourbon. Ohne alles. Sonst wirst du ja nie locker.«

»Und das soll helfen?« Zögernd nippte ich an der bernsteinfarbenen Flüssigkeit.

»Aber hallo.« Sie kippte ihren Drink in einem langen Zug, zog eine Grimasse und knallte das leere Glas auf den Tresen. »Verdammt!«

Ich tat es ihr nach, obwohl es sich anfühlte, als würde ich flüssiges Feuer schlucken. »Und wer von uns«, ich schüttelte mich, »passt heute auf wen auf?«

»Das schenken wir uns ausnahmsweise mal, würde ich sagen.« Sie zwinkerte mir zu.

Ich schwieg, während sie zwei weitere Getränke bestellte, und fragte mich, ob ich mich morgen früh würde krankmelden müssen. Wahrscheinlich, wenn das so weiterging. »Philip wird bestimmt nicht begeistert sein, wenn ich zulasse, dass du dich hier volllaufen lässt.«

»Sich im Pub ordentlich zu betrinken, ist eine lange und stolze englische Tradition«, gab sie zurück und schob mir den nächsten Drink zu. »Und sonst hat Philip es doch auch dauernd mit der Tradition. Los, runter mit dem Zeug!«

Ich hob die freie Hand, während ich den nächsten Schluck nahm. »Haben wir's eilig oder was?«

»Ich will tanzen gehen, und wenn ich alles richtig berechnet habe, brauchst du noch mindestens einen weiteren, bis du entspannt genug dafür bist.«

»Skandalös!« Ich presste mir die Hand an die Brust und tat empört. »Du willst mich betrunken machen?«

»Worauf du dich verlassen kannst.« Belle winkte dem Barkeeper, die nächste Runde zu bringen. »Ich will tanzen.«

»Das sieht mir hier aber nicht nach Dancefloor aus.« Der Bourbon zeigte bereits Wirkung, strömte warm durch meine Adern und löste meine Zunge.

»Hier ganz bestimmt nicht.« Sie verdrehte die Augen. »Wir gehen in einen Club, ist doch klar.«

Allein bei der Vorstellung wurde mir ganz anders. Ich ergriff sie am Handgelenk. »Na gut. Aber nicht ins Brimstone.«

Belle zog fragend eine Augenbraue hoch.

»Schlechte Erinnerungen«, sagte ich und beließ es dabei. Belle wusste genau, dass ich nur ein einziges Mal dort gewesen war – und zwar mit Alexander.

»Dann erst recht. Vergiss ihn! Was kümmert uns der Herr Hochwohlgeboren? Er ist nicht der Besitzer des Clubs, und du siehst heute Abend endlich mal wieder richtig heiß aus.«

Ich runzelte die Stirn und schüttelte den Kopf. Spätestens als Belle das enge rote Kleid auf mein Bett geworfen hatte, hätte ich ahnen müssen, dass es um mehr als bloß einen Drink im Pub um die Ecke ging. »Hast du deshalb darauf bestanden, dass ich mich so aufbrezle?«

»Willst du dein Leben etwa in Turnschuhen und Jogginghose wieder in den Griff kriegen? Das werde ich ganz bestimmt nicht zulassen.«

Ich kannte Belle gut genug, um zu wissen, dass noch ein bisschen mehr dahintersteckte. »Na schön – solange du mich nicht verkuppeln willst...«

»Man weiß nie, wann der Richtige vor einem steht«, erwiderte sie achselzuckend, ein wissendes Funkeln in den Augen.

Ich musste an den Tag denken, an dem ich Alexander kennengelernt hatte, daran, wie wir uns während der Feierlichkeiten im Oxford and Cambridge Club geküsst hatten, an seine magische Anziehungskraft, als wir das erste Mal Sex gehabt hatten. Ich hob mein Glas und stieß mit ihr an. »Darauf trinken wir.«

Ich verspürte nicht den geringsten Anflug von Beklommenheit. Vielleicht lag es am Alkohol, vielleicht aber auch an etwas noch Stärkerem – einem Hunger, der schon den ganzen Abend an mir nagte, seit ich Alexanders Briefe gelesen hatte. Ich war nicht seinetwegen hier. Jedenfalls nicht nur. Ich wollte der Vergangenheit ins Auge blicken. Das Brimstone hatte für mich eine besondere Bedeutung. Hier hatte mich Alexander zum ersten Mal vor sich gewarnt, hier hatte ich zum ersten Mal das dunkle Funkeln in seinem Blick gesehen. Zugleich war es der Ort, wo wir zusammengekommen waren – und an dem ich ihm die kalte Schulter gezeigt hatte. Der Name des Clubs hatte mir auch als Safeword gedient. Es war nicht ganz ungefährlich hierherzukommen, doch nachdem ich mich so lange nach Alexander gesehnt hatte, war ich bereit, das Risiko in Kauf zu nehmen.

Die Leute standen bis zur nächsten Straßenecke an. Doch ansonsten wies nichts darauf hin, dass es sich um Londons angesagtesten Club handelte. Ich nahm Belle am Arm und ging an der Schlange vorbei zum Eingang, wobei wir eine ganze Reihe schmutziger Blicke einheimsten. Wir sahen richtig heiß aus – ich in meinem kurzen roten Kleid und Belle in ihrem glitzernden silberfarbenen Trägerkleid –, doch das allein garantierte uns noch lange nicht, dass der Türsteher uns auch reinlassen würde.

»Vielleicht sollten wir lieber irgendwo anders hingehen«, meinte Belle mit einem Seitenblick auf die Schlange.

»Jetzt wird kein Rückzieher gemacht.« Ich straffte die Schultern, während wir uns dem Türsteher näherten.

»Vor einer Stunde hast du noch gesagt, du willst nicht hierher«, entgegnete sie.

»Das war, bevor ich drei Doppelte intus hatte.« Inzwischen fühlte ich mich, als könne ich es mit der ganzen Welt aufnehmen. Vielleicht hatte ich ja Glück, und Pepper Lockwood, Alexanders Jugendfreundin und meine Möchtegernrivalin, lief mir über den Weg. Ich spürte, wie ein böses Lächeln um meine Mundwinkel spielte.

»Genau«, riss Belle mich aus meiner Rachefantasie. »Du bist betrunken.«

»Und auf wessen Konto geht das?«

»Ich wollte dich doch bloß ein bisschen locker machen, aber jetzt...«

»Komm schon«, schnitt ich ihr das Wort ab, während wir den Anfang der Schlange erreichten. Hinter uns ertönte ein Gemisch aus genervtem Maulen und handfesten Flüchen.

»Miss?« Das Sakko des Türstehers drohte jede Sekunde aus den Nähten zu platzen, als er die Arme verschränkte. Mit einer kurzen Kopfbewegung deutete er zum Ende der Schlange. Belle zerrte an meinem Arm, während hinter uns ein paar Leute ein Pfeifkonzert anstimmten.

Ich zog eine Augenbraue hoch und musterte den Kerl. Es war definitiv derselbe, der mir die Tür aufgehalten hatte, als ich damals aus dem Brimstone geflohen war. »Sie erinnern sich wohl nicht an mich. Ist ja heute auch kein Waschtag.«

Ich strich mir vielsagend über mein Kleid und biss mir auf die Unterlippe. Er nahm mich einen Moment lang in Augenschein, ehe er nachhakte: »Eine Freundin von Mr. X?«

»So könnte man es ausdrücken.« Ich klimperte mit den Wimpern und wartete.

In seinen Augen ging ein Licht an, und er griff nach der Samtkordel, die den Eingang zum Club versperrte. »Ja, natürlich. Ich bitte um Entschuldigung. Freunde von Mr. X sind selbstverständlich...«

»Davon bin ich ausgegangen«, schnurrte ich, stolzierte an ihm vorbei und schwenkte selbstbewusst die Hüften. Dann wandte ich mich noch einmal um. »Ist er zufällig auch hier?«

»Ähm, ich glaube nicht, Miss ...«

»Clara reicht«, gab ich zurück. »Und vergessen Sie meinen Namen bitte nicht wieder.«

»Ganz bestimmt nicht«, versicherte er mir eilends. Abermals ließ er den Blick über meine Kurven wandern, stieß einen leisen Seufzer aus und wandte sich wieder der Schlange zu.

Belle ergriff meinen Arm und wirbelte mich zu sich herum. Sie starrte mich an, als käme ich von einem anderen Planeten. »Was war denn das für eine Nummer?«

»Vergiss nicht, dass ich schon mal hier war«, erinnerte ich sie.

Sie starrte mich weiter mit offenem Mund an, doch dann grinste sie. »Die Karte hast du bislang noch nie ausgespielt.«

»Welche Karte?«, fragte ich unschuldig.

»Komm, jetzt tu mal nicht so. Das Alexander-Ass. Oder sollte ich lieber X-Joker sagen?«

Ich hob die Schultern. »Warum nicht? Die Presse hat in meinem Privatleben herumgewühlt, mich benutzt und mein Bild auf die Titelseiten geknallt. Da habe ich wohl auch das Recht, mich mal in einer Schlange vorzudrängeln, oder?«

»Ich weiß nicht so genau, was ich von der neuen Clara Bishop halten soll«, erwiderte Belle zögernd. »Wo kommt die jetzt so plötzlich her?«

»Wahrscheinlich vom Grund einer Flasche Bourbon«, gab ich wahrheitsgemäß zurück.

»Dann besorgen wir dir jetzt schleunigst einen frischen Drink, bevor sie sich wieder vom Acker macht.« Lachend schob Belle mich zur Bar. »Ich glaube, dein neues Ich gefällt mir.«

Mir gefiel es auch. So selbstsicher war ich schon lange nicht mehr gewesen; ich fühlte mich sexy, ja regelrecht unwiderstehlich, und hatte auch keine Scheu, das allen zu zeigen. Möglich, dass der Alkohol daran schuld war, doch tief in meiner Brust war da noch etwas anderes, das mich beflügelte: die Wahrheit. Die vergangenen zehn Wochen hatte ich in dem Irrglauben gelebt, dass alles zwischen Alexander und mir nur eine Lüge gewesen war. Doch nun, nachdem ich seine Briefe gelesen hatte, fiel es mir wie Schuppen von den Augen. Er wollte mich. Er hatte für mich genauso empfunden wie ich für ihn – und vielleicht war es immer noch so. Fest stand jedenfalls, dass ich nicht mehr das naive Mädchen war, das Typen wie meinem Exfreund Daniel auf den Leim ging, der sich sowieso nie für mich interessiert hatte.

Aber hatte ich wirklich inzwischen ein besseres Gespür für Männer? Klar, was Alexanders Gefühle betraf, konnte ich mir nicht wirklich sicher sein. Aber auch wenn vielleicht die drei Doppelten oder die Botschaften in seinen Briefen schuld waren, zweifelte ich keine Sekunde daran, dass ich ihm etwas bedeutete.

Was noch lange nicht hieß, dass wir wieder zusammenkommen würden. Es hieß einfach nur, dass ich nicht verrückt war. Das hoffte ich jedenfalls.

»Auf die neue Clara!«, rief Belle über die Beats aus den Lautsprechern. Ich nickte und kippte meinen Drink.

Belle nahm mir das Glas ab und knallte es auf den Tresen, ehe sie mich hinter sich her auf die Tanzfläche zerrte.

Im Brimstone war es heiß wie in der Hölle. Die Tanzfläche war gerammelt voll mit verschwitzten Leibern, und alle paar Sekunden wurde ich von jemandem angerempelt. Es war mir egal. Belle und ich tanzten miteinander, zogen jede Menge männlicher Blicke auf uns. Als ein gut aussehender blonder Typ sich mit kreisenden Hüften an mich drängte, kam ich ihm entgegen, völlig hin und weg von der Musik, die mein Blut zum Kochen brachte. Belle legte fürsorglich einen Arm um meine Schultern, um mir zu bedeuten, dass sie bei mir war, falls es mir zu viel werden sollte. Aber ich wollte nur tanzen, mich in den pulsierenden Rhythmen verlieren.

Ich wollte frei sein.

Wie lange würde meine Euphorie wohl anhalten? Ich verdrängte den Gedanken, um zu verhindern, dass er meine Stimmung trübte. Jetzt zählte nur der Moment, und der war nahezu perfekt.

Mir fehlte nur eins.

Ich wandte mich von Belle ab, sah den blonden Fremden an, mit dem wir tanzten, und winkte ihm zu, während ich mich mit dem Rücken an Belle drängte, um mit ihr in der Menge zu verschwinden. Er hob die Hände und zog eine bedauernde Miene, doch ich schüttelte den Kopf. Er sah super aus, aber mit Alexander hätte er es in einer Million Jahren nicht aufnehmen können.

Im selben Augenblick wurde der Mann von jemandem an der Schulter gepackt und nach hinten gerissen.

Belles Finger schlossen sich um meinen Arm, als Alexander zwischen den Tanzenden hervortrat und den Fremden in die Menge stieß. Ehe es zu einem Gerangel kommen konnte, tauchte ein bulliger Typ im Anzug auf und führte den Blonden in Richtung Bar. Der Fremde warf Alexander noch einen finsteren Blick über die Schulter zu, ließ es aber dabei bewenden.

Wären nicht Belles Finger gewesen, die sich in meinen Arm

gruben, hätte ich vermutlich geglaubt, ich würde träumen. Ich schüttelte ihre Hand ab, bewegte mich aber nicht vom Fleck. Alexander und ich standen uns gegenüber, nur einen Atemhauch voneinander getrennt, und starrten uns an. Sein Blick schien mich regelrecht zu durchbohren, und mir wurde heiß und heißer. Die Leute um uns herum tanzten weiter, und die Musik wummerte, aber für mich gab es nur noch ihn.

Ich wandte mich ab, unterbrach den Blickkontakt für eine kostbare Sekunde, um wieder einen halbwegs klaren Kopf zu bekommen. Belle zog die Augenbrauen hoch, und ich lächelte beschwichtigend. Als ich mich wieder umdrehte, stand er immer noch vor mir. Er war kein Traum. Er war Fleisch und Blut. Glut und Feuer. Beschützer und Peiniger.

Mein Mr. »99 Prozent«-Perfekt.

Wie angewurzelt stand ich da. Er musste mich nur noch packen und über seine Schulter werfen. Ich würde keinen Widerstand leisten.

Doch er tat nichts dergleichen. Stattdessen streckte er die Hand aus – eine kleine Geste, in der umso mehr Bedeutung mitschwang. Er ließ mir die Wahl: Ich konnte seine Hand ergreifen und mit ihm gehen. Oder mich von ihm abwenden und ihn stehen lassen. Doch als ich in seine Augen sah, seine Hand ausgestreckt in der Luft, erkannte ich die Wahrheit.

Ich hatte nie eine Wahl gehabt.

4

Sobald sich die Tür hinter uns geschlossen hatte, fiel Alexander über mich her. Mir blieb kaum Zeit, die vertraute Umgebung wiederzuerkennen, da hatte er schon mein Kleid hochgeschoben und presste seine Lippen auf die meinen, während wir uns aneinanderklammerten. Ich wusste noch, wie ich zum ersten Mal in diesem Raum gewesen war, wie ich mich mit aller Macht gegen Alexanders Anziehungskraft gewehrt hatte, gegen das Dunkel, das hinter seiner atemberaubend erotischen, grüblerischen Fassade lauerte. Er hatte mich völlig in seinen Bann gezogen. Und genauso war es jetzt auch.

Mir schwirrte der Kopf vom Bourbon und unserer unverhofften Begegnung. Und von ihm, ihm, ihm.

Ich vergrub die Finger in seinem Haar, während er mich an die Wand drückte, und wehrte mich nicht, als er mir den Slip herunterriss. Ich wurde sofort feucht; mein Geschlecht reagierte unmittelbar auf seine Dominanz, wusste genau, was es erwartete. Alles an Alexander – sein Geruch, sein raues Kinn, der feste Griff um meine Hüften – machte mich so an, als wäre mein Körper darauf konditioniert, sich auf seine harten Stöße vorzubereiten.

Doch auch wenn mein Körper so willig war, meldete sich nun die leise Stimme in meinem Kopf, die mich daran erinnerte, welches Risiko ich einging. Alexander war reines, weiß glühendes Feuer. Seine Berührungen entflammten meinen Körper, bis ich meine Erregung nicht mehr kontrollieren konnte. Er durfte mich nehmen, wann und wo auch immer er wollte. Doch wer mit dem Feuer spielt, verbrennt sich unweigerlich die Finger, und an Alexander hatte ich mir mehr als einmal die Finger verbrannt. Fest stand, dass ich hier nicht unversehrt herauskommen würde.

Es gelang mir kaum, einen klaren Gedanken zu fassen – nicht, während Alexander mich überall berührte. Eine Frage aber drang doch durch den Schleier, der meinen Verstand vernebelte: Warum war er hier? Als er jedoch seine Zähne hungrig in meine Schulter grub und meinen Hals mit fordernden Küssen bedeckte, war mir die Antwort plötzlich egal. Ich war hier bei ihm, und zum ersten Mal seit Monaten hatte ich wieder das Gefühl, ein ganzer Mensch zu sein.

Seit einer Ewigkeit hatte ich mich nicht mehr so lebendig gefühlt.

Selbst seine züchtigeren Liebkosungen ließen mich ein ums andere Mal erschaudern. Allein als er mit dem Handrücken über meinen Arm strich, verspürte ich ein übermächtiges Ziehen zwischen den Beinen und stöhnte auf, als seine Lippen meine Wange streiften. Die Funken zwischen uns sprühten wie eh und je, und mit jeder verstreichenden Sekunde bestand zunehmend akute Feuergefahr. Zu lange war es her, dass Alexander und ich uns zuletzt berührt hatten, und keinem noch so winzigen Zweifel gelang es, mich zu bremsen. Purer Instinkt beherrschte mich, nackte Lust. Ich konnte jetzt keinen Rückzieher mehr machen.

Weil ich mich damit selbst bestraft hätte.

»Weißt du noch, wann wir zuletzt hier waren, Süße?« Sein kehliger Tonfall jagte mir einen Schauder über den Rücken. »Ich wollte dich hier im Stehen ficken, bis du mich anflehst, dass du nicht mehr kannst.«

Ich stöhnte leise auf, als er seine Hand zwischen meine Schenkel gleiten ließ. Ich wollte, dass er mich hier an Ort und Stelle nahm, bevor ich es mir anders überlegen konnte. Mich vögelte, bis ich nicht mehr um Gnade flehen konnte, so hart, dass sich auch meine letzten Zweifel in Lust auflösen würden.

Alexanders Finger glitt über meine Spalte, und mein Innerstes zog sich vor Begierde zusammen. »Sag mir, was du brauchst, Clara. Willst du, dass ich dich mit den Fingern ficke? Mit dem Mund? Oder mit meinem Schwanz?« Sanft knabberte er an meinem Ohrläppchen. »Bevorzugst du eine bestimmte Reihenfolge? Ich habe nämlich vor, es dir in allen drei Varianten zu besorgen.«

Ja, bitte.

»Ich will dich in mir spüren«, flüsterte ich. Meine Gedanken kreisten nur noch um das, was er gleich mit mir anstellen würde. Wie hatte ich bloß ohne seine Berührungen leben können?

Schwer atmend sah er mich an. In seinem Blick spiegelte sich nackte, ungezügelte Lust. Keiner von uns sprach ein Wort, während er seine Hose öffnete. Wir sahen uns nur an, wechselten einen langen Blick, in dem sich Leidenschaft und tausend Fragen vermischten. Doch als er seinen harten Schwanz gegen meine geschwollenen Schamlippen drängte, schloss ich unwillkürlich die Augen, um den lang ersehnten Moment ganz und gar auszukosten.

»Warte noch«, wisperte ich. Sein Schwanz kam mir so riesig vor, dass ich einen Moment lang fürchtete, ihn nach so langer Zeit nicht mehr in mir aufnehmen zu können.

»Wie eng du bist«, murmelte er, während er seine Eichel an meiner Spalte entlanggleiten ließ. »Da hat sich wohl niemand um deine zarte Muschi gekümmert, hm? Hast du es dir etwa selbst gemacht?«

Ich schüttelte den Kopf, brachte aber kein Wort heraus. Oh Gott, ich konnte keinen klaren Gedanken mehr fassen. Hatte ich es mir selbst gemacht? Nur einmal – heute, während ich seine Briefe gelesen hatte. Ich hielt kurz inne und nickte dann.

»Du weißt, dass deine Lust mir gehört«, knurrte er. Mein sehnsüchtiges Wimmern verwandelte sich in ein Keuchen, als er mir grob seine Hand zwischen die Schenkel schob. »Und das hier auch.«

Ich nickte erneut, während ich spürte, wie Tränen der Enttäuschung in mir hochstiegen. Forschend sah ich ihm in die Augen. Wenn ich ihm gehörte, warum hatte er mich dann gehen lassen? Warum hatte er mir all diese Briefe geschickt? Briefe, die mich erregten. Seine Worte hatten mich überwältigt, meinen Widerstand gebrochen.

»Sag es«, verlangte er. »Sag mir, dass du mir gehörst.«

Die Antwort war unnötig. Er wusste es sowieso. Egal, was ich ertragen musste und wie weh er mir auch tat – ich würde ihm immer gehören. Er hatte mich erobert, und ich war ihm vom ersten Moment an verfallen, brauchte ihn wie die Luft zum Atmen. »Ich habe immer dir gehört.«

Alexander legte seine Stirn an die meine. Er war seltsam still. Normalerweise wollte er mehr hören, befahl mir, seinen Namen zu sagen, seine Besitzansprüche nachzusprechen. Er wollte um jeden Preis die Kontrolle behalten, nachdem er so vieles in seinem Leben nicht hatte kontrollieren können. Er war noch ein kleiner Junge gewesen, als seine Mutter ums Leben gekommen war, und den Tod seiner Schwester hatte er selbst miterleben müssen. Es hatte nicht in seiner Macht gestanden, diese Tragödien abzuwenden; und ebenso wenig Einfluss hatte er auf seine Herkunft, auf seine Rolle als künftiger König Englands. Seine Dominanz entsprang seinem Verlangen, die Kontrolle zu behalten. Also auch über mich, unsere Beziehung – und seine Gefühle.

Es war an mir, ihm zu zeigen, dass er die Liebe nicht kontrollieren konnte. Mein Körper unterwarf sich ihm bereitwillig, doch ich selbst war keineswegs gewillt, mich vollständig von ihm dominieren zu lassen. Und so wollte ich nicht angefasst werden. Ich stieß ihn von mir weg, und er legte den Kopf schief, musterte mich mit kalt funkelndem Blick. Er war ein Raubtier, und ich war seine Beute.

Doch seine Beute war ganz und gar nicht bereit, einfach die Schenkel zu spreizen und sich willenlos von ihm besteigen zu lassen.

Aufreizend langsam ließ ich die Hand über meinen Nabel nach unten gleiten, bis zu meiner Klitoris. Dann begann ich, meine sehnsüchtige Perle mit dem Zeigefinger zu umkreisen. Alexanders Blick verdunkelte sich. Unwillkürlich stöhnte ich laut auf, ebenso erregt von der Wonne, die meine Finger mir bereiteten, wie von der Show, die ich ihm bot. Die aufgestaute Lust stieg wie eine gigantische Woge in mir auf. Ich wollte ihm zeigen, dass ich mich auch ohne ihn verwöhnen konnte ... dass ich die Kontrolle besaß. Vielleicht wollte ich es auch nur mir selbst beweisen.

Aber gleichzeitig sehnte ich mich nach ihm wie nie zuvor. Mein Geschlecht sehnte sich danach, von seinem Schwanz ausgefüllt und geweitet zu werden.

»Ich steh drauf, wie du dich anfasst, Süße.« Es überlief mich heiß und kalt, als ich seine heisere Stimme hörte. Er schloss die Hand um seinen enormen Schaft, und um seinen Mund spielte ein selbstgefälliges Grinsen, das mich schier in den Wahnsinn trieb. »Aber das Spiel lässt sich auch zu zweit spielen.«

Ein Liebeströpfchen trat aus seiner prallen Eichel, während er seinen Schaft heftig bearbeitete. Bei dem Anblick entfuhr mir ein lustvoller Seufzer, und meine Beine zitterten, während ich mich weiter für ihn anfasste. Es war unendlich heiß, seinen Blick auf mir zu spüren, während ich kam.

Ohne mich zu berühren, hatte er mich genommen – mit seinen Augen, seiner brutalen Sinnlichkeit, seiner bloßen Gegenwart. Und jetzt wollte ich ihn mehr als zuvor – obwohl ich gekommen war, pulsierte mein Geschlecht immer noch, sehnte sich nach seiner harten Männlichkeit.

»Das reicht noch lange nicht.« Er drückte meine Beine auseinander und ließ einen Finger über meine Muschi gleiten. Unwillkürlich presste ich die Schenkel zusammen. »Du bist ja ganz feucht«, fuhr er fort. »Heiß und bereit. Hast du Lust auf mehr?« Seine Finger glitten in meine Spalte – erst einer, dann zwei, dann drei. Und dann begann er mich rhythmisch zu vögeln und gleichzeitig meine Klitoris mit dem Daumen zu massieren. Es war zu viel. Es war immer zu viel mit ihm.

»Willst du mehr?«, wiederholte er leise, doch die Schärfe

in seinem Tonfall war nicht zu überhören. Er hatte die Kontrolle wiedererlangt, und als ich zu ihm aufblickte, sah ich das vertraute Dunkel in seinen Augen schimmern, schön und schrecklich zugleich. Mein Verlangen, die Situation zu kontrollieren – ihm etwas zu beweisen –, verflüchtigte sich von einer Sekunde auf die andere, verlor sich im Abgrund seiner kristallblauen Augen. »So ist es besser, nicht? Wenn du dich mir ganz und gar hingibst.«

Ich nickte. Wenn er das Kommando übernahm, fühlte ich mich eins mit ihm, lebendig, begehrt und geborgen. Nur in den anderen Momenten – wenn wir angezogen waren – kamen mir Zweifel an unserer Beziehung. Nicht dass wir noch eine Beziehung hatten. Das war vorbei.

»Dieses Fähnchen von Kleid würde ich dir am liebsten sofort vom Leib reißen«, sagte er. Seine Finger liebkosten mich, drangen tiefer in mich ein, als ich es für möglich gehalten hätte.

»Und den Club soll ich dann nackt verlassen? Das wäre wohl ein gefundenes Fressen für die Paparazzi«, keuchte ich, auch wenn ich wusste, dass ich mich nicht wehren würde, falls er tatsächlich Ernst machen sollte. Meine Muskeln spannten sich wie Drahtseile, während er seine Finger gemächlich in mich hinein- und wieder herausgleiten ließ. Dann spürte ich sie nicht mehr und riss irritiert die Augen auf.

»Schsch, Süße.« Er strich mir eine Strähne aus der Stirn, während er seine Eichel mit der anderen Hand an meinen feuchten Eingang führte. In mir begann es heftig zu pulsieren, als er mit der Spitze in mich eindrang, doch dann hielt er inne. »Was für eine gierige kleine Muschi. Sie will gefickt werden, richtig? Sag mir, wie sehr du gefickt werden willst.«

Ich schüttelte den Kopf, unfähig, auch nur ein Wort hervorzubringen. Mit flehendem Blick sah ich zu ihm auf, während ich mir auf die Unterlippe biss.

»Willst du gefickt werden?«, fragte er.

»Ja«, flüsterte ich.

»War doch gar nicht so schwer. Du musst es nur sagen, Clara. Ich werde dich ficken, und auf dem Weg nach Hause werde ich zusehen, wie mein Samen an deinen Schenkeln herabrinnt.« Alexander brachte seine Lippen ganz nah an mein Ohr und flüsterte: »Und wenn wir zu Hause sind, werde ich dir das verdammte Kleid vom Leib reißen und deine Titten und deinen Mund ficken. Du wirst von oben bis unten von mir bedeckt sein.«

Seine Worte drangen wie durch einen Nebelschleier in mein Bewusstsein. Aber ich konnte nicht mit ihm nach Hause fahren. Nicht bevor wir unsere Probleme geklärt hatten. Nicht bevor sich etwas geändert hatte. »Wir müssen reden, X«, brachte ich mühsam hervor. »Ich kann nicht mit dir gehen, bevor wir uns ausgesprochen haben.«

Er sah mir tief in die Augen. »Aber du willst, dass ich dich jetzt ficke?«

»Ja«, sagte ich viel zu schnell.

Er senkte den Kopf, wich meinem Blick aus, drang aber ein Stück tiefer in mich ein. »Du willst es wirklich?«

»Ja«, keuchte ich.

»Ich muss wissen, dass du mir gehörst«, sagte er.

Die Begierde schnürte mir fast den Atem ab. Mein Körper war bereit, alles zu tun, was er von mir verlangte, meine Lippen bereit, alles zu sagen, was er hören wollte. Und doch hielt ich an meinem Entschluss fest. So einfach war das nicht. So-

bald ich in seinem Bett gelandet war, gab es kein Zurück mehr.
»Du hast mich verletzt.«
»Und du hast mich verlassen«, entgegnete er schroff.
Ich nahm meinen Rest Selbstbeherrschung zusammen und versuchte, ihn sanft von mir zu stoßen. Im selben Augenblick hatte er meine Hände gepackt und drückte sie an die Wand hinter mir. Ich wankte in meinem Entschluss, kämpfte aber mit aller Macht gegen den Drang an, mich ihm zu unterwerfen.
»Ich kann nicht dein Geheimnis sein«, sagte ich leise.
»Du bist nicht mein Geheimnis, Clara«, erwiderte er. »Du bist mein Ein und Alles. Das Licht meines Lebens – der einzige Mensch, der das Dunkel um mich erhellt.«
»Und deshalb willst du mich verstecken?«
»Es ist nur zu deinem Schutz.« Alexander drängte sich an mich, und meine Nippel reagierten unmittelbar auf die Berührung seiner starken, muskulösen Brust, verhärteten sich zu hoch empfindsamen Spitzen, während sich der Rest meines Körpers weich und willig an ihn schmiegte. Er drang noch ein wenig tiefer in mich ein, aber nicht tief genug, um die Glut zu löschen, die in mir schwelte. »Komm nach Hause.«
»Wir haben kein Zuhause.« Ich verspürte einen scharfen Stich in meinem Herzen, als ich das sagte. Wollte ich nicht mit ihm zusammen sein? Während der vergangenen zwei Monate war ich jeden Tag ein bisschen mehr gestorben – und nun wies ich ihn erneut zurück.
Weil du keine andere Wahl hast.
»Aber wir könnten eins haben – und ich kann dich nicht vögeln, bevor du das endlich eingesehen hast.« Sein Schwanz verharrte immer noch in mir, eine süße Qual, die mich beinahe verzweifeln ließ.

»Ach ja, und wie lange, X? Bis deine Familie dich verheiratet?«

Alexander erstarrte. Dann atmete er tief aus und ließ meine Handgelenke los.

Hin- und hergerissen zwischen Gefühl und Verstand, sah ich ihn an, unfähig, eine Entscheidung zu treffen. »Es war ein Fehler hierherzukommen.«

Warum war ich überhaupt mit ihm gegangen? Weil ich zu viel getrunken hatte – oder vielleicht auch, weil ich mich so unendlich nach ihm sehnte. Doch inzwischen wusste ich, wie unsere Begegnung enden würde. Ich wollte nur noch zurück in mein kleines Zimmer und mir die Seele aus dem Leib heulen – fest stand, dass ich ihn abermals verlieren würde.

»Du hast deine Wohnung seit Wochen so gut wie nicht verlassen.« Eine Million Schmetterlinge flatterten in meinem Bauch, als er zärtlich meinen Hals küsste. »Und wenn du dich noch so sehr vor dem Leben versteckst – du kannst unsere Liebe nicht verleugnen. Du kannst uns nicht einfach so aus der Welt schaffen.«

Mit offenem Mund starrte ich ihn an. Seit über zwei Monaten hatte ich Alexander nicht mehr gesehen – nur sein Konterfei auf den Titelseiten der Boulevardblätter und Klatschmagazine. Wohingegen er mich offenbar sehr wohl im Blick gehabt hatte. »Du bist mir gefolgt?«, stieß ich hervor.

»Ich habe Norris damit beauftragt … zu deinem Schutz«, erwiderte er, doch sein Bekenntnis machte es auch nicht einfacher. Er ließ von mir ab, und ich sah hilflos zu, wie er seinen steinharten Schwanz in seiner Hose verstaute.

Sofort stieg wieder nackte Begierde in mir auf – ich musste ihn spüren. Alexander war wie eine Sucht, von der ich nicht loskam, auch wenn er mir ein ums andere Mal bewies, wie ungesund unsere Beziehung war. »Ich brauche keinen Schutz«, gab ich zurück. »Und schon gar keinen Aufpasser.«

»Was brauchst du dann, Clara?«, stieß er rau hervor.

Seine jähe Verstimmung machte mir Angst, und ich stolperte zur Tür. »Ich brauche dich.«

»Und ich bin da, wenn du mich brauchst.« Er trat zu mir, hielt dann aber inne. »Warum gilt das nicht auch umgekehrt? Warum kann ich nicht sagen, dass ich *dich* brauche?«

»Weil es unmöglich ist«, sagte ich leise. Klar, wir konnten so tun, als lebten wir in einer Welt, in der Titel, Geld und Politik keine Rolle spielten. Und vielleicht war das für die meisten Menschen auch so. Doch Alexander gehörte nicht zu jenen Menschen. Nicht zuletzt dieser Umstand machte ihn so außergewöhnlich – aber eben auch so unnahbar.

Ich strich mein Kleid glatt und öffnete die Tür, ehe ich Alexander noch ein Lächeln zuwarf und über die Schwelle trat. Ich brachte es nicht über mich, ihm noch einmal Lebewohl zu sagen. Es hatte mich schon beim letzten Mal innerlich zerrissen, und diesmal würde es mir womöglich für immer das Herz brechen.

Er folgte mir und blieb im Türrahmen stehen. »Wo könnten wir uns finden, Clara?«

»In einer anderen Welt«, murmelte ich. »Mach's gut, X.«

Aber wem machte ich hier eigentlich etwas vor? Ich wusste genau, dass ich das niemals überstehen würde.

5

Schließlich gewann meine Neugier die Oberhand. Vielleicht war meine Begegnung mit Alexander daran schuld. Vielleicht sehnte ich mich auch nur nach jemandem, der Verständnis für meine Situation aufbringen würde – womöglich, weil ich mich nicht entscheiden konnte, ob meine Beinahe-Nummer mit Alexander ein Fehler oder ein Schritt in die richtige Richtung gewesen war. Wie auch immer, es gab einen Menschen, auf dessen Einfühlungsvermögen ich zählen konnte. Alexanders jüngerer Bruder war mir ein echter Freund gewesen, auch wenn ich in den vergangenen Wochen den Kontakt zu ihm vermieden hatte. Nicht zuletzt war ich gespannt, was sich in der Zwischenzeit in seinem Leben getan hatte. Edward, der sich immer noch nicht geoutet hatte, und sein heimlicher Freund David hatten sich nach jenem unseligen Wochenende auf dem Land getrennt, das auch Alexander und mir zum Verhängnis geworden war.

Deine verdammte Neugier, schalt ich mich selbst. Meine Neugier hatte mich dazu gebracht, Alexanders Briefe zu lesen. Meine Neugier hatte es Alexander ermöglicht, sich wieder in mein Leben zu drängen. Meine Neugier würde mich eines Tages noch umbringen.

Und so saß ich nun an einem ruhigen Ecktisch und wartete. Wir hatten uns für den frühen Abend in einem Pub an der Kensington High Street verabredet. Niemand hatte etwas gesagt, als ich das Büro bereits nachmittags verlassen hatte. Insgeheim freute sich Bennett wahrscheinlich, dass ich mal wieder unter die Leute ging, auch wenn er bloß gewitzelt hatte, er schulde mir ja ohnehin einen Nachmittag, da ich am Abend seine Zwillinge hüten würde.

Wie ich angenommen hatte, war der Pub leer bis auf ein paar Stammgäste an der Bar. Und dann kam Edward auch schon herein, umgeben von einer Aura natürlicher Autorität, die seinem Stand entsprach, wenngleich er keineswegs dünkelhaft oder fehl am Platz wirkte, als er quer durch den Gastraum mit dem abgewetzten Holzboden schlenderte und mir gegenüber auf einem wackligen Stuhl Platz nahm. Tatsächlich passte er bestens hierher, wie ein wohlwollender Lord, der seinen Untertanen einen Besuch abstattete. Sein Auftreten erinnerte mich an Alexander, nicht zuletzt weil er die gleichen kristallblauen Augen und das gleiche schwarze Haar hatte. Mit dem kleinen Unterschied, dass Edward eine Lockenmähne hatte, fast hager war und mit seiner modischen Hornbrille im Vergleich zu seinem Bruder eher jungenhaft wirkte. Vielleicht hatte ich mich deshalb vom ersten Moment an so wohl in seiner Gesellschaft gefühlt. Er schüchterte mich nicht so ein wie der Rest seiner Familie, auch wenn er königlichen Blutes war.

»Clara.« Ein träges Lächeln breitete sich auf seinen Zügen aus. »Schön, dass der Club der einsamen Herzen mal wieder zusammenkommt.«

Ich zog eine Augenbraue hoch. »Das heißt, du bist immer noch allein?« Ich hatte es gewusst, doch insgeheim gehofft, dass Edward und David sich ausgesprochen und wieder zueinander gefunden hatten. Aber es war naiv, ein Happy End zwischen ihnen zu erhoffen. Wer mit einem Mitglied der Königsfamilie liiert war, sah sich mit Erwartungen konfrontiert, die gewöhnliche Sterbliche nicht erfüllen konnten.

Edward warf einen Blick in die Speisekarte. »Zu zweit fühlt man sich manchmal nicht weniger allein.«

Der Kellner unterbrach unseren lyrischen Schlagabtausch. Wir bestellten Fish and Chips und zwei Bier.

»Ausgesprochen britisch gewählt.« Edward lehnte sich zurück und verschränkte die Arme hinter dem Kopf. »Bist du sicher, dass dein Gaumen sich nicht nach amerikanischer Küche sehnt?«

Ich stieß einen dramatischen Seufzer aus und nahm einen Schluck von meinem Bier. Meine doppelte Staatsbürgerschaft war in den Gazetten – und im Buckingham Palace – ziemlich kontrovers aufgenommen worden. Nicht dass es noch eine Rolle spielte, nachdem Alexander und ich nicht mehr zusammen waren. Oder waren wir noch zusammen? Das zwischen uns war fast so komplex wie die Frage nach meiner Staatsbürgerschaft. »Hast du nicht gelesen, wie scharf ich darauf bin, die nächste Königin von England zu werden?«

»Wie?« Er griff sich dramatisch an die Brust. »Aber auf den Titel habe ich es doch seit Jahren abgesehen.«

»Tja, deine Chancen stehen wohl ebenso gut wie meine«, erwiderte ich trocken. »Nicht dass es irgendwelche Reporter davon abhalten würde, das Thema immer wieder neu aufzurollen.«

Inzwischen saßen mir die Schmierfinken nicht mehr dauernd im Nacken, trotzdem war ich immer noch für die eine oder andere Schlagzeile gut. Versteckte mich Alexander vor der Öffentlichkeit? Hatten wir Schluss gemacht? Hatte er eine Neue? Dieses Gerücht hasste ich am meisten. Meine Gedanken schweiften zu unserer Begegnung im Brimstone. Ich war paranoid. Ich hatte seine Briefe gelesen, seine Berührungen gespürt. Es gab keine andere.

Noch nicht.

»Ziemlich düster, deine Miene«, riss Edward mich aus meinen Gedanken. »Kannst du mich nicht an ein sonnigeres Plätzchen mitnehmen?«

»England ist doch recht sonnig im August.«

»Vergiss es. Alles außer England.«

Tja, wenn das bloß eine echte Möglichkeit gewesen wäre. Alexander war nicht das einzige Mitglied der Königsfamilie, das Geheimnisse hatte. Edwards sexuelle Präferenzen wurden vom Palast ebenso unter Verschluss gehalten. Kein Wunder, dass die ganze royale Bande so dermaßen verkorkst war.

»Wenn uns jemand zusammen erwischt, haben wir gleich ein ganz neues Image«, meinte Edward nachdenklich. »Ich sehe die Schlagzeilen förmlich vor mir: *Hintergangen vom eigenen Bruder.*«

Ich lachte freudlos. »Dein Vater würde wahrscheinlich ausflippen vor Freude. Beide Söhne mit dieser grässlichen Amerikanerin verbandelt.«

»Für Vater ist bloß wichtig, dass ich als Hetero gelte.«

Wir schwiegen einen Moment, als der Kellner unser Essen brachte. Wir waren weiß Gott nicht scharf darauf, dass jemand etwas von unserer Unterhaltung mitbekam. Die Gazetten waren gnadenlos – jetzt witzelten wir herum, aber wenn tatsächlich irgendwer das Gerücht streute, dass ich zwischen zwei königlichen Betten hin und her hüpfte, würde uns das Lachen ganz schnell vergehen. Als wir wieder allein waren, senkte ich die Stimme und wechselte das Thema. »Wann hast du zuletzt mit David gesprochen?«

»Gesprochen?« Edward tupfte sich die Mundwinkel mit seiner Serviette ab. »Na ja, wenn der Versuch zählen sollte...«

»Immerhin hast du es versucht.« Ich empfand tiefes Mitgefühl, weil ich nur zu gut wusste, wie es war, gejagt zu werden, auf die Titelseite platziert und der Öffentlichkeit zum Fraß vorgeworfen. Plötzlich hatte ich keinen Hunger mehr.

»Und Alexander?«, fragte er. »Hat er keinen Versuch unternommen, sich wieder mit dir zu versöhnen?«

Ich zögerte. Alexanders Verhalten war mir nach wie vor ein Rätsel. Von seinen Briefen hatte ich erst vor ein paar Tagen erfahren. Und hätte ich nur seine Briefe gelesen, hätte ich wohl geglaubt, dass Alexander wieder mit mir zusammen sein wollte. Aber unsere Begegnung im Brimstone hatte mich auch gekränkt. Alexander wollte mich nicht zurück, sondern wollte nur Kontrolle ausüben, mich unter seiner Knute haben.

»Irgendwie schon«, gab ich zurück.

»Lass mich raten.« Edward musterte mich abwägend. »Er hat dir versprochen, ihr würdet das schon hinkriegen, aber du hast ihm das nicht abgekauft.«

»Klingt, als wärst du mit der Situation vertraut.« Nun war mir der Appetit komplett vergangen.

»Ich schätze schon. Mit dem kleinen Unterschied, dass ich derjenige bin, der tausend Dinge verspricht, obwohl ich genau weiß, dass ich nichts davon halten kann.«

»Wieso machst du dann überhaupt irgendwelche Versprechungen?«, platzte ich heraus und fing mir einen tadelnden Blick von ihm ein.

»Weil wir alle an Märchen glauben wollen, Clara«, sagte er leise. »Dass wir die Liebe unseres Lebens finden und glücklich bis ans Ende aller Zeit leben werden.«

»Dann gestatte mir bitte, einen Moment lang für David zu sprechen. Wir erwarten keine Magie, Glaspantoffeln oder gute Feen, sondern wollen euch nur unsere Liebe schenken.«

»Alexander und ich haben unser ganzes Leben als öffentliche Personen verbracht. Jemanden, den wir lieben, den Paparazzi und den anderen Geiern von der Presse auszuliefern – allein der Gedanke ist unerträglich.«

Ich holte tief Luft. Mittlerweile hatte ich meinen Namen so oft auf den Titelseiten der Klatschblätter gelesen, dass mich die Vorstellung nicht mehr sonderlich schrecken konnte. »Das ist kein Argument.«

»Tja.« Er hielt einen Moment inne und verschränkte die Finger. »Wir haben Angst. Angst, euch nicht beschützen zu können. Angst, euch kaputt zu machen. Angst davor, dass ihr erkennen könntet, wie kaputt wir selbst sind.«

»Du bist nicht kaputt«, erwiderte ich leise.

Er lachte hohl. »Mein ganzes Leben ist eine Lüge. Und Alexander betrinkt sich entweder allein zu Hause oder in seinem Separee im Brimstone.«

Das war mir neu. Als Alexander im Brimstone plötzlich vor mir aufgetaucht war, hätte ich nicht im Traum daran gedacht, dass er sich dort aufgehalten hatte, um sich volllaufen zu lassen.

»Wie auch immer«, fuhr Edward fort, »fest steht, dass Alexander dich liebt.«

»Und warum hat er mich dann einfach gehen lassen?«, wisperte ich.

Eigentlich konnte er mich nicht verstanden haben, doch Edward antwortete trotzdem. Vielleicht, weil er sich eine ähnliche Frage stellte. »Das beweist nur, wie sehr er dich liebt. So sehr, dass er bereit ist, dich aufzugeben.«

»Ach ja?«, sagte ich. »Und du liebst David genauso sehr?«

»Ich bin nicht so stark wie Alexander.« Edward nahm die Brille ab und massierte sich die Schläfen. Als er wieder aufsah, spielte ein sprödes Lächeln um seine Lippen. »Ich habe David nicht aufgegeben. Er hat mich verlassen, erinnerst du dich? Ich bin einfach zu egoistisch. David geht nicht mal an sein Handy, wenn ich ihn anrufe.«

Plötzlich kam mir das alte Sprichwort in den Sinn, das mir als Kind immer wieder eingetrichtert worden war. »Die schönsten Worte sind nichts wert, wenn keine Taten folgen«, erwiderte ich. »Geh zu ihm und beweise ihm, dass du ihn liebst. Nimm ihm die Möglichkeit, sich vor dir zu verstecken.«

Nachdenklich legte Edward den Kopf schief. »Vielleicht hast du recht, und ich sollte wirklich Taten sprechen lassen.«

Ich lächelte ihn aufmunternd an, während ich gegen die Eifersucht ankämpfte, die mit einem Mal in mir aufstieg. Natürlich hoffte ich, dass David und Edward wieder zusammenkamen, aber gleichzeitig wünschte ich mir, dass Alexander auch um mich kämpfen würde. Er hatte mir alles Mögliche versprochen, mir die zärtlichsten Briefe geschrieben und mich mit Engelszungen beschworen, aber ohne Taten waren seine Worte nichts als hübsche Seifenblasen.

»Vor dem Zubettgehen können sie noch etwas trinken, aber Gott steh dir bei, wenn du ihnen Süßigkeiten gibst.« Bennett drückte mir einen weiteren Zettel mit Telefonnummern für den Notfall in die Hand, während ich um ein Haar laut losgelacht hätte, weil mein Chef sich plötzlich in ein nervöses Hemd verwandelt hatte. Präsentationen für Filmstars und Politiker bekam er mühelos hin, aber wenn es um seine Töchter ging, stand ihm die nackte Panik im Gesicht geschrieben.

»Alles verstanden«, versuchte ich ihn abermals zu beruhigen. »Du hast jetzt schon eine glatte halbe Stunde damit verschwendet, mir zu erklären, wie man Polizei, Feuerwehr und Notarzt erreicht. Ich habe deine Handynummer. Und jetzt machst du dich am besten auf die Socken, bevor du zu spät ins Theater kommst.« Es tat gut, endlich mal wieder aus dem üblichen Trott auszubrechen und jemand anderem unter die Arme greifen zu können. Davon abgesehen wusste ich, dass mich die Mädchen richtig auf Trab halten würden. Jedenfalls würde mir keine Zeit bleiben, groß über Alexander und mich zu grübeln – eine echte Win-win-Situation.

»Na gut.« Bennett griff an seine Gesäßtasche, um sicherzugehen, dass er sein Portemonnaie dabeihatte, und strich sein Hemd glatt, aber ich sah ihm die Anspannung an der Nasenspitze an. Ich brachte nicht den Mut auf, ihn zu fragen, ob er zum ersten Mal ausging, seit seine Frau gestorben war, aber es sah ganz danach aus. »Ich bin um zehn wieder zurück.«

»Lass dir Zeit«, erwiderte ich. Schließlich war es nicht so, dass ich noch etwas vorgehabt hätte.

»Tja, kann ja nicht schaden, sich mal wieder unter die Lebenden zu mischen.«

Womit er definitiv nicht nur sich selbst meinte. Ich ignorierte den Wink mit dem Zaunpfahl und schob ihn zur Tür. Bevor ich sie hinter ihm schließen konnte, drückte er mir noch zwei weitere Telefonnummern in die Hand.

Abby und Amy waren echte Energiebündel. Sie hatten die gleichen Locken wie ihr Vater, dazu große, neugierige Augen und dichte Wimpern. Die Augen ihrer Mutter, schätzte ich. Erst einmal luden sie mich als Ehrengast zu einer Teeparty auf dem Wohnzimmerteppich ein. Es war die gesittetste Teestunde, an der ich seit Monaten teilgenommen hatte – die mit der Königinmutter eingeschlossen.

Und die beiden schienen einfach nicht müde zu werden. Als ich mich schließlich aufs Sofa fallen ließ, war ich am Ende meiner Kräfte. Ich hatte über eine Stunde gebraucht, die beiden ins Bett zu bringen, aber jetzt war endlich Ruhe, und zum ersten Mal seit langer Zeit genoss ich den Frieden und die Stille um mich herum.

Im selben Augenblick schrillte mein Handy. Ich warf einen Blick aufs Display und meldete mich mit einem Seufzer. »Hi, Mom.«

»Oho, du gehst ja ran«, gab meine Mutter ungläubig zurück. Tatsache war, dass ich sie in den vergangenen Wochen mehr oder weniger ignoriert und mich allenfalls mit ihr in der Stadt getroffen hatte, wo ich sicher sein konnte, dass sie mir keine blöden Fragen über Alexander und unsere Beziehung stellen würde.

Das Problem war, dass ich sie nicht ewig auf diese Weise ruhigstellen konnte.

»Ich hatte gerade mal eine Atempause«, erklärte ich, sah zum Kinderzimmer hinüber und dämpfte meine Stimme. »Was ist los?«

»Du sprichst so leise. Wo steckst du?«

Offenbar erwartete sie eine pikante Antwort. »Beim Babysitten.«

»Babysitten?«, wiederholte sie.

»Bei meinem Boss. Seine Frau ist letztes Jahr gestorben, und...«

»Alexander ist doch bestimmt bei dir, oder?«

Es war ein Trick, den ich sofort durchschaute. Verneinte ich jetzt, würde sie mich nach allen Regeln der Kunst verhören. Sie hatte die Schlagzeilen der letzten Wochen mit den Spekulationen über den Stand unserer Beziehung gesehen, interpretierte sie aber anders als die üblichen Leser der Klatschpresse. Sie hatte Alexander persönlich kennengelernt. Und uns zusammen erlebt.

Sie wusste, dass ich ihn liebte.

Aber Mom und ich hatten noch nie offen miteinander geredet, und ich vertraute mich ihr grundsätzlich nicht an. Meine Krankheit hatten wir gemeinsam bewältigt, doch unser Verhältnis war dadurch nicht enger geworden. Auch wenn ich mir das im Nachhinein manchmal wünschte, da mir ein wenig bedingungslose Liebe in meiner momentanen Situation bestimmt gutgetan hätte.

»Nein, ist er nicht«, erwiderte ich knapp und hoffte, damit weitere Fragen zu vermeiden.

»Ich weiß ja nicht, was da zwischen euch beiden läuft«, sagte meine Mutter. »Aber du hast auch noch ein eigenes Leben, Clara.«

Wohl wahr. In der Tat war ich nicht abhängig von Alexander, auch wenn ich mein eigenes Leben seit einiger Zeit auf die lange Bank geschoben hatte. Seltsamerweise hatte unsere Begegnung im Brimstone etwas verändert. Gut, es waren nur ein paar flüchtige Momente gewesen, doch sie hatten mir neues Leben eingehaucht. »Ist mir schon bewusst«, erwiderte ich. »Aber im Büro war die Hölle los – ich hatte eine Riesenkampagne, die mir das Letzte abgefordert hat.«

»Wie wär's, wenn wir mal wieder zusammen mittagessen?«

Klar war, dass ich sie nicht bis in alle Ewigkeit am ausgestreckten Arm verhungern lassen konnte. »Gute Idee.«

»Und zwar *sehr bald*. Ich muss dringend mit dir reden.« Ihr Tonfall ließ mich aufhorchen.

»Ist alles okay?«

»Ja, ja, alles bestens.«

Doch ich kannte meine Mutter gut genug, um zu wissen, dass *bestens* nichts anderes als eine Umschreibung für *Probleme* war. Für Probleme, die wahrscheinlich mit meinem Vater zu tun hatten – damit, dass er immer erst spätnachts nach Hause kam, und mit ihrem immer dünner werdenden Nervenkostüm. Sie verstand nicht, warum er sich immer wieder neue Projekte aufhalsen musste. Ich schon. Eine Frau wie Madeline Bishop bei Laune zu halten, war alles andere als ein Klacks. Madeline Bishop konnte man durchaus eine Frau mit Ansprüchen nennen.

»Clara«, fuhr sie fort. »Würdest du es mir erzählen, wenn irgendetwas nicht in Ordnung wäre? Wenn du einen Fehler gemacht hättest oder dabei wärst, einen zu begehen?«

Ich musste schwer schlucken. »Ja, klar.«

»Weil ich gelesen habe, dass ...«

»Du musst nicht alles glauben, was die Klatschmagazine berichten«, schnitt ich ihr das Wort ab. Anfangs hatte ich versucht, die Storys über mich zu ignorieren, aber letztlich war ich ebenso neugierig wie alle anderen auch. Egal zum wievielten Mal über mein Gewicht, unsere Beziehung oder Alexanders nächtliche Aktivitäten spekuliert wurde, konnte ich es mir nicht verkneifen, all den Quatsch zu lesen, den sie sich über Alexander und mich aus den Fingern sogen.

»Clara...«, hob sie erneut mit ihrer schrillen *Ich-bin-deine-Mutter-Stimme* an, aber zum Glück piepte mein Handy.

»Entschuldige, Mom, da ruft gerade noch jemand an. Ich muss rangehen, vielleicht ist es mein Boss.«

»Na schön. Wir sprechen uns dann im Lauf der Woche.« Ich konnte hören, dass sie stocksauer war, verabschiedete mich aber schnell von ihr und nahm das andere Gespräch an.

Rettung in letzter Sekunde, dachte ich, als ich Belles Namen auf dem Display sah. Meine beste Freundin schien ein geradezu übernatürliches Timing zu haben – als könnte sie es riechen, wenn mir meine Mutter mal wieder zu nah auf die Pelle rückte.

»Na, sind die Kids schon im Bett?«, fragte sie.

»Gott sei Dank. Ich dachte, sie würden nie einschlafen.«

»Gut«, erwiderte Belle leise. Irgendwie klang sie anders als sonst. »Schalt mal *Entertainment Today* ein.«

Schweigend griff ich nach der Fernbedienung und schaltete den Fernseher ein.

»Du sitzt hoffentlich«, sagte Belle.

»Was zum Teufel ist denn los?«

»Alexander hat heute Abend ein ziemlich interessantes Interview gegeben. Beim Global-Aid-Benefiz.«

Etwa mit einer mir nur allzu genau bekannten, hinreißend aussehenden blonden Giftspritze im Arm? War es das, was ich mit eigenen Augen sehen sollte? Den Beweis, dass Alexander eben doch der Taugenichts war, für den ihn Belle hielt? Mir wurde flau im Magen, und ich kämpfte gegen das Gefühl an, mich auf der Stelle übergeben zu müssen. Jetzt war mir klar, dass es früher oder später sowieso passiert wäre – und ich hatte mir blöderweise eingeredet, dass ihm unsere Begegnung im Brimstone etwas bedeutet hatte.

»Wäre ja auch ein Wunder gewesen, wenn er weiter auf mich gewartet hätte«, flüsterte ich.

Am anderen Ende herrschte so lange Stille, dass ich einen Blick aufs Display werfen musste, um sicherzugehen, dass die Leitung nicht zusammengebrochen war. »Sieh's dir einfach an. Es kann nicht mehr lange dauern, sie haben den Beitrag vor ein paar Minuten angekündigt.«

»Damit bringst du mich auch nicht besser drauf.«

»Warte doch mal ab«, entgegnete sie. »Oh! Es geht los.«

Ich fand den richtigen Kanal in dem Moment, als Alexanders Gesicht auf dem Bildschirm erschien. Im Fernsehen wirkten seine Augen noch blauer als sonst, und mir war, als würde es mir jeden Moment das Herz zerreißen.

Wir schwiegen, während die Moderatorin vor Ausstrahlung des Interviews erwähnte, dass Alexander schon seit Längerem mit keiner neuen Freundin mehr gesichtet worden sei. Ich empfand ein Gefühl tiefer Erleichterung, das allerdings nur ein paar Sekunden vorhielt. Nervös wickelte ich eine lose Haarsträhne um meinen Zeigefinger, als das Interview begann. Alexander trug einen maßgeschneiderten klassischen Smoking, der seinen muskulösen Body bestens zur Geltung brachte. Ich war mir nicht sicher, ob es derselbe Smoking war, den er damals auf der Gala getragen hatte, auf der wir zusammen gewesen waren, dennoch reagierte mein Körper auf den Anblick, als würde er sich an alles erinnern, was Alexander damals mit mir getrieben hatte.

Eine vollbusige, rothaarige Reporterin stand mit dem Mikrofon im Anschlag neben ihm. Ich hasste sie schon dafür, dass sie ihm überhaupt so nahe kommen durfte. »Wo steckt denn Ihre Freundin heute Abend, Alexander?«

Sie war Amerikanerin, wie ihrem Akzent und der unverschämten Direktheit ihrer Frage zu entnehmen war, doch Alexander knipste einfach nur ein Strahlelächeln an.

»Clara ist heute Abend zu Hause«, gab er zurück, ohne mit der Wimper zu zucken. Nichts, aber auch gar nichts gab preis, dass er nicht die geringste Ahnung hatte, wo ich mich gerade aufhielt.

»Sie sind schon seit einiger Zeit nicht mehr miteinander gesehen worden – wie kommt das denn, Alexander?«

»Meine Freundin geht einem Beruf nach«, erwiderte er, und mein Herz machte einen kleinen Satz. »Sie ist ein bisschen abgespannt, und wir sehen uns später zu Hause. Wie Ihnen sicher bekannt ist, sind wir vor Kurzem zusammengezogen.«

So wie mir selbst blieb der Reporterin der Mund offen stehen. Sie hatte natürlich keinerlei Ahnung. Weil es schlichtweg eine Lüge war.

Die Reporterin gewann ihre Contenance zurück und setzte eine mitfühlende Miene auf. »Dann hoffen wir, dass Ihre Freundin bald wieder auf dem Damm ist.«

»Ich werde es ihr ausrichten«, gab er lächelnd zurück. »Gleich nachher, wenn wir uns sehen.« Er richtete den Blick genau in die Kamera. Verdammt – woher wusste er, dass ich vor dem Fernseher saß?

»Tja …«, sagte Belle, als die Werbung einsetzte.

Ich schaltete den Fernseher aus. Meine Gedanken überschlugen sich, und einen Moment lang wusste ich nicht, was ich sagen sollte. Mit einem Fluch und einem entnervten Seufzer ließ ich mich in die Sofakissen zurücksinken.

»Du musst dringend mit ihm reden.«

»Ach ja?«, zischte ich, schloss die Augen und versuchte mich zu konzentrieren. Sie hatte recht, und ich merkte selbst, wie zickig ich reagierte. »Na gut, stimmt schon.«

»Ich werde deswegen nicht die ganze Nacht wach liegen«, sagte Belle. »Aber ruf mich vielleicht am Wochenende mal an und gib durch, wie die Lage ist.«

»Und ich werde bestimmt nicht spurlos verschwinden«, versprach ich ihr. »Außerdem weißt du, dass es zwischen Alexander und mir vorbei ist.«

»Warum?« gab sie zurück. Es war die einfachste Frage der Welt, aber sie machte mich komplett fertig. Vielleicht, weil ich mich schon so lange dasselbe fragte.

»Weil es sein muss«, flüsterte ich.

Belle schwieg. Wir wussten beide, dass ich mich selbst belog, aber beste Freundinnen wissen eben auch, wann sie weiter bohren können und wann sie den Mund halten sollten. »Also, ruf mich an.«

»Ich kann nichts versprechen«, erwiderte ich noch, ehe ich auflegte. Die Höhle des Löwen aufzusuchen wäre ein verdammt riskantes Unterfangen.

Zwanzig Minuten zuvor hatte ich mir einfach nur Ruhe und Frieden gewünscht. Und nun hörte ich gleichsam, wie die Sekunden heruntertickten – der Countdown zum Unausweichlichen hatte begonnen.

6

Mir zitterten die Hände, als ich das Tor öffnete und zur Haustür ging. Ich war nur einmal hier gewesen und hatte nicht an eine Rückkehr geglaubt. An einer Gewissheit aber gab es nichts zu rütteln: dass er hier war. Ich war halb verrückt geworden, während ich darauf gewartet hatte, dass Bennett endlich nach Hause kam – und nun befand ich mich wieder an jenem Ort, dem ich vor zehn Wochen so entschlossen den Rücken gekehrt hatte. Die Gehwegplatten unter meinen Füßen fühlten sich an, als würden sie jeden Moment unter mir nachgeben und mich ins Bodenlose stürzen lassen. Als ob das nicht längst passiert wäre.

Eigentlich hätte ich verblüfft sein müssen, dass er mich derart unverfroren – noch dazu übers Fernsehen – auf die Probe gestellt hatte, doch ich war es nicht. Hatte ich allen Ernstes geglaubt, Alexander würde ein Nein akzeptieren? Aber wenn er glaubte, er könnte so tun, als wäre zwischen uns alles in bester Ordnung, hatte er sich verdammt noch mal geschnitten. Es gab nämlich durchaus einen Grund, warum ich gegangen war. Es war derselbe Grund, warum ich über zwei Monate lang jeden Kontakt zu ihm gemieden hatte.

Unsere Beziehung hatte einen Endpunkt, und diese tickende Zeitbombe konnte von keiner noch so großen Lust, keiner noch so großen Liebe entschärft werden. Alexanders Familie wollte eine standesgemäße Heirat, und ich lebte im einundzwanzigsten Jahrhundert. Seine Geliebte zu werden, kam für mich keine Sekunde lang infrage.

Die Tür ging auf, noch bevor ich die oberste Stufe erreicht hatte, und da stand er, nach wie vor in Abendkleidung. Die Krawatte hing locker um seinen aufgeknöpften Kragen, der den Blick freigab auf seinen Hals, den ich am liebsten auf der Stelle mit Küssen übersät hätte. Ich drängte meine Sehnsucht in die dunkelste Ecke meines Bewusstseins und zwang mich, die Kontrolle über mich zu behalten. Das hier würde nicht so ablaufen wie der Abend im Brimstone. Ausgeschlossen – nach allem, was er gesagt und getan hatte.

»Du erwartest mich?«, fragte ich trocken, verschränkte die Arme über der Brust und versuchte zu ignorieren, dass meine Brustwarzen sofort hart wurden. Mein Körper war ein Verräter, der stets gegen mich arbeitete.

Immer für ihn bereit war.

Alexander trat zur Seite und bedeutete mir hereinzukommen, doch ich blieb wie angewurzelt stehen, während er seinen Blick über mich schweifen ließ – als würde er bereits planen, wie er mich nach allen Regeln der Kunst verführte. Ich kannte diesen Blick nur allzu gut und wusste genau, dass ich seiner Gnade ausgeliefert war, sobald ich den Fuß über diese Schwelle setzte.

Und Gnade gehörte nicht zu Alexanders Stärken.

»Ich hatte gehofft, dass du kommen würdest.« Er streifte die Smokingjacke ab und wollte sie mir um die Schultern legen, doch ich wich zurück und wäre um ein Haar gestolpert. War das sein Plan? Mich mit Galanterien zu überrumpeln? Mich in seine warme Jacke und seinen sinnlichen Duft zu hüllen, bis ich ihm wieder in die Arme sank? Aber ich wusste Bescheid. Alexander war ein Wolf im Maßanzug, und ich würde ihm diesmal mit Sicherheit keine leichte Beute sein.

Von wegen dummes Schaf.

»Für mich sah es eher aus, als hättest du damit gerechnet. Ich musste ja nicht mal anklopfen«, sagte ich, jedes Wort schärfer als das vorherige. »Lässt du mich beschatten, oder was?«

»Clara.« Ein warnender Ton schwang in seiner Stimme mit, doch ich zog die Augenbrauen hoch, worauf er hinzufügte: »Das passiert nur zu deinem Schutz.«

»Du solltest dich an einen Spezialisten wenden. Hat dir schon mal jemand gesagt, dass du ein Kontrollfreak bist?«

Seine Lippen zuckten, doch er unterdrückte das Grinsen. »Das hatten wir doch alles schon mal. Sag mir lieber, warum du eigentlich sauer bist.«

»Nur weil du etwas vor einer Kamera sagst, wird es nicht wahrer«, zischte ich ihn an. »Ich lebe nicht hier.« Doch gleichzeitig versetzten mir meine Worte einen Stich ins Herz. Ich hätte hier leben *können* – zusammen mit ihm. Ich schüttelte den Kopf, um meine Gedanken zusammenzuhalten, bevor mich seine unwiderstehliche Präsenz vollends um den Verstand brachte.

»Du wolltest ein Bekenntnis von mir.« Sein gedämpfter Tonfall war purer Sex. »Und das hast du bekommen.«

»Verdammt noch mal, X!« Ich hob die Hände und stapfte ins Haus, während ich mir schwor, keinen Schritt weiter als bis in den Flur zu gehen. »Ich wollte, dass du mir die Wahrheit sagst. Sonst nichts, aber du hast mir eine Lüge nach der anderen aufgetischt.«

»Geheimnisse sind keine Lügen.« Seine Augen funkelten, und er wandte sich ab und schloss die Tür hinter mir. Mein Herz machte einen Satz, als sie ins Schloss fiel. Ich hatte mich in seine Domäne gewagt, und nun war ich gefangen.

»Und was sollte das heute Abend?«, zischte ich. »Wieso hast du diesen Parasiten erzählt, dass ich hier lebe?«

»Du wolltest ein Bekenntnis von mir«, wiederholte er. »Und das hast du bekommen.«

»Kannst du vielleicht mal eine verdammte Sekunde damit aufhören, hier den Politiker raushängen zu lassen. Ja, schon klar, du bist dazu erzogen worden, aber ich habe die Nase voll von der Nummer, Eure Majestät. Ich lasse mir keine Lüge als Bekenntnis verkaufen.«

Alexander wirbelte herum, packte mich an den Handgelenken und drehte mir die Hände auf den Rücken. Nackte Begierde ergriff Besitz von mir, als er sich grob gegen mich drängte. »Hier geht es nicht darum, wer ich bin oder wer ich eines Tages sein werde. Es geht ausschließlich um dich und mich. Und zwar hier und jetzt.«

Ein Stöhnen drang über meine Lippen, als ich seine Erektion an meinem Unterleib spürte. Selbst durch unsere Kleider hindurch konnte ich die Hitze fühlen, die von ihm ausging.

»Du und ich. Clara und Alexander. Wen schert es, was die Welt da draußen denkt?«

»Dich«, brachte ich mühsam hervor. »Dich.«

Abrupt ließ er mich los und trat einen Schritt zurück, als hätte ich ihm eine Ohrfeige verpasst.

»Dich schert es«, wiederholte ich mit etwas festerer Stimme. Nun, da er mich nicht mehr berührte, konnte ich wieder klar denken. Zumindest beinahe.

»Mich schert nur, was *du* denkst«, gab er bissig zurück.

»Würde dich auch nur entfernt interessieren, was ich denke, gäbe es diese Meinungsverschiedenheiten zwischen uns nicht.« Aber was dann? Würde ich stattdessen hier in seinem Bett liegen und eine Lüge leben? Wäre es überhaupt je so weit zwischen uns gekommen? Vielleicht war es naiv zu glauben, dass unsere Beziehung eine Chance hatte, aber ein Gedanke wollte mich nicht loslassen – was wäre, wenn er mich von Anfang an ernst genommen hätte?

Erneut trat er auf mich zu, und ich wich zurück, bis ich mit dem Rücken an die Wand stieß. Falls ihm auffiel, dass er mich in die Ecke gedrängt hatte, ließ er sich jedenfalls nichts anmerken. In seinen blauen Augen schwelte eine höllische Glut, und wenn er mir noch näher kam, würde mich das Feuer verzehren, das in ihm loderte.

»Ich habe dich gewarnt«, sagte er. »Ich habe dich vor mir gewarnt.«

»Und trotzdem hast du etwas mit mir angefangen«, gab ich zurück. Aber es war eine ziemlich lahme Beschuldigung. Er hatte mich gewarnt, und ich war das Risiko eingegangen, hatte mich Hals über Kopf in die Beziehung mit ihm gestürzt. Was nichts anderes bedeutete, als dass ich mir die Suppe selbst eingebrockt hatte.

»Ich habe nur genommen, was du mir gegeben hast, Süße.« Er fuhr mit dem Daumen über meine Oberlippe, presste ihn zwischen meine Zähne. »Du hast mir deinen Mund geschenkt – erinnerst du dich?«

Ich schluckte instinktiv, und er ließ sich die Gelegenheit nicht entgehen, glitt mit dem Daumen über meine Zunge, forderte mich gleichsam auf, an ihm zu saugen. Ich stieß ein leises Keuchen aus.

»Du hast mir deinen hübschen kleinen Mund geschenkt«, sagte er, während er mit dem Daumen erneut über meine Lippen strich. »Und er erinnert sich genau, wie ich ihn gefickt habe. Er erinnert sich, wie mein Schwanz in ihn hineingestoßen hat.«

Von wegen, hätte ich am liebsten erwidert, doch mein Mund hatte mich bereits verraten. Ich konnte mein Verlangen nicht kontrollieren. Hätte er mich auf die Knie gezwungen und mir seine pralle Eichel zwischen die Lippen geschoben, hätte ich ihn sofort ganz in mich aufgenommen. Es war Instinkt – unkontrollierbarer, animalischer Instinkt. Wir spielten ein gefährliches Spiel. Er war sicher, dass er mich in sein Bett lotsen konnte, und ich wettete dagegen. Einer von uns beiden würde als Verlierer vom Platz gehen.

Alexander ließ seine Hand unter meine Bluse gleiten, verharrte aber unterhalb meines Nabels. »Spür doch, wie dein Körper auf meine Berührung reagiert«, sagte er. »Und dann sieh mir in die Augen und sag, dass du nicht von mir gefickt werden willst.«

Ich sah zu ihm auf und zwang die Worte über meine Lippen. »Ich will nicht von dir gefickt werden.«

»Du bist eine fürchterlich schlechte Lügnerin, Clara.« Er lachte, ließ die Hand an mein Höschen gleiten und massierte mich durch den hauchzarten Stoff. »Du bist schon wieder feucht. Sehr feucht sogar. Ist das immer so, wenn du nicht gefickt werden willst?«

Er kannte die Antwort, weil er so vertraut mit meinem Körper war. Zu vertraut. Er wusste genau, dass ich schon bereit für ihn war, wenn er nur einen Finger über meine Haut gleiten ließ. Er zog seine Hand von meinem Höschen fort und fuhr mit seinen feuchten Fingern über meinen Hals. »*Das* willst du. Also, wer versucht hier den anderen für dumm zu verkaufen?«

»Vielleicht hast du recht«, gab ich widerwillig zu. »Vielleicht will ich von dir gefickt werden, aber ich bin nicht darauf *angewiesen*.«

Er schloss die Augen und ließ seine Stirn gegen die meine sinken. Wir waren beide durchgeschwitzt von unserem subtilen Tauziehen, und ich atmete seinen Duft ein, war ganz benommen von seiner brutalen, unverfälschten Sinnlichkeit. »Nein, du warst noch nie darauf angewiesen«, sagte er rau, und mein Körper bebte. »Aber *ich* bin darauf angewiesen. Ich muss in dir sein. Ich weiß nicht, wie ich es dir sonst zeigen soll. Dass ich dich brauche.«

Überwältigt von seinem Geständnis, presste ich meine Lippen auf die seinen. Zwei Monate lang hatte ich mich gegen meine wahren Gefühle gesträubt, mir eingeredet, dass ich auch ohne ihn leben konnte, doch ich ertrug diesen Zustand nicht länger. Vielleicht brauchte ich Alexander nicht, aber fest stand, dass ich ihn wollte. Seinen Körper. Seine Stimme. Sein Herz. Wieder und wieder hatte ich mir gesagt, dass er nichts für mich empfand, weil er die drei Worte nicht über die Lippen brachte, die ich unbedingt von ihm hören wollte.

Alexander öffnete meine Hose, hob mich hoch und streifte sie mir von den Beinen, noch ehe mir richtig bewusst geworden war, dass wir uns gerade küssten. Ich wand mich in seinem Griff und schüttelte den Kopf. »Das ändert nichts an der Tatsache, dass ich nicht mit dir zusammenlebe.«

»Ich glaube, da kann ich dich überreden.« Er küsste mich abermals, küsste all meinen Protest weg und stellte mich wieder auf dem Boden ab. Gebannt sah ich zu, wie er seine Hose aufknöpfte und sie abstreifte. Mit dem Finger strich er über meinen Ausschnitt und hielt einen Moment inne. Dann riss er den dünnen Stoff auseinander, legte die Daumen unter meine Brüste, schob den BH nach oben und fuhr mit den Daumen über die empfindlichen Spitzen. Meine Nippel richteten sich sofort auf, während ein süßer, sehnsüchtiger Schmerz Besitz von mir ergriff.

»Hat dich irgendjemand so angefasst?«, fragte er. Ich spürte seinen heißen Atem, als er mein Ohrläppchen zwischen die Zähne nahm, daran knabberte und es mit der Zunge liebkoste, während er weiter meine Brüste streichelte. Um mich herum begann alles zu verschwimmen; ich konnte keinen klaren Gedanken mehr fassen, aber die Antwort auf seine Frage brachte ich noch heraus.

»Nein.« Niemand hatte mich so berührt, seit ich aus diesem Haus vor ihm geflohen war. Niemand hatte mich je so angefasst wie er.

»Weil du mir gehörst.« Er nahm mich bei den Hüften und stemmte mich gegen die Wand. Und ich gehöre dir.«

Ohne Vorwarnung drang er in mich ein, und obwohl mein Geschlecht ganz und gar bereit für ihn war, kam es mir vor, als würde mich sein heftiger Stoß entzweireißen. Ich rang nach Luft, während ich die Arme um ihn schlang, ihm erlaubte, mein Innerstes mit seiner Größe zu erobern.

»Du musst nur das Wort sagen, dann höre ich auf.« Er ließ die Hüften kreisen, gab mir Gelegenheit, mein Safeword auszusprechen. Aber ich wollte nicht, dass er aufhörte, und das wusste er auch. Sanft wiegte er mich, seinen Schaft tief in meiner Vagina. Dann begann er, sich langsam zu bewegen, behutsam und kraftvoll zugleich. Er wartete auf meine Antwort.

»Alexander«, hauchte ich, und seine Bewegungen wurden härter und rhythmischer. Atemlos empfing ich seine Stöße, hin- und hergerissen zwischen Vernunft und Ekstase.

»Du bist so eng«, stieß er mit zusammengebissenen Zähnen hervor, während er mit gnadenloser Unermüdlichkeit in mich eindrang. »So nass und so eng, als hättest du die ganze Zeit auf mich gewartet.«

»Oh Gott!«, schrie ich laut auf. Und wie ich auf ihn gewartet hatte, unfähig, mein Leben ohne ihn zu genießen, während ich gleichzeitig verzweifelt versucht hatte, nicht zurückzublicken. Ich war vor ihm und unserer Zukunft geflohen, weil ich mich vor all dem fürchtete, was mich dort erwartete, und während mich die Lust mehr und mehr übermannte, jede Faser meines Körpers kurz vor dem Explodieren stand, vermischte sich meine Begierde mit meinen Ängsten. Ich grub die Fingernägel in seinen Rücken, klammerte mich an Alexander fest, als könnte er sich jede Sekunde in Luft auflösen. Alles in mir pulsierte, während sich ein Abgrund unbändigen Verlangens vor mir auftat, Alexander mich gleichsam in die dunklen, unergründlichen Tiefen unserer Leidenschaft hinabzog.

»Sag es«, befahl er mir, während ich nach Atem rang.

»Ich liebe dich.« Wir liebten uns so stürmisch, dass meine Worte beinahe untergingen, doch Alexander ließ den Kopf an meine Schulter sinken, als sie in einem langen Hauch über meine Lippen drangen – und dann ergoss er sich in heftigen Schüben in mein zartes Inneres und brach damit auch meinen allerletzten Widerstand.

7

Vorsichtig ließ mich Alexander herab, bis meine Füße wieder den Boden erreicht hatten, und hielt mich auch dann weiter fest – eine gute Idee, da meine Beine nach dem Orgasmus immer noch zitterten wie die eines neugeborenen Fohlens. Während er seine Stirn sacht gegen meine senkte und einen zärtlichen Kuss über meine Lippen hauchte, spürte ich seine Erleichterung ebenso wie seine Angst. Er empfand ganz genauso wie ich. Wie war es möglich, dass ich nicht ohne ihn leben konnte, obwohl unsere ganze Beziehung auf Lügen und Verdrängung aufgebaut war?

»Hör auf zu grübeln, Clara«, sagte er mit heiserer Stimme. Seine Hände wanderten tiefer, legten sich um meinen Po und hoben mich hoch. Willig, fast verzweifelt schlang ich die Schenkel um seine Hüften. So kommunizierten wir am besten – über tiefe Stöße, heftiges Stöhnen, erhitzte Haut. Ich war süchtig danach, von ihm berührt zu werden.

Er schaffte es, mich bis zur Treppe zu tragen, dann konnte er sich nicht länger bezähmen. »Ich muss dich schmecken.«

So sanft er mich auf den Stufen absetzte, so ungestüm zwang er meine Beine auseinander. Seine Lippen glitten über die Innenseite meines Oberschenkels, bedeckten ihn mit sanften, begehrlichen Küssen. Ich ließ den Kopf zurücksinken, vergaß alles um mich herum, während ich mich ganz seiner Zunge hingab. Es gab nur noch eins. Ihn. Seinen Mund, der meine empfindliche Klitoris verwöhnte, seine Zunge, die mit erotischer Präzision um sie kreiste. Ich kapitulierte vor ihm. Ich hatte gedacht, meine Gefühle kontrollieren zu können, doch jetzt kontrollierte er mich.

Meine Muskeln spannten sich erwartungsvoll an, mein Körper schmerzte vor Sehnsucht. Auch wenn er mich nach allen Regeln der Kunst mit seiner Zunge verwöhnte, fühlte ich mich leer und unausgefüllt ohne ihn. Es spielte keine Rolle, dass er nur Augenblicke zuvor noch in mir gewesen war. Ich wollte weiter gevögelt werden, wollte den physischen Beweis dafür, dass wir uns liebten – war es doch der einzige Beweis, den ich je gehabt hatte. Ich versuchte, ihm Einhalt zu gebieten, doch er schenkte mir keine Beachtung. Ein Stöhnen drang über meine Lippen, während ich mich gegen den nahenden Orgasmus wehrte. So wollte ich nicht kommen.

»Hör auf.« Mein Flehen ging beinahe in einem weiteren Wimmern unter, während er hungrig an meiner Klitoris sog. »Ich will dich... Ich will dich in mir spüren.«

Alexander hielt inne, und in seinem Blick schien es zu lodern, als er mich ansah. »Ich bestimme, wie du kommst, Süße.« Abermals versenkte er sich zwischen meinen Schenkeln.

Ich wollte kommen, und als sich eine weitere Woge der Lust in mir aufzutürmen begann, wurde mir klar, dass ich bald keine Wahl mehr haben würde. Es gab nur eine Möglichkeit, mich durchzusetzen. Ich musste ihm unmissverständlich zeigen, dass ich mehr brauchte. Ihn.

»Brimstone«, brachte ich mühsam hervor.

Er reagierte sofort, hielt inne und blickte mich an. Er wirkte verletzt, doch falls er wütend sein sollte, weil ich mein Safeword benutzt hatte, ließ er es sich nicht anmerken. Trotzdem sah ich, dass er sich nur mühsam unter Kontrolle hatte. Sein wilder Blick sprach Bände: Er war ein Tier – sinnlich wie ein Panther –, und ich hatte ihn an die Leine gelegt.

Dennoch hatte er mir gehorcht. Und da mein Vertrauen zu ihm erst noch wachsen musste, beruhigte es mich, dass er das Geschenk meiner Unterwerfung offensichtlich ernst nahm. *Kleine Schritte.*

Wir sagten kein Wort, aber ich sah die unausgesprochene Frage in seinen Augen. Warum hatte ich ihm Einhalt geboten?

War er zu weit gegangen?

Es versetzte mir einen kleinen Stich, als ich die Verwirrung in seinem Blick sah. Alexander hatte Angst davor zu lieben, Angst davor, mir wehzutun, und nun hatte ich zum letzten Mittel gegriffen: meinem Safeword. Aber ich brauchte mehr als eine schnelle Nummer auf der Treppe – wir brauchten beide mehr als das. Ich rappelte mich auf und streckte die Hand aus, wohl wissend, dass er sie ergreifen würde, so wie ich seine Hand im Brimstone ergriffen hatte. Wir waren einander verfallen, Kontrolle und Dominanz waren nur ein Vorwand, um unsere wahren Gefühle voreinander zu verbergen. Keiner von uns konnte sicher sein, was passieren würde, wenn wir das Spiel beendeten. Und ich hatte den einen oder anderen Blick auf den Mann hinter der Maske erhascht. Er war hochsensibel, zutiefst verletzlich, und das berührte mich in meinem tiefsten Innern.

Alexander blickte mich weiter an, während er sanft meine Hand ergriff.

»Alles okay«, murmelte ich beschwichtigend, vielleicht auch um mich selbst zu beruhigen.

Es war über zwei Monate her, dass ich zuletzt hier gewesen war, trotzdem erinnerte ich mich genau an das Haus. An unsere erste Begegnung hier hatte ich immer wieder zurückdenken müssen, wenn ich nachts allein im Bett gelegen hatte, und dabei waren mir jedes Mal die Tränen gekommen. Ich wusste genau, wo sich das Schlafzimmer befand, und führte Alexander ohne ein Wort dorthin. Das Herz schlug mir bis zum Hals, und das Blut rauschte in meinen Ohren. Dieser Ort – dieses Haus – war mein Albtraum gewesen, doch gleichzeitig hatte ich mich danach gesehnt. Und nun, da ich hier war, befand ich mich erneut im Widerstreit meiner Gefühle. Liebe und Angst vermischten sich in mir. Ich musste auf mein Herz vertrauen. Die letzten Monate hatte ich versucht, es zu ignorieren.

Alexander ließ meine Hand los, hob mich auf seine Arme und trug mich ins Schlafzimmer. Ich wollte ihm meine Gefühle offenbaren, konnte aber nur stammeln: »Ich ... ich brauche dich ...«

»Ich weiß, was du brauchst, Clara.« Er hauchte einen Kuss auf meine Stirn, ehe er mich auf das Bett legte, mir die zerrissene Bluse von den Schultern streifte und meinen BH öffnete. Nackt und verletzlich lag ich vor ihm. Er schien zu spüren, was in mir vorging, knöpfte langsam sein Hemd auf und zog es aus. Nun waren wir beide nackt und verletzlich. Behutsam beugte sich Alexander über mich, und ich strich mit den Fingerspitzen über die furchtbaren Narben, die seine sonst makellose Brust entstellten. Er war gebaut wie ein Gott, sein Körper gleichsam gemeißelt – allein die Narben bewiesen, dass er ein Mensch, ein Sterblicher war. Die tiefsten Narben trug Alexander jedoch an seiner Seele; sie rührten von dem Unfall her, bei dem seine Schwester das Leben verloren hatte, doch die Narben an seinem Körper riefen mir einmal mehr in Erinnerung, dass er in jener Nacht beinahe selbst ums Leben gekommen wäre. Unwillkürlich musste ich blinzeln, als mir Tränen in die Augen traten.

»Alles ist gut, Süße«, murmelte Alexander. Er senkte den Kopf und küsste die kleine Kuhle zwischen meinen Brüsten, ehe er mit der Zunge über meinen linken Nippel fuhr und dann sanft daran zu saugen begann. Der süße Schauder, den ich dabei empfand, vermischte sich mit der Trauer, die mich beim Anblick seiner Narben überkommen hatte, und ich fing an zu weinen. Alexander nahm mich in die Arme und wiegte mich an seiner Brust.

Abermals berührte ich seine Narben und wünschte, ich hätte sie einfach weghexen können. »Ich hätte dich fast verloren.«

»Du kannst mich nicht verlieren«, flüsterte er, während er mich fester in die Arme schloss.

»Nein«, erwiderte ich schluchzend. »Ich meinte, damals. In jener Nacht.« Der Gedanke, dass wir uns vielleicht nie kennengelernt hätten, schnürte mir einen Augenblick lang die Kehle zu. »Zeig es mir«, sagte ich leise. Alexander brachte es nicht über sich, mir zu sagen, dass er mich liebte – nicht nach der Nacht, der er seine grausamen Narben verdankte. Seine Gefühle konnte er nur auf eine einzige Art und Weise ausdrücken: mit seinem obsessiven, ja unersättlichen sexuellen Appetit – und ich konnte genauso wenig genug von ihm bekommen.

Er presste seine Lippen auf meine, dann glitt seine Hand über meine Hüfte und drängte meine Schenkel auseinander. Während er mich fordernd küsste, fuhr er mit einem Finger an meinem Fleisch entlang, ehe er sanft meine Schamlippen öffnete. Er leckte über meine Zähne, und ich spürte, wie er meine Klitoris mit dem Daumen zart umkreiste und zu massieren begann. Ich stöhnte, doch er löste seine Lippen nicht von meinem Mund. Während ich ihm mit den Hüften entgegenkam, spreizte ich meine Beine noch weiter, wollte ihn endlich, endlich in mir spüren. Als er schließlich einen Moment lang von mir abließ, atmeten wir beide schwer. Ein wildes Funkeln glomm in Alexanders Blick, doch er hielt sich zurück – wie ich das schon kannte, dominierte er jeden einzelnen Augenblick meiner Lust. Er allein bestimmte, wann ich kommen, endlich Erlösung finden durfte.

Während er sich aufrichtete, fuhr er fort, meine empfindliche Knospe zu liebkosen. Ich verkrallte die Finger in den weißen Laken; ich wollte kommen, aber nicht ohne ihn. Als ich kurz davor war, beugte er sich wieder über mich, rieb seinen Schwanz spielerisch an meiner Spalte, während ich erwartungsvoll zu ihm aufblickte.

»Clara, ich...« Seine Worte hingen zwischen uns, und Traurigkeit umwölkte seinen Blick.

Ich hielt den Atem an, als könnte er urplötzlich verschwinden, wenn ich Luft holte.

»Ich...« Aber er schüttelte den Kopf. »Es gibt nur dich. Und es wird immer nur dich geben. Du gehörst mir, aber vergiss nie, dass ich ebenso dir gehöre – du kannst alles von mir haben, was ich dir geben kann.«

Seine Worte waren es, die mich kommen ließen. Ich stieß

einen Schrei aus, als er in mich eindrang, und ein weiterer Orgasmus brandete durch meinen Körper. Er bewegte sich langsam, stieß mich ganz sanft und verlängerte meine Lust, bis ich zitternd auf den Laken lag, aber noch war er nicht mit mir fertig. Er packte meine Hüften, und ich spürte, wie sich der nächste Höhepunkt in mir aufbaute. Es war zu viel. Schauder jagten über meine Haut, doch ich wollte nicht, dass er aufhörte. Ich wollte ihn für immer in mir haben, ganz von ihm ausgefüllt werden, eins mit ihm sein.

Meine Empfindungen waren so heftig, dass ein leises Wimmern über meine Lippen drang.

»*Schhhh*, Süße«, flüsterte er. Zärtlich fuhr er mir mit dem Daumen über die Lippen. »Ich werde nie genug von dir bekommen.«

Das war der Grund, warum ich nicht von ihm lassen konnte. Ich hatte es versucht, aber es war mir unmöglich, ihn zu verlassen. Was zwischen uns passierte, war animalisch, leidenschaftlich, überwältigend, und ich brauchte es wie die Luft zum Atmen. Ohne ihn konnte ich nicht leben.

So war das, wenn man einen modernen Sexgott zum Freund hatte: Ich hatte immer Hunger, wenn ich aufwachte. Und auch an diesem Morgen war es nicht anders. Leise schlüpfte ich aus dem Bett in der Hoffnung, Alexander nicht zu wecken. Im Wandschrank hing ein roter Morgenmantel aus Seide, der verdächtig danach aussah, als sei er für mich gekauft worden, sowie eine ganze Reihe anderer Klamotten. Offenbar war er sich ziemlich sicher gewesen, dass ich bleiben würde. War ich wirklich so schnell zu überzeugen? Oder hatte er einfach mehr Vertrauen als ich, dass wir es schon hinkriegen würden?

Sämtliche Muskeln schmerzten, mein Geschlecht war wund, und mir knurrte der Magen. Tja, Sex auf leeren Magen war vielleicht doch keine so gute Idee gewesen. Andererseits hatte ich ja nicht die Absicht gehabt, mit ihm zu schlafen, als ich hierhergekommen war. Zum Glück hatte Alexander eingekauft – Brot, Eier und frische Bio-Früchte. Ich nahm eine Milchtüte aus dem Kühlschrank, stieß die Tür mit dem Hintern wieder zu – und hätte die Tüte um ein Haar fallen gelassen. Alexander stand in der Tür. Er trug lediglich eine schwarze Pyjamahose, die locker auf seinen Hüften saß. Auffällig war, dass er sich keine Mühe gab, die V-förmige, brutal in sein Fleisch gemeißelte Narbe auf seiner Brust zu verbergen, was mir das Gefühl gab, dass er sich gerade wohl in seiner Haut zu fühlen schien.

Er fuhr sich mit der Hand durch das zerzauste schwarze Haar und schüttelte den Kopf, als wolle er einen Albtraum verscheuchen. Leider hatte er häufig schlimme Träume.

»Alles okay?«, fragte ich und hörte auf, mich weiter nach einer Pfanne umzublicken. »Hast du schlecht geträumt?«

Alexander sprach nicht gern über die schrecklichen Erinnerungen, die nachts aus seinem Unterbewusstsein an die Oberfläche drängten. Aber es brachte auch nichts, seine Qualen zu ignorieren.

»Du warst plötzlich nicht mehr da«, sagte er mit rauer Stimme.

Oh. Unfreiwillig hatte ich ihn gezwungen, eine weitere schlimme Erinnerung zu durchleben. Eine, die schmerzvoll für uns beide war: der Morgen, an dem ich ihn verlassen hatte. »Tut mir leid, X. Ich hatte Hunger.«

Ein Grinsen spielte um seine Lippen, während er näher trat.
»Ach, jetzt bin ich plötzlich wieder X? Oder meintest du Ex-lover?«
»Bloß X«, erwiderte ich, stellte mich auf die Zehenspitzen und gab ihm einen kleinen Kuss.
Alexander hob eine Augenbraue. »Ganz schön ... züchtig.«
»Nicht dass du auf falsche Gedanken kommst. Ich habe nämlich wirklich Hunger.« Zum Beweis steckte ich mir eine Weintraube in den Mund.
Er strich über den feinen Stoff meines Morgenmantels. »Dann solltest du aber nicht in so heißem Zeug herumlaufen.«
»Wieso hast du es sonst gekauft?«
Alexander trank einen Schluck Milch und reichte mir die Tüte. »Habe ich ja nicht. Norris hat deinen Kleiderschrank bestückt.«
Um ein Haar hätte ich mich verschluckt.
Alexander lachte und wischte mir ein paar Tropfen vom Kinn. »Jetzt regst du aber echt meine Fantasie an.«
»Norris hat diese Sachen für mich gekauft?«, fragte ich ungläubig.
»Ich habe ihn darum gebeten.« Er zuckte lässig die Achseln. »Edward hat ihm geholfen.«
»Das dachte ich mir schon. Gibt es eigentlich auch irgendetwas, das du selbst machst?«
Er nahm mir die Milchtüte ab, stellte sie auf die Arbeitsplatte und drängte mich gegen den Küchentresen. »Ich tue eine ganze Menge sowohl für mich als auch für dich. Und das weißt du auch, Süße.«
»So, so, Eure Majestät.« Ich drohte ihm mit dem Finger.

»Aber wenn du dich den ganzen Tag mit mir amüsieren willst, musst du auch dafür sorgen, dass ich nicht Hungers sterbe.«

»Heute ist Samstag. Wie wär's, wenn wir ein bisschen über die Portobello Road bummeln?« Er öffnete das Schränkchen hinter meinem Kopf und nahm eine Pfanne heraus. »Ich kümmere mich sogar um dein Frühstück. So macht man das doch als Mann, oder etwa nicht?«, fragte er, während er ein Ei aus dem Karton nahm.

»Als typischer Mann qualifizierst du dich nicht gerade«, gab ich zurück. »Willst du mir tatsächlich Frühstück machen?«

Eins stand jedenfalls fest: Wäre Alexander ein ganz normaler Typ von nebenan gewesen, hätte ich nicht so fasziniert zugesehen, wie er die Herdplatte anstellte.

»Klar.« Er grinste anzüglich. »Schließlich musst du dich stärken, bevor ich dich noch mal nehme.«

»Ich dachte, du wolltest bummeln gehen.«

»Frühstücken. Vögeln. Duschen. Bummeln«, erwiderte er.

»Alles schön durchgeplant.« Ich gab mir keine Mühe, meine Belustigung zu kaschieren. »Ich darf jetzt also nicht duschen?«

»Das würde ich dir zumindest nicht empfehlen.« Er schlug das nächste Ei in die Pfanne. »Du musst erst mal zu Kräften kommen, und glaub bloß nicht, ich hätte nicht gemerkt, wie dünn du geworden bist. So, drei Eier für dich.«

Er klang ganz beiläufig, trotzdem lag ein Hauch von Vorwurf in seinem Tonfall, der mir ganz und gar nicht gefiel. An diesem Morgen wollte ich einfach nur glücklich sein. »Ich war häufig joggen in letzter Zeit.«

»Ich weiß«, sagte er leise.

Ich beschloss, nicht darauf einzugehen. Es war weiß Gott nichts Neues, dass er mich von einem Security-Team beschatten ließ, und auch wenn mir das ganz und gar nicht gefiel, wollte ich einen schönen Tag mit ihm verbringen und mich nicht über zweitrangige Dinge streiten. Ich verpasste ihm einen Klaps auf den Hintern, als ich an ihm vorbeiging.

»Mach nur so weiter«, warnte er mich. »Wir können auch erst vögeln.«

Ich ließ mich auf einen der Hocker am Küchentresen sinken und tat so, als würde ich gleich in Ohnmacht fallen. »Ich verhungere!«

»Na gut, dann gibt es eben erst mal was zu essen«, knurrte er. »Du passt zu meiner Familie wie die Faust aufs Auge. In Sachen Drama stehst du ihnen jedenfalls in nichts nach.«

Mein Herz vollführte einen kleinen Hüpfer, und ich befahl mir, nichts in seine Worte hineinzulesen. Also sparte ich mir eine Antwort, und kurz darauf standen wir gemeinsam am Herd, neckten uns und lachten, während ich ihm den einen oder anderen Kochtipp gab. Aber als wir schließlich zusammen frühstückten, fühlte ich mich doch irgendwie ein kleines bisschen beklommen. Alles war so normal. So unbeschwert. Solch glückliche, unbeschwerte Momente hatten wir nie zuvor geteilt. Es war einfach zu schön, um wahr zu sein.

Aber vielleicht war die Zeit der Lügen auch endgültig vorbei.

8

Ich strich mit den Fingern über den abgegriffenen, aber gut erhaltenen Einband einer schönen, alten Ausgabe von *Stolz und Vorurteil* und ging im Geiste die Zimmer unseres Hauses durch. Hatten wir überhaupt Regale? Während ich das Buch zur Hand nahm, fiel mir ein, dass wir uns ja jederzeit welche anschaffen konnten. Ich schlug das Buch auf und erstarrte. *Wir.* Ich hatte nie explizit eingewilligt, mit Alexander zusammenzuziehen, und nun dachte ich bereits über die passende Einrichtung nach.

Der Händler, dem mein Interesse nicht entgangen war, trat zu mir. »Ein besonders schönes Exemplar. Spätes neunzehntes Jahrhundert. Für zweihundert Pfund ein echtes Schnäppchen, werte Dame.«

Errötend legte ich das Buch zurück und schüttelte den Kopf. »Ich habe den Band nur bewundert.«

Der Mann nickte nachdrücklich und griff nach ein paar anderen Exemplaren. Es würde wohl nicht so einfach werden, hier wieder wegzukommen, ohne etwas gekauft zu haben. Und obwohl ich bereits das nächste Buch in der Hand hielt, war ich viel zu sehr hin und her gerissen zwischen Verstand und Gefühl, um mich konzentrieren zu können. Instinktiv blickte ich zu Alexander hinüber, während ich mich bei dem Händler bedankte. Er stand halb abgewandt von mir, in ein Buch vertieft. Er trug Jeans und ein enges T-Shirt, das seinen durchtrainierten Körper betonte. Die meisten Leute hätten ihn nicht erkannt, obwohl sie sicher einen zweiten Blick riskiert hätten. Sein schwarzes Haar war eine ungekämmte, wilde Mähne, und dunkle Stoppeln zierten seine Wangen und sein Kinn, da er aufs Rasieren verzichtet hatte. Allein der Gedanke, wie sich das später auf meinen Schenkeln anfühlen würde, jagte mir einen süßen Schauder über den Rücken. Dabei entging mir nicht, wie er sich positioniert hatte. Er kam einfach nicht gegen seine besitzergreifende Natur an – ein Seitenblick, und er hatte mich wieder im Visier. Allerdings ließ er mir meinen Freiraum, auch wenn seine Körpersprache keinen Zweifel daran ließ, dass er aufmerksam und wach war. Bisher hatten wir nur wenig Zeit zusammen in der Öffentlichkeit verbracht. Und Alexander begab sich auch allein nur selten unter die Leute. Selbst in den Clubs, die er besuchte, hielt er sich meist in abgetrennten Räumen auf.

Er blickte auf, und als er sah, dass ich ihn betrachtete, breitete sich ein Lächeln auf seinem Gesicht aus. Mein Pulsschlag beschleunigte sich; das Blut rauschte in meinen Ohren, und plötzlich nahm ich nichts mehr um mich herum wahr. Es gab nur ihn und mich, und in jenem Moment wusste ich, dass eine Trennung von ihm unmöglich war. Ich hatte versucht, ohne ihn zu leben, und war jämmerlich gescheitert. Jede Nacht, die ich ohne ihn verbracht hatte, war ich tausend Tode gestorben, und jeder Tag war eine einzige Qual gewesen.

Alexander trat zu mir, legte mir einen Arm um die Taille und warf einen Blick auf das Buch, das ich in der Hand hielt. »Kauf es doch. Unsere Bibliothek könnte wirklich besser bestückt sein.«

»Wir haben eine Bibliothek?«, fragte ich, ebenso verblüfft über die Information wie über die Tatsache, dass er von *unserer* Bibliothek gesprochen hatte.

»Erinnere mich daran, dir später noch eine kleine Führung durchs Haus zu geben.«

Der anzügliche Unterton in seiner Stimme war nicht zu überhören. »Ich habe das Gefühl, die Tour wird mir gefallen.«

»Und wie, Süße.« Eine Gänsehaut überlief mich, als er mir einen sanften Kuss hinters Ohr hauchte.

Und Alexander meinte es ernst in Sachen Bibliothek. Als wir den Stand mit den Büchern zwanzig Minuten später verließen, hatte er eine kleine Bestellung in Auftrag gegeben und dem Händler seine ältesten und seltensten Ausgaben abgekauft.

»Du bist ja wirklich in Geberlaune«, bemerkte ich, während wir die belebte Straße entlangschlenderten und ab und zu stehen blieben, um den einen oder anderen Stand in Augenschein zu nehmen.

»Allerdings.« Alexanders Hand schloss sich fest um meine, während wir uns den Weg durch die Menschenmassen bahnten. Einige Passanten blieben stehen und starrten uns an, doch bislang hatte noch niemand ein Foto von uns gemacht – weil sich die Leute womöglich unsicher waren oder auch weil sie unsere Privatsphäre respektierten.

Es war befreiend. Dank Alexanders Lüge vom Vorabend glaubte die Welt, dass wir zusammenlebten. Und allmählich begann ich selbst daran zu glauben. Nur vierundzwanzig Stunden zuvor war ich fest davon überzeugt gewesen, dass er sich nie wirklich zu mir bekennen würde. Nun aber bestand so gut wie kein Zweifel mehr, dass wir beide bereit waren, eine feste Beziehung einzugehen. Auch wenn da immer noch tief in mir diese leise Stimme war, die mich warnte, vorsichtig zu sein. Aber ich hörte nicht auf sie: Ich hatte ja Alexander, der mich beschützte, und davon abgesehen wollte ich ihm gehören – mit Haut und Haar.

Als wir kurz darauf in einem kleinen Antiquitätenladen standen, stach mir die wunderschöne Reproduktion einer Tiffany-Lampe ins Auge. »Wäre das nicht was für unser Haus?«, fragte ich.

Sein Lächeln war einfach umwerfend. »Such dir aus, was du willst, Süße.«

»Nein.« Ich schüttelte den Kopf. »Es ist *unser* Haus.«

»Wie schön es ist, dass du das sagst«, gab er zurück, nahm die Lampe und ging zur Kasse.

»Immer wieder gern«, sagte ich.

Er lachte leise, während er der Verkäuferin die Lampe übergab.

»Fünfzehntausend Pfund«, sagte sie.

Mir blieb der Mund offen stehen. Nachdem ich mich halbwegs von dem Schock erholt hatte, fragte ich zögernd: »Das ist keine Reproduktion?«

»Nein, das ist ein Original aus den Tiffany Studios.« Sie drehte die Lampe um und deutete auf das Etikett. »Von 1896. Ein äußerst seltenes Stück.«

Das glaubte ich gern. Unbeeindruckt reichte Alexander ihr eine schwarze Kreditkarte.

»Vielleicht sehen wir uns doch lieber nach etwas anderem um«, flüsterte ich.

»Unsinn.« Er winkte ab. »Die Lampe gefällt dir doch.«

Das stimmte natürlich, aber es erschien mir doch ein wenig extravagant, fünfzehntausend Pfund für etwas hinzulegen, das ich später nicht zu berühren wagen würde. Während ich der Verkäuferin dabei zusah, wie sie die Lampe einpackte, stellte ich mir vor, was passieren würde, wenn ich sie versehentlich fallen ließ. So lässig, wie Alexander mal eben das Geld für eine sündhaft teure Lampe locker machte, würde wohl nur ich sauer sein. Als die Verkäuferin mir die sorgfältig verpackte Lampe reichte, gab ich sie gleich an ihn weiter.

Obwohl ich in ausgesprochen wohlhabenden Verhältnissen aufgewachsen war, hatte ich nie groß Geld ausgegeben. Meine Mutter hatte meine Sachen gekauft, für die College-Gebühren waren ebenfalls meine Eltern aufgekommen, und für Essen, Bücher und andere Ausgaben war auch immer genug Geld dagewesen. Inzwischen hatte ich Zugriff auf meinen Treuhandfonds, nutzte ihn aber kaum, außer für die Miete oder um mir ab und an neue Sachen für die Arbeit zu kaufen. Ich besaß zwar ein paar Möbel, hatte aber noch nie eine ganze Wohnung einrichten müssen. Das Apartment, das ich mir mit Belle teilte, war mit lauter Sachen ausgestattet, die wir in unsere Wohngemeinschaft mitgebracht hatten. Ich hatte durchaus vorgehabt, unsere Bude zu verschönern, aber irgendwie war mir das Leben – oder doch zumindest Alexander – dazwischengekommen. Auch wenn ich bezweifelte, dass ich fünfzehntausend Pfund für eine Lampe ausgegeben hätte.

»Du bist so still«, stellte Alexander fest, als wir das Geschäft verließen. Die Lampe hatte er sich unter den einen Arm geklemmt, den anderen Arm besitzergreifend um meine Schultern gelegt.

»Danke.« Ich zeigte auf die Lampe. »Sie ist wunderschön, aber irgendwie finde ich es auch ein bisschen extravagant, etwas so Teures zu kaufen.«

»Wer königliches Blut in den Adern hat, entwickelt eben auch einen exquisiten Geschmack.« Er blieb stehen und sah mich an. »Und mein kostbarster Besitz bist du.«

Ich klimperte mit den Wimpern. »Heißt das, du kaufst mir auch noch Falafel?«

»Was immer du willst, Süße.« Er hob mein Kinn an und betrachtete mich einen Moment lang eingehend, ehe er mich küsste. Vor nicht allzu langer Zeit hätte ich es mir wahrscheinlich verbeten, von ihm als sein kostbarster Besitz bezeichnet zu werden, doch inzwischen verstand ich, was er damit meinte. Außerdem wusste ich, dass er mir genauso gehörte wie ich ihm. Seine Lippen verweilten auf meinen, fest und heiß, auch wenn sein Kuss im Rahmen dessen blieb, was in der Öffentlichkeit zulässig ist. Dann schlenderten wir weiter, doch ich konnte meinen Blick nicht von ihm wenden. Die anderen Menschen auf der Straße nahm ich kaum wahr; wenn ich mit Alexander zusammen war, gab es nur ihn für mich.

Völlig in Gedanken versunken, stieß ich mit der Hüfte gegen eine Auslage. Während ich mich nach dem Besitzer des Stands umsah, um mich für meine Ungeschicklichkeit zu entschuldigen, geriet meine Welt von einer Sekunde auf die andere aus den Fugen. Wie angewurzelt stand ich da, den Blick auf den Mann gerichtet, der nur ein paar Meter hinter uns stand.

Es war Daniel.

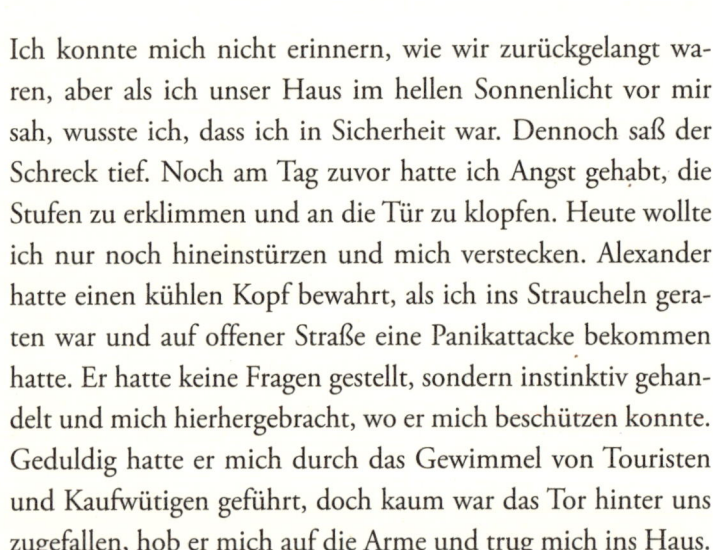

9

Ich konnte mich nicht erinnern, wie wir zurückgelangt waren, aber als ich unser Haus im hellen Sonnenlicht vor mir sah, wusste ich, dass ich in Sicherheit war. Dennoch saß der Schreck tief. Noch am Tag zuvor hatte ich Angst gehabt, die Stufen zu erklimmen und an die Tür zu klopfen. Heute wollte ich nur noch hineinstürzen und mich verstecken. Alexander hatte einen kühlen Kopf bewahrt, als ich ins Straucheln geraten war und auf offener Straße eine Panikattacke bekommen hatte. Er hatte keine Fragen gestellt, sondern instinktiv gehandelt und mich hierhergebracht, wo er mich beschützen konnte. Geduldig hatte er mich durch das Gewimmel von Touristen und Kaufwütigen geführt, doch kaum war das Tor hinter uns zugefallen, hob er mich auf die Arme und trug mich ins Haus.

Alexander setzte mich auf der Arbeitsplatte in der Küche ab, reichte mir ein Glas Wasser und wartete, bis ich es ausgetrunken hatte.

»Alles okay mit dir?«, fragte er schließlich.

»Ich habe mich umgedreht, und plötzlich stand da...« Doch

im selben Moment wurde ich von meinem Handy-Alarm unterbrochen. Es war zwölf Uhr. Essenszeit.

Alexander schaltete sofort. »Du musst etwas essen.«

»Ich habe keinen Hunger.« Essen war so ziemlich das Letzte, wonach mir gerade der Sinn stand. So flau im Magen war mir schon lange nicht mehr gewesen.

»Keine Diskussion«, erklärte er. »Du wolltest doch Falafel. Warte hier – ich gehe zum Imbiss an der Ecke.«

»Da stehen die Leute jetzt garantiert Schlange, X«, sagte ich. Es war Samstagmittag. Es würde glatt eine Stunde dauern, bis er wieder zurück war, und die Vorstellung, so lange von ihm getrennt zu sein, machte mir Angst.

Alexander schüttelte den Kopf. »Glaub mir, ich kann sehr überzeugend sein. Zehn Minuten. Oder soll ich dir lieber Rührei machen?«

»Nein, Falafel wär toll.« An unserem ersten gemeinsamen Tag nach so langer Zeit wollte ich mich nicht von der Vergangenheit herunterziehen lassen. Ihm jetzt zu erzählen, dass ich meinte, meinen Exfreund auf der Straße gesehen zu haben, kam mir plötzlich absolut albern vor; außerdem grenzte meine Panik an Verfolgungswahn.

»Bist du sicher?« Forschend musterte er mein Gesicht. »Tja, kaum gebe ich Norris mal einen Tag frei, habe ich alle Hände voll zu tun mit dir.«

Ich schob ihn zur Tür. »Ich brauche nur eine Kleinigkeit zu essen.«

Glücklicherweise konnte ich mir die Zeit vertreiben, indem ich mein neues Zuhause erkundete. Hatte ich Daniel tatsächlich gesehen oder es mir womöglich nur eingebildet? Immerhin war es nicht unwahrscheinlich, dass mein Realitätssinn in den letzten Monaten ohne Alexander ein wenig gelitten hatte. Wie auch immer – der Gedanke, dass Alexander und ich hier zusammenleben würden, bot mir so einiges an Ablenkung.

Das Wohnzimmer war gleichzeitig sparsam und elegant eingerichtet. Es fehlten nur noch ein paar Möbel und Teppiche, und dann konnten wir gemütlich am Kamin sitzen – oder andere schöne Dinge anstellen.

Oben gab es außer unserem Schlafzimmer noch zwei weitere Räume. Irgendwann würden wir bestimmt auch einmal Gäste haben, aber momentan wollte ich unser Liebesnest nur mit Alexander teilen. Das Haus war unsere Bastion, unsere Zuflucht vor der Außenwelt. Vielleicht würde er sich mir hier, wo wir uns sicher fühlen konnten, endlich ganz öffnen. Er sehnte sich danach, mit mir zusammen zu sein, hatte selbst in aller Öffentlichkeit verkündet, dass wir zusammenlebten. Das hier war nicht bloß ein Versteck, sondern sein Bekenntnis zu mir – es sagte alles, was er nicht mit Worten ausdrücken konnte.

Ein Knarren unten im Flur drang zu mir herauf, und vor Schreck presste ich mir die Hand an die Brust. Aber es war ein altes Haus und völlig normal, wenn es gelegentlich irgendwo ächzte und knarzte. Ich war bloß nervös, nachdem ich Daniel auf der Straße erspäht hatte. Wie naiv zu glauben, ich würde ihm im Londoner Gewimmel nicht irgendwann einmal begegnen. Und davon abgesehen war unsere Beziehung längst Geschichte. Was also tangierte es mich, dass er in Notting Hill unterwegs gewesen war? Wo er sich herumtrieb, konnte mir doch völlig egal sein.

War es aber nicht, denn ehrlich gesagt hatte ich gehofft, ihn nie im Leben wiederzusehen. Die Trennung von Daniel war schwierig genug gewesen, er hatte es mir wahrlich nicht leicht gemacht. Dabei war es gar nicht so, dass er je versucht hätte, wieder Kontakt zu mir aufzunehmen. Hätte er mich ebenfalls bemerkt, wäre er mir wahrscheinlich aus dem Weg gegangen. Trotzdem hoffte ich, ihn nicht so schnell wiederzutreffen. Notting Hill war mein sicherer Hafen, und ich wollte nicht, dass mich hier jemand störte.

Als Alexander eine Viertelstunde später zur Tür hereinkam, hatte ich mich immer noch nicht wieder beruhigt. Ich war ein zitterndes Nervenbündel, tigerte auf und ab, statt die schönen Räume zu genießen.

»Wo hast du so lange gesteckt?«, herrschte ich ihn an.

Alexander stellte die Tüte vom Imbiss auf den Küchentresen und trat zu mir. »Oh, was ist denn los, Süße?«

Aber ich war nicht in der Stimmung, geneckt zu werden. Ich wollte ihn. Ich wollte etwas anderes spüren als die Angst, deren Klauen mich einfach nicht losließen. Es gab Dutzende von Gründen, warum es mit uns nicht funktionieren würde, zahllose Faktoren, die unsere Beziehung im Nu zerstören konnten. Vorhin auf der Portobello Road war ich noch überglücklich gewesen. Und dieses Gefühl wollte ich mir zurückholen, mich bis zur Besinnungslosigkeit vögeln lassen und alles um mich herum vergessen. Ich trat auf ihn zu, und im selben Moment fanden sich unsere Münder, begannen wir, einander die Kleider vom Leib zu reißen. Als ich die Hand über seine Hose schob, stellte ich fest, dass er bereits hart war. Alexander mochte vielleicht überrascht sein über mein jähes Verlangen, sein Schwanz war es jedenfalls nicht.

Er schob mir mein dünnes Sommerkleid über die Hüften und schwang mich auf den Küchentresen. Mit einem Ruck riss er mir den Slip herunter, drängte sich zwischen meine Schenkel und zog mir das Kleid über den Kopf. Sein Kuss wurde fordernder, während er mir den BH abstreifte. Dann löste er seine Lippen von meinem Mund und flüsterte mir schwer atmend ins Ohr: »Vertraust du mir?«

Vertraute ich ihm? Doch schon während ich mir die Frage stellte, wusste ich die Antwort. Ich vertraute ihm ganz und gar. Davon abgesehen hatte ich gar keine Wahl. Unsere gesamte Beziehung war ein Akt des Vertrauens. Und überdies hatte er sich mehr und mehr vom Kontrollfreak zum Beschützer entwickelt. Inzwischen gehörte er mir genauso wie ich ihm.

Ich nickte.

»Du musst nur das Wort sagen, und ich höre sofort auf«, rief er mir in Erinnerung. Er ließ mich los, und ich konnte mich kaum bezähmen, ihn nicht sofort wieder an mich zu reißen. Er bückte sich und hob die Überreste meines Slips auf. »Ich werde nichts mit dir machen, was wir nicht schon gemacht haben. Sexuell jedenfalls. Aber vertraust du mir genug, um mir total die Kontrolle zu überlassen?«

Alexander hatte mit seinem Bedürfnis, mich zu dominieren, noch nie hinter dem Berg gehalten, und mehr als einmal hatte er die Grenzen überschritten, die ich mir selbst gesetzt hatte. Aber ich spürte, dass es diesmal anders sein würde. Sonst hatte mich stets etwas zurückgehalten, mich ihm ganz zu unterwerfen, doch nun regte sich keinerlei Widerstand in mir. Seit wir uns begegnet waren, hatte mich Alexanders rohe Sexualität voll und ganz beherrscht, über meine Vernunft triumphiert. Immer hatte er mir dabei das Gefühl gegeben, dass die letzte Entscheidungsgewalt bei mir lag. Jetzt aber sollte ich mich ihm ganz und gar ausliefern. Was – nicht zuletzt aufgrund meiner Vergangenheit – alles andere als einfach für mich war.

»Ich vertraue dir.« In bestimmter Weise hatten diese Worte mehr Bedeutung als vieles andere, was ich ihm gesagt hatte. Und das wusste er auch. Alexander hauchte einen Kuss über meine Lippen, eine zärtliche Geste, die sofort ein heftiges Pulsieren zwischen meinen Schenkeln auslöste. »Nimm die Hände auf den Rücken.«

Ich gehorchte. Er legte die Arme um mich, und dann spürte ich, wie er meine Handgelenke fesselte – mit meinem zerrissenen Seidenslip, wenn ich mich nicht täuschte. Er band mir die Hände so fest zusammen, dass ich mich nicht befreien konnte, aber doch locker genug, dass es nicht wehtat. Es erregte mich wahnsinnig. Eine seltsame Mischung aus dunkler Ahnung und Erleichterung durchströmte mich, und ich biss mir auf die Unterlippe, um den süßen Schwindel zu vertreiben. Zum ersten Mal wollte ich es nicht nur von ihm – ich brauchte es. Ich sehnte mich danach, dass er das Kommando übernahm, mich die Ängste vergessen ließ, die mich seit dem jähen Ende unseres Vormittagsbummels umtrieben.

Er trat zwei Schritte zurück und nahm mich – die Beine gespreizt, die Hände auf den Rücken gefesselt – lächelnd in Augenschein. Das Dunkel, das so oft in seinen wunderschönen Augen glomm, erwachte flackernd zu neuem Leben.

»Jetzt hast du mich, wo du mich haben wolltest.« Der schlüpfrige Unterton in meiner Stimme verblüffte mich. Ich war mir nicht sicher, was da für ein scharfes Luder aus mir sprach – aber ich gierte förmlich danach, dass es herauskam und seine Bedürfnisse auslebte.

Doch Alexander blieb cool und schüttelte den Kopf. »Nicht ganz, Süße, nicht ganz.«

Er zog eine Schublade auf und nahm ein weißes Geschirrtuch heraus. Er schlug es auf, legte es auf die Arbeitsplatte und faltete es dreimal der Länge nach. Ich merkte, dass er einen winzigen Moment lang zögerte, als er zu mir trat. Er bat mich nicht um Erlaubnis, wartete einfach nur, ob ich Nein sagen würde, doch ich blieb stumm. Während er mir die Augen verband, flüsterte er: »Du hast ja immer noch deine Stimme.«

Und schon sah ich nichts mehr. Ich spürte seine Präsenz, wusste, dass er vor mir stand und seine Beute betrachtete. Ich hörte, wie er scharf einatmete. Die Luft fühlte sich plötzlich kühler an auf meiner nackten Haut. Jede einzelne Faser meines Körpers war zum Zerreißen gespannt.

»Sehr schön«, sagte er. »So, und jetzt wirst du erst mal etwas essen.«

Ich wollte protestieren, aber das konnte ich mir ebenso gut sparen. Mit Alexander war nicht zu reden, wenn sein Instinkt die Oberhand gewann. Neben mir hörte ich es rascheln, als er die Tüte vom Imbiss öffnete, und dann das metallische Ratschen einer Alu-Verpackung. Ein exotischer Duft stieg mir in die Nase, und ich atmete ihn tief ein, während ich zu erraten versuchte, was er mir mitgebracht hatte. Ich probierte gerne Neues, aber normalerweise wusste ich, was gerade meinen Gaumen kitzelte.

»Mach den Mund auf.«

Ich gehorchte und genoss die kleine Geschmacksexplosion auf meiner Zunge. Ich kaute langsam und vorsichtig. Es schmeckte unverkennbar marokkanisch, doch obwohl ich mit dieser Küche durchaus vertraut war, hatte ich sie nie zuvor so genossen – nicht nur meiner Sicht beraubt, sondern auch meiner Fähigkeit, die Leckereien selbst zum Mund führen zu können. Als ich geschluckt hatte, fütterte er mich mit dem nächsten Bissen. Fürsorglichkeit und Dominanz verbanden sich zu einer geradezu orgiastischen Erfahrung. Ein ums andere Mal stöhnte ich vor Behagen, während er meinen Gaumen mit immer neuen Leckereien verwöhnte.

»Bereit für den nächsten Gang?«, fragte er schließlich, und ein süßer Schauder der Vorahnung überlief mich.

Ich leckte mir die Lippen und nickte.

Er half mir auf die Beine. »Knie dich hin.«

Die Steinfliesen waren kalt, und ich wartete unschlüssig. Dann spürte ich seine pralle Eichel an meinen Lippen. Willig öffnete ich den Mund und ließ ihn eindringen, liebkoste ihn mit der Zunge und begann zu saugen, doch er packte in mein Haar und gebot mir Einhalt.

»Entspann dich«, befahl er.

Ich holte tief Luft und schloss die Lippen erneut um seinen Schwanz. Diesmal hielt ich ganz still, und er ließ ihn tief hineingleiten, bis ich seine Eichel in meiner Kehle spürte. »Ich werde dich in den Mund ficken, Clara. Bist du bereit?«

Ich stöhnte, und er begann langsam und rhythmisch meinen Mund zu nehmen. »Hübsch sieht das aus«, sagte er mit rauer Stimme, und ich spürte, wie ich errötete. »Wirst du gerade rot, Süße, oder macht dich das bloß so an?«

Ich konnte mir lebhaft vorstellen, welche Begierde in seinen Augen brannte, und am liebsten hätte ich seine Hüften mit den Händen umfasst, ihn animiert, fester zuzustoßen. Aber es ging ja nicht. Ich war seiner Gnade ausgeliefert. Nie zuvor hatte mich etwas so erregt, und ich konnte es ihm nur zeigen, indem ich die Lippen fester um seinen Schwanz schloss und ihn nach allen Regeln der Kunst verwöhnte. Er stöhnte leise auf und drängte tief in meinen Mund, bis ich das erste Beben in seinen Lenden spürte und er sich in meine Kehle ergoss.

Eigentlich erwartete ich, dass er mir die Augenbinde abnehmen würde, doch stattdessen half er mir auf die Beine, drehte mich um und drückte mir eine Hand zwischen die Schulterblätter. Instinktiv beugte ich mich vor, bis meine Brüste den Küchentresen berührten. Die Kühle der Granitfläche ließ mich erbeben. *Er ist noch nicht mit mir fertig.* Das war der einzige Gedanke, der mich beherrschte, als Alexander erneut meine Schenkel spreizte. Dann strich er mit einer Fingerspitze über meine pulsierende Spalte. Ich schrie auf vor ungestilltem Verlangen und zitternder Erwartung, gehorchte ihm aber, weil ich spürte, dass er wartete – darauf, dass ich für seine Berührung bereit war. Als ich verstummt war, glitt sein Finger zwischen meine Schamlippen und liebkoste meine Klitoris, aber zu sanft, um mir die Befriedigung zu verschaffen, nach der ich mich so verzweifelt sehnte. Stattdessen erregte er mich nur noch mehr, und meine Muschi begann, fordernd zu pochen. Ich wand mich vor ungestillter Lust, bog mich ihm entgegen, wollte endlich von ihm erlöst werden…

…worauf er mir urplötzlich fest auf den Hintern schlug.

Ich hatte schon einige Male Bekanntschaft mit Alexanders strenger Hand gemacht, doch dieser Hieb traf mich so unverhofft, dass ich ein hörbares Keuchen ausstieß.

»Entspann dich«, befahl er mir abermals und senkte die Stimme. »Du wirst immer kommen, wenn ich es dir mache, Süße, doch das ist nicht die Frage. Die Frage lautet, *wann* du kommst. Und? Weißt du die Antwort?«

»Wenn du es erlaubst«, stieß ich fast atemlos hervor.

»Sehr gut.« Er strich mir mit der freien Hand durchs Haar. »Du kannst jederzeit bitten, kommen zu dürfen, aber heute nicht. Heute kannst du ausnahmsweise kommen, wann du willst, durch meine Hand – oder wofür ich mich sonst entscheiden mag. Hast du mich verstanden?«

»Ja«, stöhnte ich, während ich mich fragte, wie lange ich noch ausharren musste.

»Keine Angst«, hauchte er mir sanft ins Ohr. »Ich lasse dich nicht warten.« Mit dem Daumen streichelte er meine Klitoris, während er zwei Finger in meine Spalte gleiten ließ. Er massierte mich außen und innen, und ich spürte, wie sich mein ganzer Körper anspannte. Ich kämpfte dagegen an, doch dann erinnerte ich mich an seine Worte.

Entspann dich.

Und genau das tat ich, überließ mich ganz ihm, bis ich meine gefesselten Hände und die Augenbinde vergessen hatte, sogar die Probleme, die uns außerhalb dieses Hauses unweigerlich erwarteten. Ich gab mich meiner Begierde hin, ließ mich von ihr fortreißen, und dann schluchzte ich vor süßer, atemloser Erleichterung, als die Wogen der Lust über mir zusammenschlugen.

Ich spürte, wie sich die Fesseln lockerten, und dann Alexanders Finger, die zärtlich meine Handgelenke massierten. Schließlich nahm er mir die Augenbinde ab, und einen Moment blendete mich alles um mich herum. Meine Beine fühlten sich an, als würden sie jeden Augenblick nachgeben, doch Alexander hielt mich fest. Als ich schließlich zu ihm aufblickte, glomm das Feuer in seinen Augen nur noch leise. Er legte einen Finger unter mein Kinn und küsste mich.

»Danke«, sagte er sanft. »Dafür, dass du mir vertraut hast.«

Ich blinzelte gegen die Tränen an, die sich in meinen Wimpern verfangen hatten, und schüttelte den Kopf. Nicht er schuldete mir Dank, sondern ich ihm. Dafür, dass er mir wahre Erlösung, wahre Freiheit geschenkt hatte.

»War es zu viel für dich? Wenn es dir nicht…« Beunruhigt sah er mich an.

Ich unterbrach ihn, indem ich einen Finger auf seine Lippen legte. Er machte sich Sorgen um mich, und, ja, ich hatte ihm häufig Anlass zur Sorge gegeben. Aber jetzt war alles anders. Ich musste ihm sagen, was ich wirklich wollte, und alles, was ich begehrte, fasste ich in ein einziges Wort: »Mehr.«

X

Clara lag wieder in meinem Bett. Nach all den langen Wochen, meinen Versuchen, mich mit der Trennung abzufinden oder sie zurückzugewinnen, war sie endlich wieder da. Trotz meiner Dominanz hatte sie keinen Widerstand geleistet, als ich sie die Treppe hinaufgetragen hatte. Im Schlafzimmer hatte ich sie ohne Vorwarnung genommen, aber sie hatte sich nicht gewehrt, auch wenn ich sicher war, ihr wehgetan zu haben in meiner Erregung, nachdem ich ihr die Hände auf den Rücken gefesselt hatte. Ich musste ihr erklären, welche Zwänge mich dazu trieben, damit ich sie nicht verängstigte. Ich würde ihr kein zweites Mal erlauben, mich zu verlassen, doch der Gedanke, dass sie mich als Bedrohung empfinden könnte, war unerträglich. Während ich mit einem Finger über die sanfte Rundung ihrer Hüfte strich, spürte ich einmal mehr, wie glücklich mich ihre Gegenwart machte – erst sie gab mir das Gefühl, ein ganzer Mensch zu sein.

Doch selbst während wir nebeneinander lagen, mit zarten Liebkosungen und langen Küssen zu alter Vertrautheit zurückfanden, schwebte die Zukunft wie ein dunkle Wolke über mir. Unsere Beziehung würde Clara zerstören. Ich war eine wandelnde Zeitbombe, doch egal wie sehr ich meine Gefühle für sie zu verdrängen versuchte, ich konnte sie nicht gehen lassen. Ich konnte sie nicht retten. Eine Beziehung mit mir bedeutete, unablässig dem gnadenlosen Blick der Öffentlichkeit ausgesetzt zu sein. Dieses Leben hatte das Wesen meines Vaters vergiftet, ihn in einen Menschen verwandelt, dem ich keinerlei Respekt mehr entgegenbringen konnte. Mein Bruder war gezwungen, mit einer Lüge zu leben. Was würde Clara für ein Leben mit mir opfern müssen?

»Hör auf zu grübeln«, sagte sie leise. »Es zählt nur das Hier und Jetzt, okay?«

Woher wusste sie, worüber ich mir den Kopf zerbrach? Wie kam es, dass sie stets wusste, was in mir vorging?

Weil sie mich liebte.

Ich verdrängte die düsteren Gedanken, doch es war zu spät. Der Moment der Leichtigkeit verpuffte, und ich spürte, wie ich mich innerlich verkrampfte; es war, als würde mich jemand erdrosseln. Mich zu lieben war gefährlich. Und ich konnte es nicht verhindern. Ich hatte es versucht. Ihr sogar wehgetan.

Und trotzdem war sie hier.

Ich war kein Schwächling, doch mir selbst war ich hilflos ausgeliefert. Ich betrachtete ihre Lippen, und schon regte sich mein Schwanz, aufs Neue bereit für sie. Aber ich musste ihr zeigen, dass es mir nicht nur darum ging. Nur wie sollte das gelingen, da ich ohnehin wusste, dass ich es komplett vermasseln würde?

Sanft brachte ich sie dazu, sich auf den Bauch zu drehen. Nur indem ich meinen niedrigen Instinkten nachgab, konnte ich die düsteren Gedanken verscheuchen, die mich im Würgegriff hielten. Der Anblick ihres wohlgeformten, einladenden Hinterteils ließ mich innerlich aufatmen. Ich konnte ihr nicht erklären, was ich für sie empfand, weil mir die Worte fehlten. Aber ich konnte es ihr zeigen. Ich beugte mich über sie und küsste ihren Nacken. Clara seufzte leise, und ich spürte, wie mir leichter wurde und sich die Schraubzwinge um mein Herz zu lockern begann. Das war es, was ich brauchte, was ich hören wollte – ihr süßes Stöhnen, in dem ich mich verlieren konnte, wenn ich sie nahm. Ihre Lust befreite mich, gab mir den Lebenssinn zurück, den ich längst verloren geglaubt hatte. Ich strich ihr Haar über die Schultern, ließ meine Finger durch die Strähnen gleiten, worauf sie abermals wohlig seufzte.

Ich widerstand dem Drang, sofort wieder in sie einzudringen, schob ihre Haare zur Seite und begann, sie zu flechten. »Ich liebe dein Haar. Den Anblick, wie es dir ins Gesicht fällt, wenn ich in dir bin. Wie es meinen Schwanz streift, bevor ich deinen Mund ficke.«

»X.« Es klang zögerlich. Einladend drängte sie ihr Hinterteil an mich. »Bitte, X.«

Wieder krampfte sich mein Herz zusammen, diesmal aber vor Freude über den Kosenamen, den sie für mich erfunden hatte. Aber ich konnte ihr Flehen noch nicht erhören, so gern ich es getan hätte. »Schhhh, Süße. *Bald.* Bald ficke ich dich wieder, aber erst muss sich dein Körper erholen. Vorhin habe ich dich genommen, obwohl du noch nicht bereit warst. Es tut mir leid, aber ich konnte mich einfach nicht beherrschen.«

Eigentlich war es keine Entschuldigung. Schließlich konnte ich kaum für etwas um Vergebung bitten, das wir beide brauchten wie die Luft zum Atmen. Doch jetzt hatten wir alle Zeit der Welt. Ich wandte mich wieder ihrem Haar zu.

»Keine Sorge, mir geht's gut.« Aber sie klang irgendwie gezwungen. Sie brauchte es genauso sehr wie ich. Irgendetwas war während unseres Bummels über den Markt passiert. Etwas, das ihr Angst gemacht hatte. Aber ich wollte nicht nachhaken – nicht, nachdem wir uns gerade erst versöhnt hatten, ganz davon abgesehen, dass ich keine Lust hatte, dauernd wie ein Kontrollfreak dazustehen. Doch auch wenn sie meine Wachsamkeit nicht verstand, würde sie sich mit der Zeit schon daran gewöhnen. Ich beschloss, Norris darauf anzusetzen. Er würde herausfinden, was sie so verstört hatte.

Mit einer fließenden, anmutigen Bewegung richtete sie sich auf und blickte mich an. Ihre Brüste mit den kecken rosafarbenen Nippeln wippten, als sie sich vor mich kniete. Sie sah aus wie die Sünde selbst, Versuchung und Erlösung zugleich.

»Ich dachte, ich kann kommen, wann ich will.«

»Keine Diskussion. Du kannst es mit mir treiben«, ich packte sie fest an dem Zopf, den ich ihr geflochten hatte, und hauchte einen Kuss auf ihre Schulter, »wenn du wieder feucht bist. Feucht und bereit.«

»Ich bin immer für dich bereit«, flüsterte sie.

Ich musste mich mit aller Macht beherrschen, um nicht auf der Stelle über sie herzufallen. Stattdessen legte ich ihr den Zopf wie ein Band um den Hals. Claras Finger krallten sich in das Bettlaken, doch sie wehrte sich nicht. Ahnte sie, was ich mit ihr vorhatte? Ich konnte mir nicht vorstellen, dass es ihr gefallen würde. Sie hatte durchblicken lassen, dass sie an mehr als spielerischer Unterwerfung nicht interessiert war. Und auch ich brauchte nicht zwangsläufig mehr, aber … es machte mich nun einmal an. In meinen früheren Beziehungen hatte ich die Regeln vorgegeben. Die Frauen waren so scharf darauf gewesen, mit mir zu vögeln, dass sie alles mitgemacht hatten, und ich hatte von ihrer sexuellen Flexibilität profitiert. Doch für Clara empfand ich mehr, deshalb wollte ich sie nicht brechen. Ich wollte sie erobern, die Ängste besiegen, die sie an ihre Vergangenheit ketteten. Ich wusste nur allzu genau, was das bedeutete. Je mehr sie mir die Kontrolle überließ, desto eher konnte ich sie befreien – und ihr zeigen, dass mein Beschützerinstinkt sich einem uralten, archaischen Trieb verdankte, den ich nicht unterdrücken konnte.

»Willst du mich fesseln?«, fragte sie leise; ein leidenschaftlicher Unterton schwang in ihrer Stimme mit.

Ich vergrub die Zähne in ihrer Schulter, um mich zu bezähmen. Sie hob den Kopf, bot mir ihren zarten Hals, als sehne sie sich nach Lust und Schmerz. Einen Augenblick lang sah ich vor meinem inneren Auge, wie ich ihren atemberaubenden Körper mit Seidentüchern fesselte. Ich war immer scharf auf sie, doch die Vorstellung, ihr mehr Lust bereiten zu können, als sie je für möglich halten würde, während sie komplett meiner Gnade ausgeliefert war, verfolgte mich regelrecht.

»Ja, Süße«, murmelte ich und biss sie sanft in die Ohrmuschel. »Aber zwischen uns hat sich einiges geändert, und ich muss sicher sein, dass wir uns nicht falsch verstehen.«

»Ich... Ich will, dass du mich beherrschst«, stammelte sie, nervös und erwartungsvoll zugleich.

Ich legte die freie Hand um ihre Brüste, fuhr mit den Fingern über die sensiblen Spitzen, die sich unter meiner Berührung aufrichteten. »Dein Körper reagiert sofort auf mich. Er scheint regelrecht auf meine Finger zu warten. Oder meinen Mund...« Ich hauchte ihr einen Kuss hinters Ohr. »Trotzdem müssen wir noch ein paar Dinge klären. Und deshalb habe ich ein paar Fragen an dich. Hat es dir gefallen, als ich dir die Hände gefesselt habe?«

Andächtig schloss sie die Augen und nickte. Mein Schwanz zuckte fordernd, doch ich zwang mich, ihn zu ignorieren, auch wenn das verdammt schwierig war, während sie ihren hübschen Arsch an mich drängte.

»Willst du von mir gefesselt werden? Willst du mir die Kontrolle überlassen?«

»Ja«, hauchte sie. Ich spürte, wie ihr Herzschlag sich beschleunigte.

»Und dir ist wirklich bewusst, was das bedeutet?« Ich hasste es, so ernst werden zu müssen, doch der Gedanke, am Ende womöglich ihre Grenzen zu überschreiten, beunruhigte mich. Schließlich wollte ich das unter keinen Umständen. Nicht nach all dem, was sie durchgemacht hatte.

Sie zögerte. Anscheinend wusste sie nicht, was sie antworten sollte. »Ich vertraue dir, X«, sagte sie dann.

»Und ich werde dein Vertrauen nicht enttäuschen«, versicherte ich ihr. »Aber eins muss ich klar und deutlich sagen: Wir sind nicht Herr und Sklavin. Jedenfalls nicht wirklich.«

»Aber du willst mich doch fesseln… und versohlen«, stammelte sie verwirrt.

Und genau das hatte ich ihr bislang nicht erklären können, weil ich stets ihre Angst gespürt hatte. Doch nun, da es um unsere Grenzen ging, wollte ich, dass wir beide verstanden, welche Bedürfnisse wir hatten. Dieses Gespräch war seit unserem Ausflug mit der Reitgerte überfällig. »Clara, es gibt viele, viele Dinge, die ich mit dir tun möchte. Ich möchte spüren, wie meine Handfläche vibriert, wenn ich deinen süßen Arsch züchtige. Ich will dich fesseln, damit du meiner Zunge, meinem Schwanz und meinen Fingern hilflos ausgeliefert bist. Ich will, dass du dich mir mit deiner ganzen Lust hingibst. Meine sexuellen Vorlieben wechseln. Manchmal will ich einfach nur in dir sein, aber seit wir uns begegnet sind, habe ich immer etwas gespürt, das dich von anderen Menschen unterscheidet – deine Furchtlosigkeit.«

»Ich bin viel ängstlicher, als du glaubst«, erwiderte sie.

»Du bist mutig, Clara. Eine starke Frau.« Ich zog sie an dem Zopf, der nach wie vor um ihren Hals lag, zu mir heran. »Du weißt, wie dominant ich bin, und trotzdem hast du keine Angst vor mir. Es ist fast, als würdest du …«

»Ich will es«, nahm sie mir die Worte aus dem Mund.

»Wirklich?«, hakte ich nach. Jetzt hing alles von ihrer Antwort ab.

»Ja.« Sie hielt einen Moment inne, dachte noch einmal nach. »Es erregt mich. Ich bin scharf darauf.«

»Warum?«

»Weil es uns so viel Freiheit gibt.« Sie sprach so leise, dass ich beinahe glaubte, ich hätte mir ihre Worte nur eingebildet.

Sie hatte verstanden. Die Erkenntnis traf mich wie ein Schlag in die Magengrube. Sie wusste um das prekäre Gleichgewicht zwischen Licht und Dunkelheit, den Abgrund, der mich zu verschlingen drohte, mein leidenschaftliches Verlangen nach ihr. In jenem Moment konnte ich mich nicht mehr zurückhalten.

»Ich will in dir sein«, stieß ich mit rauer Stimme hervor, während ich ihre milchweißen Schenkel spreizte.

»*Ja. Bitte!*«

Mein Schwanz zuckte, als sie die vertrauten Worte ausstieß. Wie immer hielt sie die Augen geschlossen, und ihre Stimme klang, als wäre sie sich ihrer Worte gar nicht bewusst, doch die drängende Begierde in ihrer Stimme war nicht zu überhören. An ihrer Stimme hatte ich auch sonst stets erkannt, wann sie bereit war weiterzugehen, und nicht zuletzt, dass sie mich genauso spüren wollte wie ich sie.

Ich hielt sie weiter an den Haaren fest, zog sie näher zu mir heran, während ich mich hinter ihr in Position brachte.

»Halt dich am Kopfende fest«, befahl ich.

Sie streckte die Hände aus und umklammerte das hölzerne Kopfende des Betts. Ich presste die Hand auf ihren flachen Bauch und zog ihren Hintern an mich heran. Mein Schwanz glitt mühelos in ihre Spalte, und ein erstickter Lustschrei drang aus ihrer Kehle, als ich bis zum Anschlag in sie eindrang. Clara kam mir entgegen, und auch wenn sie nicht die Hüften kreisen ließ, atmete jede Faser ihres Körpers pure Begierde. Ich zog an dem Zopf, der immer noch um ihren Hals lag, zog fester und fester, bis sie nach Luft rang.

»Du weißt, was du sagen musst, wenn es dir zu viel wird«, flüsterte ich ihr ins Ohr.

Sie nickte, gab aber nur ein Wort zurück: »Mehr.«

Und dieser Bitte kam ich nur allzu gern nach, stieß immer heftiger in sie hinein, bis nur noch das Klatschen von Fleisch auf Fleisch und ihre erstickten Schreie zu hören waren. Ich ließ die Hand von ihrem Bauch abwärts wandern und begann, ihre Klitoris zu massieren, während ich meine Stöße noch beschleunigte. Ihre Muschi zog sich zusammen, schloss sich hungrig um meinen Schwanz. Sie war kurz davor, und ich zog ihren Kopf an den Haaren zurück, um ihr Gesicht zu sehen, wenn sie kam.

»Sag es«, flüsterte ich rau, während sich meine Eier lustvoll zusammenzogen.

Ihre Lippen öffneten sich gehorsam, doch der Zopf schnürte ihr die Stimme ab.

»Ich liebe dich«, brachte sie kaum hörbar hervor.

Im selben Moment explodierte ich, ergoss meine Fluten in sie. Sie hatte mich befreit, mit ihren Worten, mit ihrem Körper. Ich spürte die Liebe, mit der sie mich empfing, während ich unablässig weiter zustieß, um ein zweites Mal Erlösung zu finden. Ich wollte den Augenblick bis zur Neige auskosten, doch dann sah ich, wie ihre Fingerknöchel weiß hervortraten, wie sie sich mit letzter Kraft am Kopfende des Betts festklammerte. Ich gab ihr Haar frei, schlang die Arme um sie und bettete sie sanft auf das Laken, ohne mich aus ihr zurückzuziehen.

Ich konnte ihr nicht geben, was sie brauchte, obwohl sie sich mir mit Haut und Haar hingab. Und ich schämte mich, aus reinem Egoismus ihr Leben zu riskieren.

»Ich werde nie genug von dir bekommen.« Ich wusste, dass mein geflüstertes Versprechen nicht viel wert war. Aber für diesmal musste es reichen.

Schweigend lagen wir da, vielleicht eine Minute, vielleicht auch eine Ewigkeit. Es war, als wäre die Zeit stehen geblieben. Schließlich löste sich Clara aus meinen Armen und sah mich an. Ich spürte, wie die Leichtigkeit urplötzlich verflog und mir ein Gefühl der Beklommenheit die Brust abschnürte. Es war immer dasselbe. Empfand ich Glück, folgte unweigerlich der Selbsthass mit einer Macht, dass ich das eine nicht mehr vom anderen unterscheiden konnte.

Sie verkrallte die Finger in meinem Haar, zog mich an ihre Lippen. Ihr Geschmack war Honig auf meiner Zunge. Als wir schließlich voneinander abließen, lag eine seltsame Scheu in ihrem Blick. »Du hast vorhin gesagt, wir wären nicht wirklich Herr und Sklavin. Mache ich«, sie hielt einen Moment inne, »irgendetwas falsch?«

Ich zog sie eng an meine Brust. »Nein, Süße. Glaub mir, es ist viel komplizierter.«

Es gab so vieles in meiner Vergangenheit, wovon Clara nichts wusste. Ich würde gezwungen sein, sie zu verletzen oder doch wenigstens zu verschrecken, wenn ich ihr erklären wollte, worum es ging.

»Dominanz und Unterwerfung ist keine Lebensweise, für die man sich einfach bewusst entscheidet.« Ich hielt einen Augenblick inne, wartete auf ihre Reaktion.

»Und du warst in einer solchen Beziehung?«, fragte sie leise.

Das war wieder die Clara, die buchstäblich meine Gedanken lesen konnte. »Ja.«

Sie wirkte angespannt, aber nicht schockiert. Ich hatte mit einer entschieden heftigeren Reaktion gerechnet, also fuhr ich fort: »Wir waren nicht lange zusammen. Ich habe sie kurz nach Sarahs Tod kennengelernt.«

»Hast du sie geliebt?«

»Nein.« Das waren harte Worte, doch ich wusste, worauf Claras Frage in Wahrheit abzielte. Hatte ich eine Frau vor ihr geliebt? »Ich habe nie eine Frau von ganzem Herzen geliebt. Nur meine Mutter und meine Schwester. Sonst keine.«

Ich wusste, dass ich ihr damit wehtat, und es schmerzte mich selbst. Clara atmete scharf ein, schwieg aber.

»Das Mädchen, das mir als Sklavin diente, wurde von einem

Freund für mich ausgewählt. Für mich war sie nichts weiter als eine willige Partnerin.«

»Ein Freund hat dir ein Mädchen ›ausgewählt‹? Seit wann geht man in den Laden um die Ecke und wählt sich dort eine Sklavin aus?« Ihr waidwunder Ton traf mich bis ins Mark.

»Es war ein Freund meines Vaters, der schon lange einen sexuell dominanten Lebensstil pflegt. Ich hatte von den Gerüchten gehört und Kontakt zu ihm aufgenommen. Ihm war klar, dass unbedingte Diskretion nötig war, und er fand ein Mädchen, das diese Voraussetzung erfüllte.« Ich schilderte das Ganze so knapp wie möglich, um keine falschen Bilder in ihrem Kopf entstehen zu lassen.

»Was hast du mit ihr gemacht?«, fragte sie, aber ich hörte die wahre Frage heraus: Was hast du mit mir vor?

Die Antwort kam einem Drahtseilakt gleich. »Durch sie habe ich herausgefunden, dass mir bestimmte Aspekte dieses Lebensstils zusagen – und andere nicht.«

»Was hast du mit ihr gemacht?« Ihre Stimme brach, als sie die Frage wiederholte.

»Ich habe sie gefesselt«, gestand ich zögernd. »Manchmal habe ich sie mit der Gerte oder einem Paddle gezüchtigt, gelegentlich auch mit einer Peitsche. Sie stand auf Schmerzen – beinahe unerträgliche Schmerzen. Qual bereitete ihr mehr Befriedigung als Lust.«

Ich spürte, wie sie sich innerlich vor mir zurückzog, auch wenn sie sich keinen Millimeter von der Stelle bewegte.

»Clara.« Eindringlich sprach ich ihren Namen aus, weil ich wollte, dass sie mir weiter zuhörte. »Ich war nicht mehr ich selbst damals. Die Narben, die ich bei dem Unfall davongetragen hatte, waren noch nicht verheilt, und ich musste jemanden bestrafen, damit ich nicht mir selbst etwas antat. Aber glaub mir: Alles geschah in gegenseitigem Einvernehmen. Sie hat sich mir unterworfen, aber ich habe sie zu nichts gezwungen. Sie hat alles aus freiem Willen getan.«

»Und jetzt? Suchst du immer noch nach...« Es gelang ihr nicht, die richtigen Worte zu finden.

»Nicht mehr. Es war ein dunkler Abschnitt meines Lebens. Ich habe nicht länger das Bedürfnis, jemanden zu bestrafen, auch wenn ich damals gelernt habe, dass man Lust hinauszögern kann – dass Lust und Schmerz zwei Seiten derselben Medaille sind und Dominanz und Unterwerfung etwas überaus Befreiendes haben können.« Ich strich ihr eine kastanienbraune Locke aus der Stirn und war froh, als sie nicht zurückzuckte. »Frag mich, was immer du willst. Keine Geheimnisse – ich will nicht, dass irgendetwas zwischen uns steht.«

Sie wandte den Blick ab und hielt einen Moment inne. »Warum hast du damit aufgehört?«

»Weil mein Vater es herausgefunden hat.« Ich spürte, wie ich bei der Erinnerung daran unwillkürlich die Lippen verzog – wahren Schmerz hatte ich anscheinend immer nur in seiner Gegenwart empfunden. »Ich hatte mich von dem Unfall erholt, und er hatte die Nase voll von schlechter Presse, so drückte er es jedenfalls aus. Also hat er mich nach Afghanistan geschickt.«

Wir schwiegen. Ich spürte, dass Clara das alles erst einmal verarbeiten musste. Es war nicht die ganze Wahrheit, aber ich wollte kein Mitleid – und schon gar nicht, dass sie Angst vor mir bekam. Schließlich vergrub sie ihr Gesicht an meiner Schulter.

»Wir beide sind ganz schön verkorkst.«

Ich lachte nur freudlos.

Clara rückte ein Stück ab und musterte mich forschend. Vielleicht suchte sie nach dem Dunkel in meinen Augen. Zum ersten Mal hoffte ich, dass sie es nicht sehen würde.

»Ich will dir doch nur Lust schenken, Clara. Wenn dich ängstigt, was ich dir gerade erzählt habe, können wir es auch ganz normal machen – im Bett, auf dem Balkon oder von mir aus auch im Aufzug.«

Ich wurde mit einem zögerlichen Lächeln belohnt. »Du meinst, ganz gewöhnlichen Nullachtfünfzehn-Sex?«

»Sex mit dir kann gar nicht gewöhnlich sein.« Die Vorstellung war lächerlich. »Es ist sicher kein Zufall, dass ich permanent einen Ständer habe, seit du hier bist.«

»Du hast eine ähnliche Wirkung auf mich. Ich«, sie zögerte kurz, »würde gern noch mehr mit dir ausprobieren.«

Perfekter konnte man wohl nicht ausdrücken, was wir beide voneinander wollten. Wieder einmal war es Clara gelungen, mich zu verblüffen; dass sie keine Angst vor dem Unbekannten hatte, bewies einmal mehr ihre Stärke.

»Jetzt gleich?«, fragte sie leise.

»Nein.« Ich schüttelte den Kopf und nahm sie in die Arme. »Nicht jetzt. Ich will dich einfach nur anbeten.«

Sie protestierte nicht, als ich ihre Schenkel spreizte und mich in sie schob. Wir bedeckten uns gegenseitig mit Küssen und bewegten uns langsam, die Finger ineinander verschränkt – entschlossen, den anderen nie mehr loszulassen.

11

Es kostete mich einige Mühe, mich von Alexander loszueisen, um rasch in meiner Wohnung nach dem Rechten zu sehen. Nach dem Wirbelsturm der vergangenen dreißig Stunden musste ich erst mal wieder einen klaren Kopf bekommen. Morgen war ein ganz normaler Arbeitstag, und die nächsten Präsentationen standen an, ganz abgesehen davon, dass ich Belle seit Freitagabend nicht mehr gesprochen hatte. Ich schuldete ihr eine Erklärung; wahrscheinlich war sie drauf und dran, eine Vermisstenanzeige bei Scotland Yard aufzugeben. Vor unserer Wohnungstür hielt ich einen Moment inne und holte tief Luft, ehe ich aufschloss.

»Es tut mir echt leid!« Ich stürmte hinein, warf meine Handtasche auf den Küchentisch und umarmte die völlig verdattert dreinblickende Belle. »Mein Handy war tot.«

»Davon bin ich ausgegangen, nachdem seit vierundzwanzig Stunden nur noch deine Voicemail anspringt.« Falls meine beste Freundin sauer auf mich war, ließ sie es sich jedenfalls nicht anmerken. Es kam mir sogar so vor, als ob ein Lächeln um ihre

Lippen spielen würde, allerdings konnte ich es nicht genau sagen, da sie ihre Teetasse an die Lippen hob. Sie trug einen rosafarbenen Morgenmantel, in dem sie wie die sprichwörtliche Unschuld vom Lande aussah, aber es war nicht Philip, mit dem sie gerade Tee trank. Sondern Tante Jane, die sich bereits in Schale geworfen und mit ihrem schönsten Schmuck ausstaffiert hatte. Sie breitete die Arme aus und drückte mich an ihre Brust.

»Belle hat sich Sorgen um dich gemacht«, sagte Jane und fing sich dafür gleich einen missbilligenden Blick von ihrer Nichte ein. Doch Tante Jane war es seit jeher egal, was irgendjemand von ihren Bemerkungen hielt. »Ich habe ihr gesagt, sie soll sich mal wieder einkriegen.«

Ich bemühte mich um eine ernste Miene, während ich von Jane zu Belle blickte, versagte aber jämmerlich. Zu meiner Überraschung stimmten die beiden lauthals mit in mein Lachen ein. Seit Langem war die Stimmung in unserer kleinen Wohnung nicht mehr so locker gewesen.

»Du bist ja allerbester Laune«, stellte Belle trocken fest.

»Sex wirkt eben wahre Wunder.« Jane pflegte nicht um den heißen Brei herumzureden. Genauer gesagt, fiel sie stets mit der Tür ins Haus, und wenn es um mein Liebesleben ging, hielt sie sich ebenso wenig zurück. Dennoch wusste ich ihre Aufrichtigkeit zu schätzen, auch wenn mich ihre klaren Ansagen regelmäßig erröten ließen. Nicht zuletzt hatte ich es ihrer Einmischung zu verdanken, dass Alexander und ich wieder zusammengekommen waren.

»Es ist Wochenende«, fügte Belle sarkastisch hinzu. »Wer schiebt da nicht gerne die eine oder andere Nummer?«

Nun war es an mir, die Augenbrauen hochzuziehen. »Du bist doch nicht etwa neidisch?«

»Immer mit der Ruhe, Mädels«, warf Jane ein.

»Du wirst öfter rangenommen als wir beide zusammen«, ätzte Belle.

»Fernando ist nach Spanien zurückgegangen«, informierte uns Jane. »Tja, und damit bin ich wohl wieder – wie sagt ihr jungen Leute noch mal – auf dem Markt.«

Diesmal gab ich mir nicht mal Mühe, mein Lachen zu unterdrücken. Eine tolle Vorstellung, ein Freigeist wie Tante Jane zu sein, kein Blatt vor den Mund zu nehmen und mit Männern mit exotischen Namen ins Bett zu gehen. Nun ja, sie war natürlich auch nicht verheiratet. Ich wusste nicht, ob sie es je gewesen war. Sie hatte in ihrem Leben eine Menge Lover gehabt, aber auch angedeutet, dass sie eine tragische Liebesgeschichte hinter sich hatte. »Warst du eigentlich jemals verheiratet, Tante Jane?«

Sie zuckte zusammen, und ich erinnerte mich, dass Jane, so forsch sie zuweilen auch sein konnte, letzten Endes durch und durch Engländerin war.

»Tut mir leid«, murmelte ich. »Ich war bloß neugierig.«

»Schon okay.« Der Ärmel ihres türkisfarbenen Kaftans flatterte durch die Luft, als sie traurig, so schien es, abwinkte. »Nein, ich war nie verheiratet.«

»Ich wollte nicht indiskret sein.« Es war mir überaus peinlich, Tante Jane zu nahegetreten zu sein.

»Und? Sehen wir dich jetzt wieder öfter in den Klatschblättern?«, brach Belle das angespannte Schweigen. Nein. Es war gar nicht angespannt, sondern eher melancholisch.

Ich zwang mich zu einem Lächeln, froh, dass Belle das Thema gewechselt hatte. Auch wenn ich nicht recht wusste, wie ich ihr erklären sollte, was zwischen Alexander und mir geschehen war. »Ich fürchte, ja.«

Und jetzt wurde es kompliziert. Wie sollte ich Belle nur beibringen, dass ich schon wieder auszog, obwohl wir gerade einmal ein paar Monate zusammenwohnten? Und dabei spielte keine Rolle, dass sie demnächst heiraten und bei Philip einziehen würde. Keine von uns beiden hatte geahnt, wie sehr Alexander mein Leben verändern würde.

»Ich ziehe mit ihm zusammen.« Besser, direkt auf den Punkt zu kommen, als lange um den heißen Brei herumzureden.

»Du tust *was*?«, platzte Belle halb lachend, halb entsetzt heraus.

»Ich werde mit Alexander zusammenleben.« Es laut auszusprechen, fühlte sich seltsam an, sogar noch merkwürdiger, als die Villa in Notting Hill »unser Haus« zu nennen. Ja, ich fühlte mich bei Alexander so zu Hause, als hätte ich ein Leben lang auf ihn gewartet. Doch es gab auch noch eine Wirklichkeit außerhalb unserer trauten Zweisamkeit, und einen Moment lang fragte ich mich, ob ich die richtige Entscheidung getroffen hatte.

»Das habe ich verstanden«, gab Belle zurück. Sie ließ ihren Tee stehen und kramte in den Küchenschränken, bis sie eine Flasche Scotch gefunden hatte.

»He, es ist noch nicht mal Mittag«, wandte ich ein, als sie zwei Fingerbreit in ein Glas goss und es mir reichte.

»Es ist Sonntag, und wir sind Briten.«

Und das war offensichtlich ihr letztes Wort. Tante Jane nahm ihr Glas ohne ein Wort des Protests entgegen und kippte den Whiskey, ehe sie aufstand und mich abermals an sich drückte.

»Ich muss dringend einen Blick auf mein Profil bei partner.com werfen. Vielleicht wartet schon mein nächster Fernando.«

Dann flüsterte sie mir ins Ohr: »Gut gemacht, Clara.«

Kaum war sie zur Tür hinaus, wandte sich Belle mir zu. »Das meinst du doch wohl nicht ernst! Hast du auch nur eine Sekunde darüber nachgedacht?«

»Ich habe mir seit Wochen den Kopf zerbrochen«, erwiderte ich.

»Du hast dich in deine Arbeit gestürzt und die Realität verdrängt – und jetzt gehst du zu dem Kerl zurück, der dir das Herz gebrochen hat!« Niemand hätte geglaubt, dass eine so zierliche Blondine wie Belle einen derartigen Aufstand machen konnte. Ich wusste es besser. Wenn es mir jetzt nicht gelang, sie zu beruhigen, würden wir beide Dinge von uns geben, die wir hinterher garantiert bereuen würden.

»Ich habe lange über ihn nachgedacht, mir tausendmal gewünscht, er wäre ein anderer Mensch«, sagte ich leise, während ich hoffte, dass mein gemäßigter Tonfall ihr den Wind aus den Segeln nehmen würde. »Aber dann bin ich zu dem Schluss gekommen, dass ich keinen anderen will. Ich will ihn – mit allen Stärken und Schwächen, die er hat. Und er versucht mir dafür zu geben, was ich brauche.«

»Und was gibst *du* ihm?«, hakte Belle nach.

»Mich, mit Haut und Haar«, gab ich zu. Details über unser Sexleben konnte ich mir sparen, sie würde es ohnehin nicht verstehen. Aber wer konnte das schon außer Alexander und mir?

»Ich kann den Gedanken nicht ertragen, dass er dich noch einmal verletzt.«

»Und ich kann dir nicht versprechen, dass es nicht wieder passieren wird. Aber Schmerz kann einen auch stark machen.« Die schwierige Trennung von meinem Exfreund war der beste Beweis dafür. »Ich muss das Risiko eingehen, weil ich es bis ans Ende meines Lebens bereuen werde, wenn ich es nicht tue.«

Belles blaue Augen verdüsterten sich wie der Himmel an einem Regentag. Ihre Stimme klang hohl und leer, als sie schließlich antwortete: »Klar. Reue ist kein Lebensziel, das ist schon klar.«

Ihre Worte trafen mich wie ein Messerstich. Wir alle hatten Dinge getan, die wir bereuten. Wir konnten nur eins tun: unseren Herzen folgen und den Menschen vertrauen, die wir liebten. Und es war uns beiden klar, dass darin stets ein gewisses Risiko lag. Sowohl Belle als auch ich waren in der Vergangenheit mehr als genug verletzt worden. Aber vielleicht ging es hier ja um etwas völlig anderes.

»Hasst du mich jetzt?« Grundsätzlich war mir egal, wie andere Leute über mich dachten, aber Belle war mir wichtig. In den letzten vier Jahren war sie meine engste Vertraute gewesen. Wir hatten zusammen schwierige Zeiten durchgestanden, und der Gedanke, zwischen den beiden Menschen wählen zu müssen, die ich am meisten liebte, war unerträglich. Ich brauchte Alexander, aber genauso brauchte ich Belle.

Belle ergriff meine Hand. »Du bist wie eine Schwester für mich. Mag sein, dass ich nicht jede deiner Entscheidungen für richtig halte, aber ich werde dich immer lieben.«

Tränen traten mir in die Augen, und ich unternahm keinen Versuch, sie zurückzuhalten, während ich meine beste Freundin fest an mich drückte. Innerhalb von Sekunden hatten wir uns in zwei gefühlsduselige Heulsusen verwandelt, die mitten in der Küche herzzerreißend schluchzten. »Ich bin ja nicht aus der Welt, nur weil ich nicht mehr hier wohne.«

»Ich weiß«, wisperte Belle, doch sie hatte noch nie so traurig geklungen.

Wir wussten beide, dass die Liebe Menschen verändert. Ich

musste ihr nur noch beweisen, dass zwischen uns alles so bleiben würde, wie es war.

»Du ziehst mit ihm zusammen – und ich erfahre davon aus dem Fernsehen?!«, kreischte meine Mutter am anderen Ende der Leitung.

Ich massierte mir den Nasenrücken und holte tief Luft. Belle zog eine Augenbraue hoch. Sie hatte bereits erraten, mit wem ich telefonierte.

»Na ja, es hat sich so ergeben«, versuchte ich, meine Mutter zu beschwichtigen, während ich mich fragte, wie weit ich die Wahrheit strapazieren konnte, ohne hinterher als Lügnerin dazustehen. »Für mich kam das auch aus heiterem Himmel.«

Belle schlug sich die Hand vor den Mund, um ein lautes Lachen zu ersticken. Ich verstand sie nur allzu gut. Es war die Untertreibung des Jahrhunderts.

»Wenn dein Vater davon erfährt…« Meine Mutter ließ die Worte in der Luft hängen, um ihrer Drohung mehr Nachdruck zu verleihen.

Ich bezweifelte stark, dass mein Vater daran Anstoß nehmen würde, wenn ich mit meinem Freund zusammenzog. Der ganze bürgerliche Quatsch, auf den meine Mutter so viel Wert legte, war ihm völlig egal.

»Wo steckt Dad eigentlich?«, versuchte ich das Thema zu wechseln.

»Er ist bis Dienstag auf Geschäftsreise.« Aber so leicht ließ sich meine Mutter nicht ablenken. »Steht der Termin schon fest?«

»Welcher Termin?«, fragte ich, doch im selben Moment dämmerte es mir. »Du meinst die Einweihungsparty? Die ist nächste Woche.«

Das war eine glatte Lüge und obendrein keine besonders gut ausgedachte. Sie würde eine Einladung erwarten. Wobei meiner Mutter die bloße Erwähnung schon Einladung genug war, was wiederum bedeutete, dass ich nun tatsächlich eine Party schmeißen musste. Von wegen traute Zweisamkeit mit Alexander. Wie auch immer, ich musste mich meiner Mutter wohl oder übel geschlagen geben. Sie kam bei jeder Party rein, selbst wenn es eine war, die sich gerade jemand ausgedacht hatte.

»Dann gib noch den genauen Termin durch, wir kommen auf jeden Fall«, erwiderte sie in jenem kurz angebundenen Tonfall, den ich nur allzu gut aus meiner Kindheit kannte und der für gewöhnlich eine Strafpredigt nach sich gezogen hatte. »Aber ich meinte den anderen Termin.«

»Ich weiß nicht, wovon du…«

»Jetzt stell dich nicht dumm, Clara«, schnitt sie mir das Wort ab. »Ich rede von eurer Hochzeit!«

»Unserer… Hochzeit?« Ich musste mich erst einmal setzen. Belle hatte aufgehört, meinen Kleiderschrank zu inspizieren, und lauschte ungeniert unserem Gespräch. »Das meinst du doch wohl nicht ernst, oder?«

Aber ich wusste genau, wie ernst sie es meinte. Meine Mutter hatte immer ein Ass im Ärmel, um einem ein schlechtes Gewissen zu machen. Aber da es Alexander gewesen war, der mich mit seiner vollmundigen TV-Ansage in diese Bredouille gebracht hatte… verdammt noch mal, sollte er sich doch mit ihr herumschlagen. Vielleicht war er sogar der Einzige, der mit meiner Mutter fertigwurde.

»Du kannst nicht einfach in wilder Ehe mit einem Mann zusammenleben, und schon gar nicht mit einem wie Alexander. Das wird ein Schlachtfest für die Presse.« Verschwörerisch dämpfte sie die Stimme. »Und komm bloß nicht auf die Idee, vor der Hochzeit mit ihm zu schlafen! Es gibt Gesetze, die das verbieten.«

Irgendwann im Mittelalter vielleicht, dachte ich, verkniff mir aber den Kommentar. »Glaub mir, das machen wir nur ganz, ganz selten.«

»Clara!«

»Ich geb dir Bescheid wegen der Party.« Ich legte auf, ehe sie noch etwas sagen konnte. Ich hatte erwartet, dass sie schockiert sein würde, aber auf diese Reaktion war ich nicht gefasst gewesen. Langsam wandte ich mich zu Belle um. »Tja, sieht so aus, als wolle sich meine Mutter einen neuen Hut kaufen. Für meine bevorstehende Hochzeit«, sagte ich seufzend.

»Das kannst du ihr wohl nicht verdenken«, erwiderte Belle. »Bei deiner Hochzeit werden jede Menge extravaganter Hüte zu sehen sein.«

»Von Heirat war nie die Rede.« Ich merkte, wie ich rot wurde. Bis jetzt hatte ich nicht mal Zeit gehabt, mich überhaupt an den Gedanken zu gewöhnen, dass ich wieder mit Alexander zusammen war. Und ein Gespräch übers Heiraten würde das Ganze nur noch verkomplizieren, ganz zu schweigen davon, dass ich absolut nicht bereit für eine Ehe war. Nicht weil ich mir meiner Gefühle für Alexander unsicher gewesen wäre, sondern weil ich nach wie vor Angst hatte, am Ende womöglich unter dem öffentlichen Druck zu zerbrechen.

Belle biss sich auf die Unterlippe und taxierte mich mit ihrem besten Das-sagst-du-jetzt-Blick.

»Aber wir wollen doch gar nicht heiraten!«, platzte ich laut heraus.

»Nein«, sagte eine Stimme hinter mir. »Das hatten wir bis jetzt nicht vor.«

Ich fuhr herum und sah Alexander im Türrahmen stehen. Ich vergrub das Gesicht in den Händen und stöhnte: »Gibt es eigentlich nirgendwo ein Loch, in das ich mich verkriechen könnte?«

Scheinbar ungerührt schnappte er sich meine bereits gepackte Tasche vom Bett und schwang sie sich über die Schulter. »Aber deine Zahnbürste nehmen wir trotzdem erst mal mit.«

»Ja«, sagte ich. »Und außerdem geben wir nächstes Wochenende eine Einweihungsparty.«

Er nahm die Neuigkeit um einiges gelassener zur Kenntnis, als ich erwartet hatte – vielleicht weil eine Einweihungsparty im Vergleich zum heiligen Sakrament der Ehe der reinste Klacks war.

»Kein Problem. Brauchst du noch lange?«, sagte er. »Mein Vater hat angerufen, er würde gern mit mir sprechen. Er hat offenbar auch mitbekommen, dass sich bei mir einiges verändert hat.«

»Du könntest ihn doch ... zu unserer Party einladen.« Vor der Party hatte mir ohnehin bereits gegraut, da kam es auf Alexanders Vater auch nicht mehr an.

Alexander winkte lächelnd ab. »Ich fürchte, er macht sich nicht viel aus Partys.«

Dann würde ich mich ihm wohl oder übel unter vier Augen stellen müssen »Ich will noch ein paar Sachen zusammensuchen. Gibst du mir eine halbe Stunde?«

»Ich sage Norris, dass er dich abholen soll.« Ermutigend legte er den freien Arm um meine Taille und zog mich fest an seinen durchtrainierten Körper. Es war wunderschön, und für ein, zwei Sekunden kam es mir so vor, als könnte ich diesen Moment – seinen sanft auf mir ruhenden Blick, das angenehme Gewicht seines Arms auf meiner Hüfte – ewig festhalten, während ich den Atem anhielt. Und sein Kuss war so erotisch besitzergreifend wie immer, ein süßes Versprechen für unsere Zukunft.

»Wir sehen uns nachher zu Hause«, sagte er.

Zu Hause. Vor ein paar Stunden hatte ich unser Haus noch als sicheren Hafen betrachtet. Und jetzt öffnete ich dem Rest der Welt Tür und Tor, lieferte mich mit einer blöden Einweihungsparty den Geiern und Wölfen aus. Ob Hochzeit oder nicht, an einer Tatsache gab es nichts zu rütteln: Die Flitterwochen waren definitiv schon jetzt ein für allemal vorbei.

12

Über dem Wochenende hatte ich meine Arbeit ganz vergessen, dabei hatte ich in den letzten Wochen jeden Tag bis zur totalen Erschöpfung geackert. Am Montagmorgen stellte ich verblüfft fest, dass ich mich nach wie vor auf meinen Schreibtisch freute, was wohl die wenigsten Leute von sich behaupten konnten. Auf dem Weg ins Gebäude kam ich an einem Zeitungsstand vorbei, widerstand aber dem Drang, die Schlagzeilen zu lesen. Von einigen Titelseiten lächelte mir Alexander entgegen, was meinen Puls sofort beschleunigte.

Ob ich mich je daran gewöhnen würde, sein Gesicht auf den Covern aller möglichen Magazine zu sehen? An den Anblick meines eigenen Konterfeis würde ich mich jedenfalls nie gewöhnen, doch heute waren mir die Spekulationen und Mutmaßungen des Boulevards egal. Das Wochenende in Alexanders Bett hatte alles wieder in die richtige Perspektive gerückt. Wir kannten die Wahrheit, was immer sie sich auch aus den Fingern saugen mochten. Nicht dass die Wahrheit so einfach zu schlucken gewesen wäre. Alexander hatte mir Dinge enthüllt, die ich erst einmal verarbeiten musste. Ich liebte ihn trotz seiner Vergangenheit, trotz des Dunkels, das ihn umgab, doch wenn ich ehrlich war, hatte mich seine Beichte mehr als nur ein bisschen neugierig gemacht. Wer war diese Frau, die sich ihm als Sklavin unterworfen hatte? Sie musste mit äußerster Sorgfalt ausgewählt worden sein, da das Internet bei meinen Recherchen nicht das Geringste über Alexanders dunkle Neigungen preisgegeben hatte. Einerseits hatte ich ein schlechtes Gewissen, weil ich ihm hinterhergeschnüffelt hatte, andererseits war ich zugegebenermaßen eifersüchtig. Wer auch immer sie gewesen sein mochte: Diese Frau hatte mehr mit ihm geteilt als ich. Und mich ließ der Gedanke nicht los, dass sie mutiger als ich gewesen war. Ich wollte nur Lust. Sie hatte seinen Schmerz mit ihm ausgelebt.

Ich betrat die marmorgeflieste Lobby und beschleunigte meine Schritte, um den Lift noch zu erwischen, der sich gerade schloss. Aber dann schoss eine zierliche Hand hervor, und die Türen öffneten sich wieder mit einem Ruck.

»Danke«, stieß ich atemlos hervor und lächelte, als ich sah, dass es Tori war.

»Gerne.« Sie erwiderte mein Lächeln, während sie ein Klatschmagazin in ihrer Handtasche verschwinden ließ und schuldbewusst die Achseln zuckte. »Ich hab es bloß gekauft, weil was über Isaac Blue drinsteht. Ganz ehrlich.«

Ihr Geständnis war so unschuldig, dass ich unwillkürlich lachen musste. »Isaac ist klasse. Alles andere wird wahrscheinlich der übliche Unsinn sein.«

»Glaube ich auch.« Ein erleichterter Ausdruck huschte über ihr Gesicht.

»Wir müssen dringend demnächst zusammen mittagessengehen.« Seit Monaten hatte ich ihre Einladungen ausgeschlagen, keinerlei privaten Kontakt zu meinen Kollegen gehabt. Es war höchste Zeit, meine Beziehungen wieder aufzufrischen.

»Oh ja!« Sie klatschte in die Hände. »Wie wär's am Mittwoch? Oder lieber Donnerstag?«

»Wie du magst.« Ich seufzte zufrieden. Allmählich fand mein Leben wieder in die Spur zurück. Alexander und ich entdeckten uns aufs Neue, arbeiteten an unserer Beziehung. Und gestern war gestern – das galt für seine Vergangenheit ebenso wie für meine. Wir mussten den Blick in die Zukunft richten; es gab wahrlich genug Dinge, die es anzupacken galt, inklusive einer Einweihungsparty, die auf den letzten Drücker geplant werden musste.

»Und wie war dein Wochenende?«, riss mich Tori aus meinen Gedanken.

»Superschön«, erwiderte ich, und im selben Moment fiel mir auf, dass Tori ebenso strahlte wie ich. »Deins aber auch, oder?«

»Ja.« Sie errötete und schüttelte den Kopf. »Ist es nicht Wahnsinn, was das Leben immer wieder an Überraschungen bereithält?«

»Das kannst du laut sagen.« Die Fahrstuhltüren öffneten sich, und Tori warf mir noch ein weiteres versonnenes Lächeln zu, ehe sie zu ihrem Schreibtisch eilte.

Mein eigener Schreibtisch befand sich ein paar Meter weiter, unweit vom Büro meines Chefs entfernt. Ich legte die Handtasche auf den Tisch und klopfte an, um zu hören, welche Projekte diese Woche anstanden. Als ich den Kopf hineinsteckte, saß er mit abwesendem Gesichtsausdruck vor seinem Bildschirm. »Hast du eine Sekunde?«, fragte ich.

Er blickte überrascht auf. Offenbar hatte er mein Klopfen gar nicht mitbekommen. Er winkte mich herein, ehe er seine Aufmerksamkeit auf das Chaos auf seinem Schreibtisch richtete. »Du lieber Himmel, es ist gerade erst Montag, und ich weiß nicht, wo mir der Kopf steht.«

»Wie geht's deinen Süßen? Schönes Wochenende gehabt?« Mir musste niemand mehr erklären, warum mein Boss montagmorgens aussah, als bräuchte er dringend einen längeren Urlaub. Inzwischen wusste ich aus eigener Erfahrung, dass seine Zwillinge anstrengender als der anspruchsvollste Bürojob waren.

»Die beiden reden nur noch von dir. Du hast ziemlichen Eindruck auf sie gemacht. Was ein gepflegtes Teestündchen angeht, kann ich dir jedenfalls nicht das Wasser reichen«, sagte er lächelnd. Auch wenn er müde war, wirkte er lange nicht so gestresst wie sonst. »Ich weiß gar nicht, wie ich dir danken soll. Ich hatte ganz vergessen, wie gut es tut, zwischendurch mal wieder unter die Leute zu kommen.«

»Das habe ich doch gern gemacht. Wenn es dir recht ist, können die beiden nächstes Mal bei mir übernachten. Wir haben Gästezimmer.« Und schon war ich damit herausgeplatzt, ohne es mir vorher überlegt zu haben. Nicht dass ich mein Angebot zurücknehmen wollte – es war nur ein bisschen surreal, wie grundlegend sich meine Lebensumstände innerhalb einiger weniger Tage verändert hatten. Ich wusste zwar nicht, wie Alexander auf zwei siebenjährige Mädchen reagieren würde, die bei uns durchs Haus tobten, war mir aber relativ sicher, dass er weit weniger begeistert sein würde, wenn er schon wieder auf mich verzichten musste, weil ich die Töchter meines Chefs hütete.

»Hm, eine ganze Nacht ohne meine beiden Wildfänge? Da wüsste ich ja gar nicht, was ich mit mir anfangen sollte.« Er lehnte sich zurück und feixte wie die Grinsekatze.

»Gib einfach Bescheid, wenn du mich brauchst«, sagte ich. Ich wusste, Bennett war es gewohnt, dass sich alle möglichen Leute Sorgen um ihn machten, konkret unter die Arme griff ihm allerdings niemand.

»Das werde ich«, versprach er.

Dann redeten wir über die kommenden Kampagnen und die Aufgaben, die in dieser Woche ganz oben auf der Agenda standen. Als ich mich zum Gehen wandte, platzte meine To-do-Liste aus allen Nähten.

»Clara«, sagte Bennett, als ich die Hand schon an der Türklinke hatte. »Schön, dich endlich wieder glücklich zu sehen.«

»Sieht so aus, als hätte der Wind am Wochenende gedreht«, gab ich zurück.

»Kleiner Tipp gefällig? Warte in Zukunft lieber nicht so lange auf den Wetterumschwung.«

Ich zog die Augenbrauen hoch. Ich wusste zwar nichts Genaues, aber ein Theaterbesuch allein hatte ihm bestimmt nicht so gutgetan. »Klingt, als hätten wir beide ein Hoch vor uns.«

»Okay, genug der guten Vorhersagen. Und jetzt an die Arbeit.«

Ich lächelte. »Zu Befehl, Boss.«

Als ich an meinen Schreibtisch zurückkam, wartete dort eine einzelne Rose mit einem Umschlag auf mich. Ich nahm ihn, ließ die Finger über das Siegel gleiten, brach es und zog die Karte heraus.

Süße,

eine einzelne Rose, die mich an uns erinnert hat. Eleganz und Schmerz, in atemberaubender Schönheit miteinander verbunden.
Eines Tages wird dein Job nur noch darin bestehen, den ganzen Tag mit mir im Bett zu verbringen. Bis dahin sollst du wissen, dass ich ununterbrochen an dich denke – ich denke daran, wie ich deine enge Muschi lecke, stelle mir vor, wie sich deine Lippen fest um meinen Schwanz schließen, erinnere mich, wie dein Gesicht aussieht, wenn du kommst.
Bis heute Abend,

X

Ich verspürte ein verlangendes Ziehen im Unterleib, als sich mein Körper an die süßen Qualen erinnerte, die Alexanders Hände mir zuletzt bereitet hatten. Er hatte mein Flehen nach mehr erhört, mich behutsam mit seinen abseitigeren Vorlieben vertraut gemacht. Und meinen sexuellen Hunger damit nur noch vergrößert. Sofort musste ich daran denken, wie er in meinen Mund eingedrungen war, während ich mit auf dem Rücken gefesselten Händen vor ihm gekniet hatte. Zwischen meinen Beinen begann es zu pulsieren, und ich presste die Schenkel zusammen. Doch trotz meiner Begierde wusste ich, dass ich mehr wollte als reinen Sex. Ich wollte mich an ihn verlieren. Ich hatte einen Blick auf das Dunkel hinter seiner männlichen Dominanz erhascht und konnte nicht genug davon bekommen. Während ich die Karte beiseitelegte, hätte ich mir am liebsten unter den Rock gefasst, um mir Erleichterung zu verschaffen, riss mich aber zusammen. Ich musste aufhören, Alexanders Botschaften bei der Arbeit zu lesen – es sei denn, er erklärte sich bereit, während der Mittagspause auf ein Schäferstündchen vorbeizukommen.

Ich zog meine Schreibtischschublade auf, um seine Zeilen vor allzu neugierigen Augen zu verbergen. In den vergangenen Wochen hatte ich sie nur selten geöffnet, weil sich dort auch seine anderen Briefe befanden, die er mir vor unserer Trennung geschickt hatte – die, wie ich erstaunt feststellte, jetzt nicht mehr dort lagen. Ich runzelte die Stirn und durchforstete die Schublade, aber Fehlanzeige. Hatte ich sie mit nach Hause genommen? Wie auch immer, es war besser so. Wir fingen ja noch einmal von vorne an. Bald würde sich der nächste Stapel angesammelt haben.

Eine Stunde später hatte ich mich ein gutes Stück weit durch meine To-do-Liste gearbeitet. Zwischendurch zog ich immer wieder die Schublade auf, strich mit den Fingern zärtlich über Alexanders Wachssiegel und versuchte mir vorzustellen, was er sich für den Abend ausgedacht hatte. Dabei kam mir eine Idee, und ein schneller Blick ins Internet bewies, dass man in London tatsächlich alles kriegen konnte. Auf dem Weg nach draußen steckte ich den Kopf in Bennetts Büro. »Ich gehe kurz etwas besorgen. Kann ich dir was zum Mittagessen mitbringen?«

»Danke, aber ich bin zum Essen verabredet.« Bennett fuhr sich nervös durch die braunen Locken. »Sitzt meine Krawatte?«

Ich nickte, während ich mich fragte, wieso mein Chef so

zappelig war. Ich hatte ihn nicht gefragt, mit wem er ins Theater gegangen war, aber seine Verabredung schien ein voller Erfolg gewesen zu sein. Bennett trug normalerweise keine Krawatten und aß so gut wie immer im Büro. Er war ein Workaholic. Was mich nur umso hoffnungsvoller stimmte – wenn er sich zum Lunch verabredete, dann bestimmt mit einer Frau, an der ihm wirklich etwas lag. Aber natürlich wollte man, dass sich alle verliebten, wenn man selbst verliebt war, sinnierte ich auf dem Weg zum Fahrstuhl.

»Mittwoch?«, rief ich Tori zu, die mir gerade entgegenkam.

»Perfekt! Ich geh heute nicht zum Lunch.« Sie deutete mit dem Kinn auf den Stapel Akten, die sie in Bennetts Büro trug.

»Ich kann dir was mitbringen«, bot ich an.

Sie schüttelte den Kopf. »Danke, nicht nötig.«

Als ich das Gebäude verließ, fuhr ein schwarzer Rolls-Royce neben mir an den Bordstein. Norris stieg aus und öffnete die hintere Tür für mich. Ich war nicht überrascht, ihn zu sehen, aber ehrlich gesagt auch nicht sonderlich glücklich darüber. Wenn Alexander glaubte, dass er mich rund um die Uhr überwachen konnte, nur weil wir wieder zusammen waren, hatte er sich verdammt noch mal geschnitten.

»Nein, danke.« Ich schüttelte den Kopf und deutete die Straße hinunter. »Ich gehe nur um die Ecke ein paar Sachen besorgen.«

»Alexander besteht darauf«, erwiderte Norris und verschränkte die Arme vor der Brust. Physisch ging nichts besonders Bedrohliches von Alexanders Leibwächter aus, aber genau das war wohl der springende Punkt. Trotzdem schüchterte er mich kein bisschen ein, ganz abgesehen davon, dass Alexander es mit seiner Kontrollsucht wieder einmal völlig übertrieb; ich konnte jedenfalls nicht zulassen, dass sie sich auf meinen Arbeitsalltag auswirkte.

»Schönen Gruß an ihn«, erwiderte ich. »Ich kann bestens auf mich allein aufpassen.«

Norris verzog keine Miene, sondern trat wieder an die Fahrertür. Er würde mich weiter beschatten, so oder so, und ich konnte ihm daraus keinen Vorwurf machen. Er befolgte lediglich Anweisungen – was hieß, dass ich mich direkt mit seinem Arbeitgeber auseinandersetzen musste, wenn ich nicht permanent beschattet werden wollte.

Jetzt aber hatte ich erst einmal etwas zu erledigen. Der Inhaber des kleinen Ladens hatte meine Bestellung bereits beiseitegelegt. Ich nahm sie kurz in Augenschein, bevor er sie einpackte. Wieder draußen, genoss ich den atemberaubend schönen Tag. In der frischen Septemberluft lag eine erste Ahnung des Herbstes. Bald würde ich wärmere Kleidung brauchen. Als ich an einem beliebten Imbiss anstand, klingelte mein Handy.

»Hast du den siebten Sinn, oder woher weißt du, dass ich gerade gedacht habe, wir könnten mal zusammen shoppen gehen?«, fragte ich.

»Die Gabe haben viele in unserer Familie«, erwiderte Edward trocken. »Aber bitte keine Ablenkungsmanöver. Es geht das Gerücht, mein Bruder Alexander wäre mit einer hübschen kleinen Schlampe zusammengezogen, und besagte Schlampe hat mir nichts davon gesagt.«

»Besagte Schlampe ist die Tage kaum aus dem Bett gekommen.« Früher hatte ich mir Gedanken darüber gemacht, was die königliche Familie von mir hielt, aber mittlerweile war es mir egal.

»Aha, es stimmt also? Mein Bruder, der die Herzen der schönsten Frauen gebrochen hat, ist am Ende auf dich hereingefallen – und auch noch mit dir zusammengezogen?«

Edward kannte seinen Bruder gut. Zu gut. Beide hatten von klein auf gelernt, ihr wahres Wesen zu verbergen – was es für beide wiederum schwierig machte, dem anderen Geheimnisse vorzuenthalten. Natürlich hatte er Alexanders Fernsehauftritt durchschaut. Edward wusste genau, wie man sich Kameras zu Komplizen machen konnte.

»Wo du es gerade sagst – in der Hinsicht könnte ich tatsächlich deine Hilfe gebrauchen. Blöderweise habe ich meiner Mutter erzählt, wir würden am Wochenende eine Einweihungsparty schmeißen, obwohl das gar nicht stimmt. Du hast nicht zufällig Lust, eine Party zu organisieren?« Mir graute vor dem Gedanken, mir neben Packen, Arbeit und meinem dauernden Verlangen nach Alexander noch mehr aufzuhalsen.

»Kein Problem. Betrachte die Sache als erledigt.«

»Du bist mein Lebensretter. Die Gästeliste maile ich dir später.« Ich hielt einen Moment inne, bevor ich es aussprach: »Und bring David mit.«

»Ich frage ihn.« Der traurige Unterton in seiner Stimme sprach Bände. »Tja, manchmal bringen Taten auch nicht mehr als Worte.«

»Im Notfall kannst du der Welt ja übers Fernsehen mitteilen, dass du mit ihm zusammenlebst«, sagte ich. »Das gibt zwar Riesenzoff, aber die Versöhnungsnummer wird bestimmt fantastisch.«

»Ich glaube, David würde es schon reichen, wenn ich in der Öffentlichkeit mit ihm Händchen halte.«

»Also, falls dir der Sinn nicht nach Party steht...«

»Nein, nein«, unterbrach er mich. »Ein bisschen Ablenkung kann nicht schaden. Übrigens, Clara, ich freue mich für dich. Von ganzem Herzen.«

Wir legten auf, nachdem wir vereinbart hatten, uns am nächsten Morgen noch einmal kurzzuschließen. Handtasche, Take-away-Mittagessen und Alexanders Geschenk – ich hatte weiß Gott alle Hände voll und wünschte mir fast, doch mit Norris gefahren zu sein. Aber ich wusste, wenn ich auch weiterhin ein Leben außerhalb unserer Beziehung haben wollte, musste es Grenzen geben. Unsere Leidenschaft nahm mittlerweile regelrecht beängstigende Formen an, und ich wusste genau, wie leicht Zuneigung in Abhängigkeit umschlagen konnte. Manchmal beschlich mich die Ahnung, dass ich mich zu sehr zu ihm hingezogen fühlte, insbesondere, da er sich mir geöffnet, mir geschildert hatte, was sein dunkles Herz umtrieb. Meine Begierde kannte keine Grenzen, wenn es ums Bett ging. Aber wenn ich nicht vorsichtig war, würde es außerhalb unseres Schlafzimmers bald auch keine Grenzen mehr geben.

Ich zog den Schulterriemen meiner Handtasche zurecht, und als ich um die nächste Straßenecke bog, erblickte ich plötzlich meinen Vater. Den Kontakt zu meiner Mutter hatte ich in den letzten Wochen stark eingeschränkt; meinem Vater hingegen war ich keineswegs aus dem Weg gegangen, doch er hatte intensiv an einem Start-up-Projekt gearbeitet, von dem er glaubte, damit den Erfolg von partner.com wiederholen zu können, der Website, die meiner Familie zu ihrem Wohlstand verholfen hatte. Als echter Unternehmer war Dad stets davon überzeugt gewesen, dass noch mehr große Geschäftsideen in ihm steckten. Und ich zweifelte keine Sekunde daran, von wem ich meinen Arbeitseifer geerbt hatte – und meine Zähigkeit.

Ich wollte gerade nach ihm rufen, als er nach dem Arm einer Frau griff und sie an sich zog. Eine Frau, die nicht viel älter als ich sein konnte... die ihn sichtlich anschmachtete... und die definitiv nicht meine Mutter war. Wie in Trance sah ich zu, als er sich zu ihr beugte und sie küsste, ehe er die Tür eines Taxis öffnete und einstieg. Als ich den Blick hob, sah ich, dass sie offenbar gerade das Kensington Grand Hotel verlassen hatten.

Ich konnte nicht glauben, was sich vor meinen Augen abgespielt hatte. Als ich den Rolls-Royce aus dem Augenwinkel erspähte, eilte ich über den Gehsteig und stieg ein. Norris fuhr weiter, während ich schweigend auf dem Rücksitz saß und meine Gedanken zu ordnen versuchte. Es war, als hätte sich die Erdachse einen Mikromillimeter weit verschoben und mich aus dem Gleichgewicht gerissen, ohne dass irgendjemand sonst etwas davon bemerkt hätte. Mit einem Mal verstand ich, warum sich meine Mutter in letzter Zeit so merkwürdig verhalten hatte. Sie wusste Bescheid, oder zumindest ahnte sie etwas. Lange Nächte im Büro, neue Projekte, Geschäftsreisen. Im Klartext: Er hatte eine Affäre. Wieso hatte ich die Anzeichen nicht bemerkt? Weil ich zu sehr mit mir selbst beschäftigt gewesen war. Doch jetzt wusste ich Bescheid. Und mir blieb keine andere Wahl – ich musste mit meinem Vater reden. Aber unter vier Augen. Und zum Glück wusste ich, wo er am kommenden Sonntagnachmittag sein würde.

Ich versuchte, mein Gefühlschaos in Schach zu halten, aber das wollte mir einfach nicht gelingen. Ich war enttäuscht von meinem Vater. Ich fühlte mich betrogen. Und ich war sauer auf Alexander, der mich selbst auf dem Weg zur Arbeit kontrollierte. Gingen so Beziehungen in die Brüche? Wegen kleiner Lügen und Misstrauen? Als ich ein kleines Mädchen gewesen war, hatten sich meine Eltern geliebt. Aber im Laufe der Zeit war alles den Bach heruntergegangen. Kaum waren wir zu Geld gekommen, hatte sich meine Mutter zusehends verändert. In eine Frau, die nie zufrieden war, die nie genug Aufmerksamkeit bekam. Natürlich war sie nicht verantwortlich für die Untreue meines Vaters, doch überraschte es mich auch nicht, dass er fremdging. Was nicht bedeutete, dass ich es guthieß. Ganz und gar nicht.

Doch was mir wirklich den Magen umdrehte, war die Frage, ob ich Alexander am Ende ebenfalls vertreiben würde. Schließlich hatte ich selbst diverse Neurosen. War es nur eine Frage der Zeit, bis er sich in die Arme einer Frau rettete, die nicht so verkorkst war wie ich? Das war auch der Grund, warum ich wenigstens einen Teil meiner Unabhängigkeit behalten, weiter arbeiten und ganz normal mit der U-Bahn fahren wollte. Was, wenn ich mich ihm komplett auslieferte – und er mich eines Tages im Regen stehen ließ?

Überdies war mir nur allzu bewusst, dass er seine gewagteren Vorlieben beim Sex mit mir außen vor ließ. Mein Vater hatte meine Mutter ebenfalls wie eine Heilige behandelt, stets bemüht, ihrer zarten Seele nicht zu viel zuzumuten. Und jetzt hatte er eine Affäre.

Ich war keine zarte Seele und brauchte keinen Beschützer. Ich war wütend.

Als Norris vor unserem Haus vorfuhr, war ich kurz davor durchzudrehen. Ich schloss auf, stürmte hinein und ließ Handtasche und Tüte zu Boden fallen. Erst einmal musste ich ein paar Dinge klarstellen.

Alexander saß im Wohnzimmer. Um seine Lippen spielte ein spöttisches Lächeln. »Na, Hunger?«

Ja, mir knurrte tatsächlich der Magen, aber das war gerade wahrlich mein geringstes Problem. »Ich bin selbst in der Lage, mir was zu kochen.«

Seine Augen verengten sich zu Schlitzen, als er aufstand. »Mir gefällt dein Ton nicht, Süße.«

»Und mir gefällt es nicht, dauernd einen verdammten Babysitter am Hals zu haben. Was kommt als Nächstes? Ein persönlicher Leibwächter im Büro?« Ich merkte selbst, dass ich leicht hysterisch klang, aber das war mir auch schon egal.

»Das geschieht alles nur zu deiner Sicherheit«, rief er mir in Erinnerung.

»Ach ja? Hast du etwa ein ganzes Team auf mich angesetzt?«

»Nur Norris. Während unserer Trennung waren es ein paar mehr, aber prinzipiell ist es mir lieber, wenn sich Norris allein um deine Sicherheit kümmert.« Er wählte seine Worte sorgfältig, was es für mich jedoch nicht einfacher machte.

»Und warum?«

Alexander stellte seinen Bourbon auf den Beistelltisch und trat zu mir. »Weil er der Einzige ist, dem ich traue, wenn es um den Schutz meiner Familie geht.«

An einem anderen Tag hätte er mich mit seinen Worten garantiert weich gekocht, doch jetzt machten sie mich nur noch wütender, weil sie mich daran erinnerten, was ich alles zu verlieren hatte – vorausgesetzt, dass mir überhaupt etwas gehörte. »Ich bin nicht Teil deiner Familie. Du liebst mich nicht, schon vergessen? Ich bin nur die kleine Schlampe, die du vögelst.«

Seine Augen blitzten gefährlich. »Schluss jetzt! Hör sofort auf, so von dir zu sprechen!«

»Oder was? Willst du mich sonst bestrafen?« Jetzt forderte ich ihn heraus, ohne genau sagen zu können, warum. Vielleicht wegen all dessen, was bislang zwischen uns ungesagt geblieben war, wegen all des Dunkels, das ich bis jetzt nicht gesehen hatte.

»Und ob«, gab er mit leiser Stimme zurück. »Ich werde niemandem erlauben, so von dir zu reden – dich eingeschlossen.«

Seine Worte ließen meine Wut verpuffen, doch so einfach würde ich trotzdem nicht klein beigeben. Ich *wollte* wütend sein, wollte auf keinen Fall, dass wir so endeten wie meine Eltern, die immer Rücksicht aufeinander genommen hatten. Beim Gedanken an meinen Vater fragte ich mich, wie ich wohl reagieren würde, wenn ich herausbekam, dass Alexander mit einer anderen Frau schlief. Allein bei der Vorstellung wurde mir übel. Wie auch immer, so ging es jedenfalls nicht weiter. Es würde immer Grenzen zwischen ihm und mir geben, aber manche mussten einfach niedergerissen werden. Ich hatte es satt, mich permanent zu fragen, wie weit er mit mir gehen würde – was für ihn tabu war und was nicht. »Los, dann zeig es mir.«

Er musterte mich misstrauisch. »Was soll ich dir zeigen?«

»Du willst mich doch bestrafen. Na los, mach schon.«

»Nein«, entgegnete er. »Ich brauche das nicht mehr, und ich werde das nicht mit dir machen.«

»Aber mit anderen schon? Warum? Weil ich nur eine zweitklassige Schlampe bin, für die ein schnöder Fick gerade gut genug ist?« Ich sah das zornige Flackern in seinen Augen, während er sich mühsam zu beherrschen versuchte. Ich hingegen hatte längst die Kontrolle über mich verloren, wollte, dass er endlich die Grenzen überwand, die er sich gesetzt hatte, dass er endlich seine Geheimnisse preisgab. »Dafür halten sie mich doch alle, richtig? Deine Familie, deine Freunde. Für sie bin ich nichts weiter als eine amerikanische Hure. Und das weißt du genauso gut wie ich!«

Alexander packte mich am Handgelenk. »Vorsicht, Süße.«

»Steck dir deine Vorsicht an den Hut. Ich will, dass du mir zeigst, was du mit ihr getan hast. Ich will wissen, wie weit du gegangen bist.«

»Und wenn ich dir das nicht zeigen will?«

Ich sah, wie er mit sich rang. Aber wenn es stimmte, was er mir versichert hatte – dass er kein Bedürfnis mehr verspürte, seine Gespielinnen zu bestrafen –, womit rang er dann?

Ein Teil von mir – jener Teil, der so heftig auf seine dominante Sinnlichkeit reagierte – wollte nur noch den Schmerz spüren.

»Bloß weil ich zögere, dich zu bestrafen, heißt das noch lange nicht, dass ich verlernt hätte, wie es geht«, las er meine Gedanken. Seine Stimme jagte mir einen eisigen Schauder über den Rücken.

»Wir haben vereinbart, alles auszuprobieren. Und es macht mich krank, dass du mir vorenthältst, was eine andere Frau mit dir erlebt hat.«

»Glaub mir, das ist nichts für dich. Und ich will dir das auch nicht antun.« Er ließ mein Handgelenk los und trat einen Schritt zurück, schaffte eine Distanz zwischen uns, die wir so noch nie gefühlt hatten.

»Ich kann nicht mit dem Gedanken leben, dass du mit einer anderen Frau ein intimeres Verhältnis hattest als mit mir.«

Er presste die Lippen zu einer schmalen Linie zusammen, und seine Augen schimmerten so schwarz wie sein zerzaustes Haar. »Mit Intimität hatte das nichts zu tun.«

»Lust und Schmerz, erinnerst du dich?«

»Du hast genug Schmerz erfahren, Clara.« Alexanders Stimme nahm einen beschwörenden Tonfall an. Offenbar konnten wir beide die Vergangenheit nicht hinter uns lassen. »Lust und Schmerz sollten eins sein, zu gleichen Teilen empfunden werden. Du bist keine natürliche Sklavin. Dein Körper würde auf Schmerzen nicht mit Lust reagieren. Nicht auf *richtige* Schmerzen, auf *echte* Züchtigung.«

»Wie soll ich das Gleichgewicht von Lust und Schmerz verstehen, wenn ich nicht in den Genuss von beidem komme?«

Aber ich spürte, dass ich bei ihm auf Granit biss. Ich musste ihn ködern, dafür sorgen, dass er endlich seinem Drang folgte. Meine Finger zitterten, als ich den Reißverschluss meines Bleistiftrocks öffnete und den Rock zu Boden gleiten ließ. Alexander sah reglos zu, wie ich meinen Slip abstreifte und ihm meinen nackten Hintern zuwandte.

»Zeig es mir«, forderte ich. »Oder soll ich mich etwa selbst züchtigen?«

»Clara«, sagte er heiser. »Das ist kein Spiel.«

»Absolut nicht. Das ist mein blutiger Ernst, X.«

Seine Hand glitt über meinen Hintern, und ich schloss erwartungsvoll die Augen.

»Du weißt doch gar nicht, was du von mir verlangst.«

»Und ob ich das weiß.«

Seine Lippen waren gefährlich nahe an meinem Ohr. »Du hast keine Ahnung.«

»Dann wird es langsam Zeit, findest du nicht?«

Er hob die Hand, doch ich schüttelte den Kopf. »Versohlt hast du mich schon. Peitsch mich aus.«

»Glaubst du, ich hätte hier ein Peitschenarsenal?«, gab er freudlos zurück. »Ich habe nur meinen Gürtel, aber der Riemen...«

Ich spürte, wie ich blass wurde. Um ein Haar hätte ich die Nerven verloren, aber ich rang um Beherrschung. »Nimm den Gürtel«, sagte ich mit fester Stimme.

Langsam zog Alexander den Gürtel aus den Schlaufen und schlang das Leder um seine Hand. Trotz der Angst, die mir die Kehle zuschnürte, zog sich mein Unterleib sehnsüchtig zusammen, und ein makabres Verlangen ergriff Besitz von mir. Ich wartete, doch er umkreiste mich wie ein Panther seine Beute, betrachtete mich mit ungezähmten Raubtieraugen.

»Damit dir eins klar ist: Jammern ist nicht erlaubt. Weinen ist gestattet – du wirst Tränen vergießen, verlass dich drauf –, aber du wirst keinen Schmerzenslaut über die Lippen bringen. Falls du gegen diese Regel verstößt, gibt es noch mehr Schläge. Hast du mich verstanden?«

Ich nickte, auch wenn mir vor Angst flau im Magen wurde. Einen Moment lang sahen wir uns in die Augen – es war wie die Ruhe vor dem Sturm. In seinem Blick lag keine Spur von Zögern mehr, seine Schultern waren breit und entspannt, sein Blick kalt und entschlossen. Diese Seite seiner Persönlichkeit hatte seine Sklavin also kennengelernt – einen schönen, unerreichbaren Mann, der sich nach Erlösung sehnte.

»Es ist dir erlaubt, dein Safeword zu benutzen.« Er hielt einen Augenblick lang inne und fügte dann knapp hinzu: »Ich hoffe, du wirst es tun.«

Er legte mir die Hand in den Nacken und bedeutete mir,

mich über den Beistelltisch zu beugen. Ich reckte den Hintern und holte tief Luft.

»Bereit?«

Ich spannte jede Faser meines Körpers an, wartete auf den ersten Hieb. Im selben Moment ertönte das laute Klatschen, mit dem der Lederriemen auf meinen Hintern knallte. Die Zeit schien stehen zu bleiben, und einen Augenblick lang war ich unfähig, den Zusammenhang zwischen dem ohrenbetäubenden Klatschen und dem brennenden Schmerz zu begreifen, der meinen Hintern zum Glühen brachte. Ich unterdrückte einen Schrei, biss mit aller Macht die Zähne zusammen.

»Eins«, sagte Alexander leise.

Ich klammerte mich an die Tischkante, hielt den Atem an. Der zweite Schlag war härter als der erste, vielleicht fühlte er sich auch nur so an, weil mein Hinterteil bereits wie Feuer brannte. Tränen liefen mir über die Wangen. Ich bebte vor Schmerz, konnte keinen klaren Gedanken mehr fassen, war außerstande, noch etwas anderes zu empfinden als Höllenqual.

»Zwei.«

Unwillkürlich drang doch ein Schluchzer aus meiner Kehle.

»Ich habe dich gewarnt. Kein Schmerzenslaut.« Er klang völlig unbeteiligt. »Jetzt gibt es noch ein paar Schläge mehr.«

Ein Teil von mir wollte ihn anflehen, sofort aufzuhören, aber ich musste stark bleiben. Ich musste wissen, was Alexander umtrieb, worum es ging. Ich wollte es bis zum Ende durchstehen, doch es war schwieriger, als ich es mir vorgestellt hatte – und dabei hatte ich erst zwei Hiebe erduldet.

Alles um mich herum begann zu verschwimmen, meine Gedanken kreisten nur noch um den Gürtel und die höllischen

Schmerzen, die ich empfand. Als Alexander den Arm hob, zuckte ich zusammen, und er hielt abrupt inne.

»Sag es endlich, Süße.«

Er wollte, dass ich mein Safeword benutzte, doch das war meine allerletzte Zuflucht. Zwar hatte ich es schon zuvor benutzt, aber auch wenn es nur meinem Schutz dienen sollte, war mir nicht entgangen, wie sehr es ihn mitnahm, wenn ich es aussprach.

Ich schüttelte den Kopf.

Im selben Moment traf mich der Gürtel zum dritten Mal, und diesmal stieß ich einen gellenden Schrei aus. Meine Knie wurden weich, und ich sackte halb auf den Tisch, der mich gerade noch so auf den Beinen hielt.

Ich öffnete den Mund.

»Drei«, brachte ich mit erstickter Stimme hervor. Heftige Schluchzer schüttelten meinen Körper, aber nichts in der Welt hätte mich zum Betteln gebracht.

Abermals hob Alexander den Gürtel, und ich krallte die Finger um die Tischkante. Der Lederriemen wirbelte durch die Luft, zischte an meinem Ohr vorbei und knallte auf die Tischplatte.

Alexander sank hinter mir auf die Knie. Ich hörte, wie die Gürtelschnalle klappernd auf den Boden traf, und dann schlang er die Arme um meine Hüften, bedeckte mein Steißbein mit hauchzarten Küssen.

»Brimstone«, flüsterte er, als hätte ich mein Safeword vergessen.

Doch ich war zu schwach, um etwas zu antworten, zu überwältigt von all den Gefühlen, die mich durchfluteten. Lange Zeit verharrten wir so – ich war zu verängstigt, um mich zu bewegen, während Alexander mich unablässig sanft küsste.

Schließlich hob er mich auf seine starken Arme, drückte mich an seine Brust und trug mich nach oben. Vor dem Bett blieb er stehen und stellte mich vorsichtig auf die Füße.

»Leg dich lieber auf den Bauch«, sagte er.

Ich gehorchte. Nur unter Aufbietung meiner gesamten Selbstbeherrschung gelang es mir, nicht meinen schmerzenden Hintern abzutasten. Alexander blieb vor dem Bett stehen, ohne ein weiteres Wort zu sagen oder mich zu berühren, dann ging er zur Tür. »Jetzt weißt du, was für ein Ungeheuer ich bin.«

13

Endlose Minuten wartete ich auf Alexanders Rückkehr, bis ich plötzlich nicht mehr sicher war, ob er überhaupt zurückkommen würde. Und als sich meine Augen diesmal mit Tränen füllten, war nicht der körperliche Schmerz daran schuld.

Ich hatte es zu weit getrieben.

Ich hatte ihn verjagt.

Die Tränen strömten mir über die Wangen. Ich war am Ende. Weil mein Vater fremdging. Weil ich den Mann meines Lebens verletzt und alles kaputt gemacht hatte.

Unvermittelt drangen Schritte an meine Ohren. Alexander. Ich wagte es nicht, den Kopf zu drehen und ihn anzusehen – nicht nach alldem, was ich ihm angetan hatte. Dann setzte er sich neben mich auf das Bett, strich mir zärtlich die Haare aus der Stirn – und erstarrte, als er mein tränenüberströmtes Gesicht erblickte.

Er schluckte hörbar und küsste mich auf die Stirn. »Ich habe hier etwas für deinen Po. Damit die Striemen schnell wieder heilen.«

Seine Worte klangen hohl vor Selbstekel. Ich versuchte, meine Tränen zurückzuhalten, da ich genau wusste, dass sie nur noch mehr in ihm kaputt machen würden. Doch es gelang mir nicht.

»Jetzt wird es gleich kalt«, warnte er mich, ehe er behutsam ein Handtuch auf meinen Hintern legte, in das er Eiswürfel gepackt hatte.

Es war egal. Ich fühlte ohnehin nichts mehr, war völlig mit den Nerven am Ende. Nichts war mehr wichtig, schon gar nicht mein körperliches Wohlergehen – nicht nach dem, was ich Alexander angetan hatte. Ich bekam es kaum mit, als er sein Gewicht verlagerte, sich an mich schmiegte und eine Hand unter meinen Bauch gleiten ließ. Er zog mich eng an sich, und ich spürte seine Wärme, während er sein Gesicht in meinem Nacken vergrub und mich immer wieder flüsternd bat, ihm zu verzeihen. Ich wusste genau, dass ich ihn um Verzeihung hätte bitten müssen, aber dann wurden meine Lider schwer, und schließlich fielen mir die Augen zu.

Als ich wieder erwachte, lag Alexander nicht mehr neben mir. Ich hatte mein malträtiertes Hinterteil völlig vergessen und zuckte zusammen, als ich mich aufsetzte, stellte jedoch fest, dass die Pobacken bloß ein bisschen wund waren. Im Zimmer war es dunkel, doch durch die offenen Vorhänge fiel Mondschein und tauchte eine Gestalt am Fußende des Bettes in sanftes Licht. Ich erkannte Alexanders männliches Profil, seinen sehnigen, athletischen Körper. Er hatte sich ausgezogen, sich aber nicht wieder zu mir gelegt. Stattdessen stützte er den Kopf in die Hände, als wären seine Gedanken eine tonnenschwere Last. Ich schlang die Arme um ihn, schmiegte mich an seinen starken Rücken. Er ergriff meine Hand, und so hielten wir uns schweigend fest.

»Du bist kein Ungeheuer«, flüsterte ich. Mir war klar, was in seinem Kopf vorging.

Er gab einen tiefen Seufzer von sich und schüttelte den Kopf. »Doch, das bin ich. Ich hätte das niemals tun dürfen. Ich wusste es, aber ich habe es trotzdem getan.«

»Weil ich dich dazu getrieben habe.« Er musste die Wahrheit begreifen. Ich hatte ihm schlicht keine andere Wahl gelassen.

»Ich habe die Beherrschung verloren. Das hätte niemals passieren dürfen.« Seine Finger schlossen sich fest um meine Hand. »Es tut mir leid, Clara.«

»Mir nicht«, murmelte ich. Ich ließ ihn los, stieg vom Bett, stellte mich vor ihn hin und hob sein Kinn an. »Ich musste es einfach wissen. Sonst wäre ich irgendwann noch durchgedreht.«

Das Feuer in seinem Blick war erloschen, erstickt von Schuldgefühlen. Er schloss die Augen, unfähig, mir ins Gesicht zu sehen. »Das war das erste und letzte Mal.«

»X...«

»Keine Diskussion«, schnitt er mir das Wort ab. »Das letzte Mal. Ich kann dir nicht versprechen, dass ich dir nie wieder wehtun werde, aber ich werde dir nie wieder körperlichen Schmerz zufügen. Solltest du mich noch einmal darum bitten, werde ich mich weigern. Ist das klar?«

Ich nickte, während ich gegen den Kloß in meiner Kehle anschluckte.

Er öffnete die Augen wieder und sah mich forschend an. »Hasst du mich?«

Warum sagte er so etwas? Wieso verstand er nicht, dass ich für ihn das genaue Gegenteil von Hass empfand? Mein

Herz krampfte sich zusammen bei dem Gedanken, dass meine Worte ihm niemals Sicherheit geben würden. Worte konnten verletzen und zerstören, reichten aber so gut wie nie aus, um Wunden zu heilen. Die wenigen Worte, die das konnten, wollte er nicht hören und schon gar nicht aussprechen. Und so blieb uns nur, Taten sprechen zu lassen.

Ich trat einen Schritt zurück und knöpfte meine Bluse auf, die ich immer noch anhatte. Dann ließ ich sie zu Boden fallen, öffnete meinen BH und streifte ihn ab. Alexander sah mir mit abwesendem Blick zu. Kaum mehr als ein schwaches Funkeln erhellte seinen Blick, als ich splitternackt vor ihm stand. Er ergriff meine Hand und zog mich zu sich.

»Dreh dich um«, befahl er mit leiser Stimme.

Ich zögerte, weil ich wusste, warum er das wollte.

»Clara.« Sein Tonfall duldete keinen Widerspruch.

Gehorsam wandte ich ihm den Rücken zu. Ein heiseres, ersticktes Grollen drang aus seiner Kehle, und ich bekam eine Gänsehaut. Seine Finger strichen vorsichtig über meinen wunden Po, jede Berührung eine weitere Bitte um Verzeihung.

»Ich kann nicht mit dir schlafen«, sagte er dann. »Nicht nach dem, was ich dir angetan habe. Jemand wie ich darf deinen Körper nicht berühren.«

Ich drehte mich wieder um und schüttelte den Kopf. »Ich brauche dich. Mein Körper braucht dich. Keine Diskussion.«

Er ließ die Hände sinken. Als ich ihn aufs Bett stieß und mich rittlings auf ihn setzte, leistete er keinen Widerstand. Dann begann ich, langsam die Hüften kreisen zu lassen, wohl wissend, dass sein Körper unweigerlich auf mich reagieren würde – auch wenn er sich tausendmal selbst bestrafen wollte.

»Fass mich an«, hauchte ich ihm ins Ohr. »Ich weiß, was du

nicht über die Lippen bringst. Ich weiß, was in dir vorgeht. Aber du kannst mir zeigen, wie du für mich fühlst. Ich will dich in mir spüren. Nichts soll zwischen uns sein. Sei einfach bei mir.«

Er küsste mich wie ein Ertrinkender, der verzweifelt nach Luft ringt. Seine Hand glitt sanft über meinen Rücken. Ich bewegte mich weiter, spürte zwischen den Schenkeln, wie er hart wurde, ließ mich auf den Wogen meiner Gefühle treiben. Er war Erde und Luft, Feuer und Wasser – alle Elemente verbanden sich in ihm, meine ganze Welt war dieser gebrochene und doch so perfekte Mann. Seine Hand glitt zwischen meine Beine, doch er berührte nicht mich, sondern befreite seinen Schwanz aus dem Gefängnis seiner Shorts. Seine Eichel drängte gegen meine bebende Spalte, und ich kam ihm entgegen, ganz und gar bereit für ihn. Instinktiv verschmolzen unsere Körper miteinander, und dann schaukelte er mich behutsam auf seinen Lenden, ohne seine Lippen auch nur eine Sekunde von den meinen zu lösen, während sich die Lust wie eine gewaltige Woge in mir auftürmte – und so klammerten wir uns aneinander, verloren im reißenden, süßen Strom unserer Gefühle, der uns gemeinsam erbeben ließ.

Es brauchte kein Wort der Verzeihung mehr, kein Wort, das unausgesprochen geblieben war. Alles, was nötig war, sagten wir uns in diesem Moment. Ich kannte ihn, seinen Körper, sein Wesen, seine Seele so gut wie mich selbst, und als ich mich von der Brandung meiner Lust fortspülen ließ, spürte ich, wie er mit mir gerissen wurde. Wir hielten einander, während wir kamen, ganz und gar eins, verbunden in dem Gefühl, dass wir uns nie wieder loslassen würden.

14

Der Kellner zog meinen Stuhl zurück, und ich zauberte ein Lächeln auf mein Gesicht, während ich mich setzte. Im Büro hatte ich einen Polsterstuhl, in Greene's Tavern war mir solches Glück hingegen nicht vergönnt, aber am Ende unseres Treffens würde ich diese kleine Unannehmlichkeit über der üblichen zähen, stockenden Unterhaltung mit meiner Mutter bestimmt längst vergessen haben. Am späten Dienstagnachmittag war im Restaurant nicht viel los. Ich hatte bereits früh zu Mittag gegessen, weil meine Mutter sich unbedingt in diesem Nobelschuppen mit mir hatte treffen wollen. Falls sie bemerkte, wie vorsichtig ich Platz nahm, ließ sie sich jedenfalls nichts anmerken.

»Danke, dass du dir Zeit für mich genommen hast«, sagte sie, während sie die Speisekarte beiseitelegte. Sie hatte sich extra für ihre Mutterrolle in ein dunkelgraues Kostüm geworfen und trug eine Perlenkette, die ihrem schlanken Hals schmeichelte. Trotz ihres seriösen Outfits hätten wir dank ihres offenen Haars und ihrer makellosen Haut als Schwestern durchgehen können. »Es kommt mir vor, als hätten wir uns schon seit einer Ewigkeit nicht mehr gesehen.«

Es waren zwar nur ein paar Wochen gewesen, aber sie neigte schon immer zu Übertreibungen. »Tut mir leid. Mein neuer Job hat mich ziemlich auf Trab gehalten.«

»Sowie ein paar andere Kleinigkeiten.« Sie ging nicht ins Detail, aber das war auch nicht nötig. Ich wusste auch so, worauf sie anspielte.

Ich hätte ihr ein paar schöne Lügen auftischen können, um ihr gekränktes Ego zu besänftigen, aber ich hatte keine Lust auf diese Spielchen. »Ja, auch ein paar andere Kleinigkeiten.«

»Es ist absolut rücksichtslos von dir, mit einem Mann zusammenzuziehen, ohne deinen Eltern davon zu erzählen.« Wenigstens kam sie endlich zur Sache.

»Es hat sich eben so ergeben, ich weiß doch auch nicht«, erwiderte ich. Ich wusste, dass es ihr völlig egal war. In Wahrheit ärgerte sie sich bloß, außen vor gelassen worden zu sein. Und auch jetzt hatte ich nicht die Absicht, ihr irgendetwas zu erzählen, nicht einmal, dass sie tatsächlich unter den ersten Menschen gewesen war, die von der Neuigkeit erfahren hatten – die paar Millionen Fernsehzuschauer nicht mitgerechnet, die live dabeigewesen waren.

Sie zuckte mit den Achseln, und ihre Lippen verzogen sich zu einem hässlichen Schmollmund. »Na ja, es ist dein Leben.«

Interessant. Bislang hatte sie diesen Umstand nie akzeptieren wollen. Der Kellner kam, womit das unerfreuliche Gespräch erst einmal unterbrochen war – eine Verschnaufpause, die leider gleich vorüber sein würde.

»Schön, dass du wieder mehr Appetit hast«, bemerkte sie,

als er unsere Bestellung aufgenommen hatte. »Du scheinst ja einen richtigen Bärenhunger zu haben.«

»Ich jogge in letzter Zeit ziemlich viel.« Dass mein plötzlich wieder aktives Sexleben eine weit größere Rolle spielte, was meinen Appetit anging, behielt ich lieber für mich.

Ihre Augen verengten sich, und sie musterte mich einen Moment lang argwöhnisch. »Bist du etwa schwanger?«

»Mutter!«, platzte ich so laut heraus, dass die Gäste an den anderen Tischen herübersahen. Aber sie schauten auch genauso schnell wieder weg, was sich wohl dem Umstand verdankte, dass wir in einem Edelrestaurant saßen.

»Das ist doch eine begründete Frage.« Sie nippte an ihrem Wodka Tonic. »Immerhin bist du ziemlich schnell mit ihm zusammengezogen.«

»Begründet?«, zischte ich. »Wir leben im einundzwanzigsten Jahrhundert, also hör auf, hier so ein Theater zu machen. Ich bin nicht schwanger.«

»Da fällt mir ein ganzes Gebirge vom Herzen.« Sie stellte ihr Glas auf den Tisch zurück und durchbohrte mich geradezu mit ihrem Blick. »Das wäre ein Skandal!«

»Skandale gibt es doch rund um die Uhr. Kein Mensch würde sich darum scheren, wenn ich schwanger wäre.« Ich winkte ab, obwohl mir gleichzeitig leicht flau im Magen wurde. Tatsächlich gab es nämlich jede Menge Leute, denen es keineswegs egal wäre. »Wir haben kein Baby geplant.«

»Bis jetzt.«

Ich wollte protestieren, doch meine Mutter hob die Hand. Am liebsten hätte ich die Arme verschränkt und auf Durchzug geschaltet. Die ganze Situation erinnerte mich daran, wie ich mich so oft als Teenager gefühlt hatte.

»Du unterschätzt die Erwartungen der Menschen da draußen, Clara. Du kannst nicht einfach mit dem Thronfolger zusammenziehen, als wäre das die normalste Sache der Welt. Die Öffentlichkeit hat ein Recht darauf zu erfahren, wie es weitergehen soll – ebenso wie deine Familie und deine Freunde.«

»Hatte ich erwähnt, dass wir im einundzwanzigsten Jahrhundert leben?« Ich griff nach meinem Weinglas.

»Das mag auf den Rest der Welt zutreffen, aber sicher nicht auf die königliche Familie. Auf Etikette und Protokoll wird am Hof immer noch ganz besonders geachtet.«

»Das weiß ich selbst«, fauchte ich, wobei mir durchaus bewusst war, dass ich nur sauer reagierte, weil sie mich an etwas erinnerte, das ich lieber verdrängt hätte. »Es ist viel zu früh, um auch nur ans Heiraten zu denken.«

Und das meinte ich auch so. Ich hatte erst unlängst meinen Abschluss gemacht und hatte einen neuen Job, der mir viel Spaß machte. Es gab eine Million Gründe, eine Heirat für den Moment komplett auszuschließen – neben dem Umstand, dass wir uns erst ein paar Monate kannten.

»Über kurz oder lang wird Alexander gezwungen sein, mehr Verantwortung zu übernehmen«, gab meine Mutter zurück. »Und dazu gehört, dass er heiratet und den nächsten Thronfolger zeugt.«

»Ich wusste gar nicht, dass dir die Monarchie so sehr am Herzen liegt.«

»Du bist es, die mir am Herzen liegt.« Ihr Ton wurde scharf, und ich schluckte die nächste bissige Bemerkung hinunter, die mir bereits auf den Lippen lag.

»Mach dir keine Sorgen«, beschwichtigte ich sie stattdessen. »Unsere Beziehung muss erst einmal wachsen. Jedenfalls denkt keiner von uns im Augenblick daran, vor den Traualtar zu treten.«

»Trotzdem. Du stehst unter permanenter Beobachtung, Clara, und das Interesse der Öffentlichkeit wird nicht nachlassen.«

Ich trank den Rest meines Weins aus. Sie hatte recht. Die Sensationsgeilheit der Presse hatte ich am eigenen Leib erlebt, und mit seinem Statement vor laufender Kamera hatte Alexander nur noch mehr Leute eingeladen, ihre Nase in unser Privatleben zu stecken. Es würde Spekulationen geben. Möglich auch, dass König Albert – über den Alexander nur selten sprach – ein ernstes Wörtchen mit seinem Sohn reden würde. Das Leben außerhalb von Notting Hill würde ganz bestimmt nicht einfacher werden.

Der Kellner kam mit unserem Salat, aber mir war der Appetit vergangen. Ich starrte auf meinen Teller und zwang mich, die Gabel zur Hand zu nehmen. Ich durfte jetzt nicht in alte Muster zurückfallen, auch wenn ich das Gefühl hatte, dass mir die Kontrolle über mein Leben zu entgleiten drohte. Nein. Das durfte ich unter keinen Umständen zulassen.

Meine Mutter spießte ein paar Salatblätter auf und lächelte verschwörerisch. »Und jetzt erzähl mir von eurer Einweihungsparty. Ich kann es kaum erwarten!«

Schön, dass sich wenigstens eine von uns freute.

»Wärst du so lieb?«, bat ich Alexander und wandte ihm den Rücken zu. Er war erst halb angezogen; der Kragenknopf seines Hemds stand offen, und Manschettenknöpfe hatte er auch noch nicht angelegt. Er wandte sich um, zog den Reißverschluss meines schwarzen Cocktailkleids nach oben und hauchte mir einen Kuss in den Nacken. Seit Montagabend behandelte er mich wie ein rohes Ei.

»Seltsames Gefühl, dass du mich jetzt auch noch anziehst«, sagte ich.

Aber mein kleiner Scherz konnte seine Stimmung auch nicht recht aufhellen. Er lächelte dünn und knöpfte sein Hemd zu. Er wollte eine Krawatte aus dem Schrank nehmen, doch ich griff nach seiner Hand. Gleich würden die ersten Freunde und Verwandten eintrudeln, und mir war vor Nervosität flau im Magen. Fest stand, dass ich den Abend nicht überstehen würde, wenn sich nicht schnell etwas zwischen uns änderte.

»So geht das nicht weiter«, sagte ich. »Du fasst mich gar nicht mehr an.«

»Das stimmt doch überhaupt nicht«, gab er schroff zurück, entzog sich mir und langte nach der Krawatte.

Technisch gesehen hatte er recht. Wir hatten jede Nacht zusammen verbracht, uns mit zärtlichen Berührungen getröstet und stundenlang geliebt. Aber es war mir nicht genug. »Dann fick mich.«

»Jetzt?« Er zog eine Augenbraue hoch. »In zwanzig Minuten kommen unsere Gäste.«

»Seit wann lässt du dich von so was abhalten?«, schnurrte ich. »Oder bist du der Herausforderung nicht gewachsen?« Ich ließ meine Hand über seine Hose gleiten und stellte erfreut fest, wie sein Schwanz unter meiner Berührung zum Leben erwachte. »Komm, einen Quickie kriegen wir locker hin.«

»Wir haben noch Verschiedenes zu erledigen«, erinnerte er mich.

Aber ich hatte keine Lust, zu überprüfen, ob der Cateringservice die richtigen Kanapees geliefert hatte oder die Blumenvasen perfekt bestückt waren. Ich wollte ihm nahe sein, und es nervte mich, dass er sich mir dauernd entzog. Ich sah nur eine Möglichkeit, diesem Missstand abzuhelfen.

Ich packte seine Erektion und schüttelte den Kopf, ehe ich sie wieder losließ, ihm die lose Krawatte vom Hals zog und sie locker um meine Handgelenke schlang. »Heute Nacht wirst du mich damit fesseln und mich so durchvögeln, dass sich keiner von uns beiden mehr daran erinnert, warum wir eigentlich die ganze Woche auf Samtpfötchen umeinander herumgeschlichen sind.«

Er senkte die Lider, stellte sich offenbar vor, wie wir es miteinander treiben würden. »Tatsächlich, Süße?«

Ich nickte. »Aber jetzt gehst du auf die Knie und besorgst es mir mit deiner Zunge.«

Das brauchte ich nicht zweimal zu sagen. Seine Augen funkelten, und dann ließ er sich auf die Knie sinken und schob meinen Rock nach oben. Ein heiseres Knurren drang aus seiner Kehle, als er meine nackte Muschi sah. »Wie unanständig... Du trägst gar kein Höschen.«

»Es bringt ja nichts, wenn du sie immer gleich zerfetzt«, gab ich zurück. »Außerdem sagtest du mal, ich soll dir jederzeit zur Verfügung stehen, und dein Wunsch ist mir Befehl.«

»Das beruht auf Gegenseitigkeit.« Sein Atem strich über mein geschwollenes Geschlecht. Ein Schauder der Begierde ließ mich erbeben, als er mit dem Finger meine Schamlippen nachzeichnete. »Deine Muschi sehnt sich nach Aufmerksamkeit.«

»Ja«, seufzte ich, während seine Lippen über meine Leiste wanderten.

Alexander ließ einen Finger in meine feuchte Spalte gleiten und begann meine Perle zu massieren. »Ist es das, wonach sie sich sehnt?«

Ich schüttelte den Kopf. Es war nicht genug. Für mich ebenso wenig wie für ihn. Die ganze Woche nur Magerkost – so konnte es nicht weitergehen.

»Sie muss so hart gefickt werden, dass ich danach nicht mehr aufstehen kann. Sie muss sich daran erinnern, dass sie dir gehört. Sie ist doch dein Ein und Alles, oder, X?« Urplötzlich beschlich mich ein schrecklicher Gedanke, und meine Stimme klang gar nicht mehr aufreizend, sondern bebte leicht, als die bange Frage über meine Lippen drang: »Oder willst du sie nicht mehr?«

Er hielt inne, und seine Augen blitzten, während er zu mir aufsah. Eine Ewigkeit schien zu vergehen. Dann presste er die freie Hand auf meinen Bauch – und stieß mich ohne Vorwarnung an die Tür. Ich spreizte die Schenkel, und im selben Augenblick spürte ich auch schon seine Zunge in mir, die mich ausfüllte, mich mit geradezu atemberaubender Gier zu vögeln begann. Er ließ nur ab, um meine pochende Klitoris so spielerisch wie zart zwischen die Zähne zu nehmen. Ich stieß einen gedämpften Schrei aus, bereits der Erlösung nahe. Ich brauchte seine Dominanz. Ich wollte ihm so ganz und gar gehören, wie er mich mit Haut und Haar besitzen wollte. Rhythmisch stieß er die Finger in mich, während er mich weiter mit der Zunge verwöhnte, bis mich ein Schauder durchlief und meine Muskeln sich zusammenzogen. Ich drängte mich ihm mit den Hüften entgegen, wollte mehr, mehr, mehr. Sein Mund schloss sich über meiner empfindlichen Perle, und dann war da nur noch meine ungezügelte Lust, die gleichsam in mir zu explodieren schien.

Alexander hielt mich fest, während ich um ein Haar das Gleichgewicht verloren hätte, hörte nicht auf, meine bebende Spalte zu lecken. »Den ganzen Abend werde ich dich jetzt schmecken. Oh Gott – ich werde mich ununterbrochen nach deiner süßen Muschi sehnen.«

Er stand auf und presste sich an mich. Als ich seine gewaltige Erektion an meinem Bauch spürte, griff ich nach seinem Schwanz – ich musste ihn in mir spüren.

»Nein.« Seine Finger schlossen sich um mein Handgelenk. »Nicht jetzt. Aber wenn wir später wieder allein sind, werde ich dich so hart und so lange nehmen, dass du hinterher nicht mal mehr deinen Namen weißt – geschweige denn gehen kannst.«

Ein lautes Klopfen ließ uns jäh auseinanderfahren. Unsere Zeit war abgelaufen, und noch nie war ich so scharf auf ihn gewesen. Alexander band seine Krawatte. Ein höchst vertrautes Lächeln umspielte seine Lippen; es überlief mich heiß und kalt, während ich meine Strümpfe wieder an den Strumpfhaltern befestigte und mein Kleid glatt strich.

»Dein arrogantes Lächeln hat mir gefehlt«, sagte ich, als ich in meine High Heels schlüpfte.

»Davon wirst du später noch viel mehr sehen, Süße.« Alexander trat zu mir und drängte mich an die Wand. Ich spürte seinen steinharten Schwanz, während er seine Lippen auf meine Wange presste. »Na, willst du immer noch gefickt werden?«

»Und wie!«, keuchte ich. Das Klopfen an der Tür hatte ich fast schon wieder vergessen. Ich nahm nur ihn wahr – ihn und die schwelende Begierde zwischen meinen Schenkeln.

»Heute Nacht werde ich dich erst im Stehen ficken, bis dir die Beine zittern, und danach werde ich dich im Bett noch einmal von hinten nehmen. Du wirst dich noch wochenlang daran erinnern.« Er ließ mich los. Das Lächeln war verschwunden, und in seinen Augen stand nichts als schwelend heiße Glut. Er rückte seine Krawatte zurecht und deutete zur Tür. Ja, wir gaben eine Party, und doch musste ich mich mit aller Macht beherrschen, nicht auf die Knie zu fallen und ihn anzuflehen, mich hier an Ort und Stelle nach allen Regeln der Kunst durchzuvögeln. X war zurück, so wie ich ihn kannte, heißer als je zuvor. Also: ein Abend voller Small Talk, und dann eine Nacht ungekannter Ausschweifungen?

Ja, bitte.

15

Als ich die Tür öffnete, stand Edward mit in die Hüften gestemmten Händen vor mir. Ich lächelte ihn verlegen an – *schuldig, Euer Ehren* –, was er mit einem Kopfschütteln quittierte. Tüten in beiden Händen, drängte er sich an mir vorbei Richtung Küche. Zu meiner Überraschung war er mit David gekommen. Ich kannte David zwar nicht besonders gut, drückte ihn aber spontan fest an mich. Er war der Einzige, der wirklich verstand, was es bedeutete, in einen Mann wie Alexander verliebt zu sein. Es war an der Zeit, dass wir uns ein wenig besser kennenlernten.

»Schön, dich zu sehen«, sagte ich aufrichtig, als ich ihn wieder losließ.

»Edward hat darauf bestanden, dass ich ihn begleite.« David fuhr sich mit der Hand über sein kurzes Haar; die Nervosität stand ihm ins Gesicht geschrieben.

Hinter mir tauchte Alexander auf und legte die Hände um meine Hüften, während ich die Tür schloss. »Du bist uns immer willkommen, David.«

Mein Herz klopfte stürmisch. Eigentlich hatte ich gedacht, ein Wörtchen wie *uns* hätte für mich keine Bedeutung mehr. Aber da lag ich wohl falsch. Irgendwie bedeutete es sogar mehr, wenn er so etwas vor anderen Leuten sagte. Es war, als würde er seinen Anspruch auf mich geltend machen – dadurch, dass er meinem Herzen eine Heimat schenkte.

»Wenn ihr mit der Begrüßungsschmuserei fertig seid, könnte mir hier mal jemand zur Hand gehen«, rief Edward aus der Küche.

»Das übernehme ich.« Ich blickte Alexander an. »Du kannst David solange ein bisschen herumführen.« Es konnte nicht schaden, Alexander und den Lover seines Bruders zusammenzubringen, schon weil David sich ohnehin wie ein Außenseiter fühlte. Dank Edward war er in den königlichen Kreisen mit offenen Armen aufgenommen worden, doch sie würden ihn sofort fallen lassen wie eine heiße Kartoffel, wenn die wahre Natur ihrer Beziehung ans Tageslicht kam. Es war verdammt unfair, aber so waren die royalen Rotznasen eben. Fest stand jedenfalls, dass sie auch mich nicht gerade überschwänglich empfangen hatten.

In der Küche war Edward gerade dabei, die Tabletts vom Cateringservice neu zu arrangieren. Ich verschränkte die Arme vor der Brust und wartete auf seine Ansage.

»Kannst du ein paar Flaschen Wein aufmachen, oder hat Alex dir komplett die Energie geraubt?«, fragte er und hielt mir einen Korkenzieher hin.

»Wie kommst du denn darauf?«, fragte ich mit gespieltem Ernst. »Sehe ich etwa wie die Sorte Mädchen aus?«

»Du hast wohl noch nicht in den Spiegel geschaut, was?« Er schob sich die Brille auf die Nasenspitze und beäugte mich eingehend. »Deinen Look würde ich als *Frisch-gefickt-Couture* bezeichnen.«

Eilig strich ich mein Haar glatt und stellte fest, dass sich mehrere Strähnen aus dem kunstvoll geschlungenen Knoten gelöst hatten. Ich zuckte schuldbewusst die Achseln, auch wenn es mir in Wahrheit gar nicht peinlich war, und nahm den Korkenzieher. »Ein Mädchen hat eben auch seine Bedürfnisse.«

»Sieht so aus, als wärst du voll und ganz auf deine Kosten gekommen. Aber wenn ich mich nicht irre, steht deine Mutter jede Sekunde vor der Tür – von etwa dreißig anderen Gästen ganz zu schweigen.«

Wir machten uns an die Arbeit, verteilten Tabletts in der Küche und im Wohnzimmer. Ich hatte absichtlich mehr Wein bestellt, als wir für den Abend benötigten – falls die Party ein Flop wurde, konnten wir uns wenigstens ordentlich betrinken.

Dann trudelte ein steter Strom von Gästen ein, die Blumen und noch mehr Wein mitbrachten. Viele kannte ich, und Alexander stellte mir die Gäste vor, die Edward zusätzlich eingeladen hatte. Und schließlich kam auch Belle mit einem sichtlich gestressten Philip im Schlepptau. Ihr honigblondes Haar ergoss sich in weichen Wellen über ihre Schultern. Wir umarmten uns herzlich, dann bewunderte ich ihr Ensemble aus schwarzem Rollkragenpullover und knielangem weißem Tutu. Nur Belle konnte derart schrille Outfits tragen. An ihr sahen die Sachen nicht nur cool, sondern geradezu klassisch aus.

»Wie wär's mit einem Drink?«, fragte ich.

»Ich glaube, du solltest zuallererst Philip versorgen«, grummelte sie. »Du weißt doch, was für ein Partymuffel er ist.«

Ich lachte. Belles Verlobter machte grundsätzlich den Eindruck, als hätte er einen Stock verschluckt, und mir gefiel die Idee, ihn so abzufüllen, dass er endlich etwas lockerer wurde. Ich griff nach einer Flasche Chardonnay, schenkte uns zwei Gläser ein und reichte ihr das eine.

Belle stieß mit mir an. »Auf euer Liebesnest.«

»Verrätst du mir, mit wem ich die Ehre habe?« Aus Edwards Blick sprach schamlose Bewunderung für Belle. Kein Wunder. Jeder wäre vom Stilbewusstsein meiner besten Freundin beeindruckt gewesen, ob schwul oder nicht.

Ich stellte die beiden einander vor und bemerkte erfreut, dass sie sofort auf einer Wellenlänge waren.

»Du musst die Frau sein, die Clara in Sachen Klamotten berät«, bemerkte Edward.

Belle hob die frisch manikürte Hand. »Einer muss es ja tun. Sie hat keine Ahnung, wie hinreißend sie aussieht. Stünde ich ihr nicht zur Seite, würde sie Tag für Tag in Jeans und Turnschuhen herumlaufen.«

»Stimmt doch gar nicht«, rief ich mit gespielter Empörung und drehte mich einmal um mich selbst, um mein Kleid vorzuführen. »Das habe ich selbst ausgesucht.«

»Der Lehrling wird zum Meister«, stellte Edward anerkennend fest, während er den Blick über mein Spitzenkleid schweifen ließ. »Aber jetzt werden die Modedesigner sowieso bei dir Schlange stehen.«

»Bei mir?« Ich sah ihn entgeistert an. Dank des Joggens hatte ich eine ganz anständige Figur, aber als Model eignete ich mich ganz bestimmt nicht.

»Manchmal bist du wirklich erfrischend naiv.« Er ergriff meine Hand und drehte mich noch einmal um die eigene Achse. »Sie reißen sich darum, die königliche Familie auszustatten. Wahrscheinlich, weil wir dauernd auf allen möglichen Titelseiten sind.«

Ich spürte, wie ich errötete, und schüttelte den Kopf. »Ich gehöre aber nicht zur Königsfamilie.«

»Du lebst mit dem englischen Thronfolger zusammen«, erwiderte er lapidar. »Damit steht für sie fest, dass du seine Frau wirst.«

Seine Worte erwischten mich wie ein Déjà-vu. Meine Mutter dachte genauso, doch soweit ich wusste, verschwendete Alexander keinen Gedanken an eine Hochzeit, und auch ich zog nicht einmal die Möglichkeit in Betracht. Es war ein Riesenschritt für uns gewesen, überhaupt zusammenzuziehen.

»Ab jetzt sind aller Augen eine ganze Weile auf dich gerichtet.« Belle schenkte mir ein mitfühlendes Lächeln. »Also wundere dich nicht, wenn demnächst alle möglichen Edelboutiquen bei dir anklingeln.«

»Ach was. Ich ziehe einfach weiterhin an, was gerade im Regalfach obenauf liegt«, winkte ich ab, auch wenn ich wusste, dass sie wahrscheinlich recht hatten. Aber ich war ganz und gar nicht scharf darauf, die Titelseiten der Klatschmagazine zu schmücken. Und kein Klamottenkontingent der Welt konnte mich von meiner Haltung abbringen.

»Lass uns nächste Woche mal shoppen gehen«, schlug Edward vor. »Ich kenne da einige Leute, die dich gern kennenlernen würden. Sie gieren danach, endlich mal wieder eine richtig schöne Frau einzukleiden. Und wenn wir ehrlich sind, hat es seit Mutter keine solche Frau mehr gegeben. Sarah war ja noch zu jung.«

Edward klang viel lockerer als Alexander, wenn er von seiner toten Mutter und seiner früh ums Leben gekommenen

Schwester sprach. Aber er war damals eben auch viel jünger gewesen. Und vielleicht würde ich bei einem Einkaufsbummel ja das eine oder andere über Alexanders Familie erfahren, was ich noch nicht wusste. Ich hatte das Thema immer vermieden, weil ich Alexander nicht quälen und keine Schuldgefühle wachrufen wollte. Trotzdem konnte es nicht schaden, ein bisschen mehr herauszubekommen.

»Wir könnten ja mal bei Tamara's vorbeigehen und so richtig zuschlagen.« Ich war zwar noch nie dort gewesen, aber nach einem besonders unerfreulichen Disput mit Pepper hatte ich mir geschworen, dort alle Kleider in meiner Größe aufzukaufen, wenn sich mir die Gelegenheit dazu bot.

»Lass mich doch gleich einen Termin vereinbaren.« Edward zog sein Handy aus der Tasche. Es überraschte mich nicht im Geringsten, dass er die Besitzerin der Boutique anscheinend gut kannte. Edward galt als Musterbeispiel für königlichen Style.

»Grüß sie lieb von mir«, ertönte eine schnippische Stimme aus dem Flur.

Mir stellten sich die Nackenhaare auf, und ich trank erst noch einen Schluck Wein, bevor ich mich umwandte. Im Türrahmen erblickte ich Peppers hochaufgeschossene Gestalt. Sie musterte uns mit einstudiertem Desinteresse, obwohl natürlich das genaue Gegenteil der Fall war. Sie trug ein blaues Satinkleid, das ihre kaum vorhandenen Kurven und den flachen Bauch betonte und zudem megakurz war. Ein Wunder, dass ihr Hintern beim Gehen nicht hervorblitzte, auch wenn sicher niemand etwas dagegen haben würde, falls er hielt, was die glatten, perfekt gebräunten Schenkel versprachen. Sie trat ins Licht und klimperte mit den Wimpern, während sie auf uns zustöckelte.

»Willst du mir nichts zu trinken anbieten?«, fragte sie schmollend. Sie war eine begnadete Schauspielerin. Um ein Haar hätte ich ein schlechtes Gewissen bekommen, aber ich wusste, mit wem ich es zu tun hatte.

Alexander betrat die Küche. »Wenn ich mich recht erinnere, warst du doch gar nicht auf der Gästeliste, Pepper.«

Dabei hatte er keinen einzigen Blick auf die Gästeliste geworfen, sondern die Vorbereitung allein Edward und mir überlassen. Aber dass er wusste, dass ich sie niemals eingeladen hätte, gefiel mir fast ebenso gut wie seine unverblümte Ansage, dass sie nicht erwünscht war.

»Ach was, je mehr Leute, desto besser«, sagte ich, fest entschlossen, locker und souverän zu bleiben – allein schon, weil sie das garantiert maßlos ärgerte.

Ihre Augen funkelten, und ganz bestimmt nicht aus Dankbarkeit. Alexander trat zu uns, legte mir den Arm um die Taille und zog mich fest an sich. Sie zog eine Miene, als wäre ihr plötzlich speiübel – offenbar hatte sie die Botschaft verstanden.

»Hier geht also die Party ab«, erklang eine joviale Stimme. Alexanders Schönwetterfreund Jonathan Thompson gesellte sich zu uns. »Ich hoffe, es macht euch nichts aus, dass ich Pepper mitgebracht habe. Sie wollte mal einen Blick auf euer neues Domizil werfen.«

Ich spürte Belles Unruhe. Jonathan war ein Charmeur erster Güte und sah obendrein besser aus, als ihm guttat, und genau diese Kombination war auch der Grund gewesen, warum Belle sich während unseres zweiten Studienjahres Hals über Kopf in ihn verliebt hatte. Ihre kurze Affäre war in einem Desaster geendet, und es musste eine echte Höllenqual für sie sein, hier neben ihm stehen und sich seinen Small Talk anhören zu müssen. Doch bevor ich ihr beistehen konnte, platzte Philip in die Küche, um nach seiner Verlobten zu sehen. Er blieb wie angewurzelt stehen, als er Pepper und Jonathan erblickte. Sein Adamsapfel bewegte sich deutlich sichtbar auf und ab, bevor er den Neuankömmlingen knapp zunickte, den Arm ausstreckte und Belle an sich zog. Sie warf mir einen entschuldigenden Blick zu, was allerdings völlig unnötig war: Ich verstand Philip nur allzu gut. Alexander konnte ebenfalls extrem eifersüchtig werden, auch wenn ich Philip bislang ausschließlich als spröde und reserviert wahrgenommen hatte. Doch als er Belle nun Richtung Wohnzimmer schaffte, bestand kein Zweifel mehr, dass auch in seinen Adern heißes Blut strömte. Am meisten überraschte mich, dass Belle ihm überhaupt von Jonathan erzählt hatte. Der Mann war keine Eroberung, mit der sie sich brüstete – nicht, nachdem er sein wahres Gesicht gezeigt hatte.

Ich hatte noch nie eine derartige Party geschmissen und stellte erfreut fest, dass ich als Gastgeberin jederzeit eine kleine Auszeit nehmen konnte unter dem Vorwand, Nachschub an Wein holen oder einem Gast die Toilette zeigen zu müssen. Nach etwa einer Stunde wusste ich stets, in welchem Zimmer sich gerade keine Gäste aufhielten. Im Moment war es der kleine Salon, der vorn vom Flur abging, stattdessen tummelten sich die Gäste in der Küche, im Ess- und im Wohnzimmer. Dank der exklusiven Gästeliste und Alexanders Vorliebe für großzügige Räumlichkeiten war mehr als genug Platz für alle, selbst für diejenigen, die wir gar nicht eingeladen hatten.

Als wüsste sie genau, wie zuwider mir ihr Gesicht war, betrat kurz nach mir Pepper das Zimmer. Sie schlenderte betont lässig heran, strich mit dem Finger über die Lehne eines alten Clubsessels und rümpfte die Nase, während sie sich unsichtbare Stäubchen von den Fingern wischte. »Da habt ihr euch ja ein ganz entzückendes Häuschen ausgesucht, Clara.«

Anscheinend lief heute Abend alles unter dem Deckmäntelchen von Anstand und Höflichkeit. Ich bezweifelte, dass es lange so bleiben würde. »Ach, darum hat sich Alexander mehr oder weniger allein gekümmert.«

»Ich hatte den Eindruck gewonnen, ihr würdet hier schon länger zusammenleben.« Sie klang unschuldig, wollte mich aber in Wahrheit auf die Probe stellen. »Zumindest hat Alex das den Medien so verkauft. Ich hatte mich ehrlich gesagt auch gewundert – den ganzen Sommer habe ich euch bei keinem einzigen Event zusammen gesehen.«

»Dafür hast du ja vorher auf dem Land mehr als genug von mir gesehen.«

»Ach, die kleine Showeinlage?« Sie verzog das Gesicht zu einem hinterlistigen kleinen Lächeln, aber ganz konnte sie nicht verbergen, dass sie wütend war. Sie hatte Alexander und mich in einem höchst intimen Moment beobachtet, aber ich hatte den Mund gehalten. Und so wusste Alexander nicht, dass sie Zeugin gewesen war, wie er mich an einer Terrassenbrüstung auf dem Landsitz seines Vaters gevögelt hatte. Mich erfüllte es mit tiefer Befriedigung, dass sie alles hatte mit ansehen müssen. Eine dumme Nuss wie Pepper begriff erst, wenn man sie vor vollendete Tatsachen stellte.

»Wie schade, dass euch niemand dabei fotografiert hat«, zischte sie. »Vielleicht käme Alex ja wieder zu Verstand, wenn ihm jemand zeigen würde, was für eine drittklassige Schlampe du bist.« Ihre Nasenflügel bebten. So hässlich hatte sie noch nie ausgesehen. Von ihrem Gesicht hätte *ich* gern ein Foto gehabt.

»Hast du was gesagt, Pepper?«, erwiderte ich leise.

»Du glaubst, du hättest gewonnen...«, fauchte sie, aber ich schnitt ihr das Wort ab.

»Ich habe gewonnen. Sieh dich ganz in Ruhe um, Schätzchen.« Ich machte eine ausholende Geste. »Er gehört mir. Mit Haut und Haar.«

Pepper zog eine Grimasse, als wäre ihr ein fauliger Gestank in die Nase getreten. »Du weißt doch gar nichts über ihn. Er gehört niemandem. Nur eine Vollidiotin würde glauben, dass sie sein Herz erobern könnte.«

»Vergiss es«, gab ich zurück. »Du läufst sowieso außer Konkurrenz.«

»Dir wird das Lachen schon noch vergehen. Und ich hoffe, ich darf dabei sein, wenn er dir sein wahres Gesicht zeigt.«

»Und du behauptest, du würdest ihn lieben?«

»Ich bin die Einzige, die ihn lieben kann«, zischte sie. »Weil ich die Einzige bin, die ihm vergeben kann.«

»Es gibt nichts zu vergeben.« Ich hatte die Nase gestrichen voll von Peppers Irrsinn. Ich schob mich an ihr vorbei und verließ das Zimmer. Lieber wollte ich tausend Partygäste um mich haben, als mich auch nur eine Sekunde länger in ihrer Gegenwart aufhalten zu müssen.

»Da irrst du dich ganz gewaltig.« Sie hielt einen Moment lang inne, genoss augenscheinlich den Moment, bevor sie zum letzten Schlag ausholte. »Nicht mal eine so erbärmliche Schlampe wie du könnte ihm vergeben.«

Ich versuchte, den Zusammenstoß mit Pepper einfach zu vergessen, aber ihr letzter Pfeil hatte mich doch getroffen. Leider war es meine Party, sodass ich nicht einfach anonym in der Menge verschwinden konnte. Egal wo ich mich hinwandte, sofort wurde ich in ein Gespräch verwickelt. Ich verlor komplett den Überblick über unsere Gäste. Irgendwann nächste Woche musste mir Edward noch einmal ganz genau erklären, wer da gewesen war.

Während ich mich umsah, stellte ich schaudernd fest, dass zu allem Überfluss auch noch meine Eltern und meine Schwester eingetroffen waren. Belle hatte sie vorerst am Kamin festgenagelt, doch selbst sie würde meine Mutter nicht lange in Schach halten können. Ich wechselte noch hier und da ein paar Worte mit anderen Gästen, während ich zu ihnen hinüberging. Ich kam sowieso nicht drum herum. Und meine Mutter hatte leider auch nicht die Absicht, in der Menge unterzutauchen. Das eng anliegende silberne Glitzerkleid, das sie für unsere kleine Party ausgewählt hatte, sprach jedenfalls Bände, und mehr als nur ein paar Leute warfen neugierige Blicke in ihre Richtung. Worüber sie sich sichtlich wie eine Schneekönigin freute.

Ich war fast bei ihnen angekommen, als ein vertrautes und überaus willkommenes Gesicht in der Menge zu mir herüber grinste. Bennett hatte seine braunen Locken nach hinten gekämmt, und seine Krawatte saß ausnahmsweise einmal wie eine Eins. Von der anderen Seite des Raums warf mir Alexander einen Blick zu, und ich winkte ihn zu mir, um ihm endlich meinen Chef offiziell vorstellen zu können.

»Du hast es ja tatsächlich geschafft!«, sagte ich freudestrahlend. Das Haus war voller Leute, die ich kaum kannte, deshalb war ich völlig aus dem Häuschen, jemanden zu sehen, den ich wirklich mochte.

»Die Babysitterin hat mich ein kleines Vermögen gekostet, aber das war's mir wert.« Er beugte sich vor und drückte mich herzlich an sich. Als er mich losließ, ragte Alexander über uns auf und taxierte Bennett mit unbewegter Miene.

Ich straffte die Schultern. Musste er immer den Platzhirsch raushängen lassen, sobald mir ein anderer Mann ein bisschen Aufmerksamkeit schenkte?

»Wir kennen uns noch nicht.« Bennett streckte die Hand aus, und Alexander schüttelte sie, wenn auch immer noch leicht zögerlich. »Clara ist meine Mitarbeiterin.«

»Und Bennett mein Boss«, sagte ich, wobei ich das Wort *Boss* extra betonte. Was Alexander ein wenig zu beruhigen schien, da plötzlich ein einnehmendes Lächeln um seine Lippen spielte.

»Ah, ein Kollege«, sagte Alexander. »Willkommen in unserer bescheidenen Hütte. Clara liebt ihren Job.«

»Das will ich schwer hoffen.« Bennett grinste mich an. »Ohne sie wären wir aufgeschmissen.« Er winkte jemandem in der Menge, und ich warf einen Blick über die Schulter.

Du lieber Himmel! Er hatte Tori mitgebracht.

»Hi, Clara!« Die zierliche Rothaarige vibrierte förmlich vor Energie, während sie den Blick über die umstehenden Gäste schweifen ließ. »Euer Haus ist einfach umwerfend, und...« Die Worte erstarben auf ihren Lippen, als sie Alexander erblickte.

Was mich nicht weiter verblüffte. So wirkte Alexander eben auf andere Menschen, speziell Menschen des anderen Geschlechts. Und in seinem schwarzen Dreiteiler war er einmal mehr eine Augenweide. Der maßgeschneiderte Anzug – die Jacke trug er offen – ließ ahnen, dass er durchtrainiert war, doch nur ich wusste im Detail, welch makelloser Body sich tatsächlich hinter den Knöpfen seiner Weste verbarg.

»Das ist übrigens Tori«, erklärte ich eilig, da nicht klar war, wann sie die Sprache wiederfinden würde, auch wenn ich selbst einen Moment lang aus dem Konzept war. Irritiert sah ich Bennett an. Eigentlich war es nett von ihm, Tori zu unserer Party mitzubringen, doch dann fiel es mir wie Schuppen von den Augen. »Moment mal. Seid ihr beide etwa …«

Mein Boss antwortete, indem er Toris Handrücken an seine Lippen führte, während ihr die zärtliche Geste ein mädchenhaftes Kichern entlockte.

»Noch weiß es niemand«, gestand Bennett.

»Ich schweige wie ein Grab«, versicherte ich ihm.

Tori grinste verlegen, und plötzlich ging mir ein Licht auf. Kein Wunder, dass Bennett sich letzte Woche so seltsam verhalten hatte. Er hatte nicht nur eine neue Freundin – sie arbeitete zudem nur ein paar Meter entfernt von seinem Büro. Was die beiden zusammengebracht hatte, lag auf der Hand. Bennett hatte eine Frau verdient, die vor Leben nur so sprühte, und Tori füllte diese Rolle perfekt aus.

Alexander flüsterte mir ins Ohr: »Du solltest dich vielleicht mal kurz um deine Mutter kümmern.«

Meine Laune rauschte schlagartig in den Keller. Ich zeigte meinen Kollegen, wo die Drinks standen, dann ging ich zu meinen Eltern und zu Lola hinüber. Auf den ersten Blick wirkten Madeline und Harold Bishop wie ein glücklich verheiratetes Paar, doch mir fiel sofort auf, dass sie Abstand voneinander hielten und sich nicht berührten. Wusste meine Mutter von der Affäre meines Vaters? Ich konnte mir nicht vorstellen, dass sie ihm etwas Derartiges durchgehen ließ, andererseits war sie eine Meisterin darin, den Leuten das Bild einer perfekten Ehe zu verkaufen.

»Entschuldige, dass es ein bisschen später geworden ist.« Sie klang unverkennbar angespannt.

Mein Vater umarmte mich. »Ich bin im Büro aufgehalten worden«, erklärte er. »Tolle Party.«

Mit meinem Wissen im Hinterkopf war es mir fast körperlich unangenehm, seine Umarmung zu erwidern, und ich war mir nicht sicher, ob er es mir womöglich anmerkte. Ich schluckte und zwang ein Lächeln auf mein Gesicht. »Ich freue mich riesig, dass ihr da seid.«

»Als ob wir uns das entgehen lassen würden«, sagte Lola. In ihrem schicken schwarzen Etuikleid passte meine kleine Schwester bestens unter die vermögenden Londoner, die sich heute Abend hier versammelt hatten, und sie würde sich ganz bestimmt nicht die Chance entgehen lassen, sich mit den wichtigsten Leuten zu vernetzen. Wir hatten beide kastanienbraunes Haar und sahen uns ziemlich ähnlich, doch Lola war apart und gertenschlank. Sie wirkte mondän und weltgewandt und wäre in vielerlei Hinsicht die bessere Partie für Alexander gewesen. Erwartungen aller Art und öffentliche Aufmerksamkeit hätte sie mit links gemanagt. »Ist das da drüben Edward?«

Ich folgte ihrem Blick und nickte. Edward hielt Hof vor einer größeren Gruppe von Leuten, doch David war nirgendwo zu sehen. Ich nahm mir vor, nach ihm zu schauen, sobald ich mich von meiner Mutter losgeeist hatte.

»Alexander«, gurrte meine Mutter, als der Gastgeber höchstpersönlich neben ihr auftauchte. Die Umarmung, mit der sie ihn beglückte, war eine Spur zu vertraut, doch Alexander verzog keine Miene.

»Schön, Sie wiederzusehen.« Er trat zu mir und legte mir die Hand auf den Rücken, nur wenige Zentimeter über meinem Hinterteil – eine Berührung, die ich gleichzeitig als beruhigend und erregend empfand. Wir waren uns zwar im Lauf des Abends immer mal begegnet, aber meist sofort wieder auseinandergerissen worden. Seine Gegenwart entspannte mich, und ich wünschte, wir würden uns nicht gleich wieder im Gewühl verlieren.

Aber ich musste auch mit meinem Vater reden. Über das, was ich ein paar Tage zuvor auf der Straße beobachtet hatte.

»Können Sie uns einen Augenblick entbehren?«, fragte Alexander, als hätte er meine Gedanken gelesen. »Clara und ich haben etwas Dringendes zu besprechen.«

Meine Mutter öffnete den Mund, besann sich jedoch eines Besseren. Sie hatte bereits mitbekommen, dass es sinnlos war, mit ihm zu diskutieren. Alexander führte mich hinaus in den Garten, wohin sich glücklicherweise noch niemand verirrt hatte. Edward und ich waren übereingekommen, die Verandatüren wegen der herbstlichen Kühle geschlossen zu halten. Und diese Entscheidung gewährte uns einen kostbaren privaten Moment jenseits des Partygetümmels. Wir traten aus dem durch die Fenster fallenden Licht ins Dunkel des Gartens, und schon glitten Alexanders Hände unter meinen Rock und über meinen Strumpfhalter.

»Was haben all die Leute hier zu suchen?«, sagte er mit rauer Stimme. »Ich will mit dir spielen.«

Ja, bitte. Zwar befanden sich die nächsten Gäste nur ein paar Meter von uns entfernt, die Fenster waren alles andere als schalldicht, und viel Zeit blieb uns wahrlich nicht, doch alle Vernunftgründe, warum es jetzt *wirklich nicht* ging, waren wie weggeblasen, als ich seine Lippen auf meinen spürte. Von einem Moment auf den anderen hin und weg, verschmolz ich regelrecht mit ihm. Seine Hände legten sich um meinen Hintern, massierten meine nackten Pobacken. Seit Tagen hatte er mich dort nicht mehr angefasst, und sofort packte mich die Begierde, zog mir wohlig den Schoß zusammen und ließ mich alle Bedenken vergessen. Nur noch ein Gedanke beseelte mich – das Begehren zwischen meinen Schenkeln zu stillen. Ich spürte Alexanders Erektion durch seine Hose, als er sich stürmisch an mich drängte, ließ die Hand nach unten gleiten und schloss die Finger um seinen Ständer.

»So kannst du aber nicht wieder reingehen«, sagte ich leise, während ich seinen Schwanz durch den Stoff liebkoste.

»Und was wollen wir dagegen tun, Süße?«

Ein lasziver Lächeln spielte um meine Lippen. »Ich schulde dir noch was.«

Dass womöglich jede Sekunde jemand nach draußen treten würde, um frische Luft zu schnappen oder eine Zigarette zu rauchen, war mir völlig egal, als ich vor ihm niederkniete. Er hielt mich nicht davon ab, seine Hose zu öffnen und seinen Schwanz zu befreien. Mächtig und schamlos männlich prangte sein Geschlecht unter dem makellosen Waschbrettbauch. Ich spürte, wie mir heiß zwischen den Beinen wurde, als ich mit der Zunge über seine pralle Eichel fuhr. Ein unterdrücktes Stöhnen entrang sich seiner Kehle, als ich die Lippen um seinen starken Schaft schloss. Ich neckte und verwöhnte ihn mit der Zunge, bis er die Hand in meine Haare krallte, meinen Kopf nach hinten zog und ganz in meinen Mund eindrang.

»Ich liebe es, dir dabei zuzusehen, wie du mir einen bläst«, brachte er heiser hervor. »Ich liebe es, dass du deine Gelüste nicht unter Kontrolle hast. Wir haben das Haus voller Gäste, aber dich interessiert nur mein Schwanz in deinem Mund.«

Ich stöhnte leise, während ich weiter seine Erektion bearbeitete. Seine Worte erregten mich ebenso sehr wie der Gedanke, dass er mir jede Sekunde unvermittelt in den Mund spritzen könnte.

»Und nachher werde ich es noch deiner engen Muschi besorgen, Süße. Ist sie schon bereit für mich? Gefällt es ihr, dass du meinen dicken Schwanz lutschst?« Abermals drängte er mit aller Macht zwischen meine Lippen.

Ich nickte, kam ihm entgegen und ließ die Zunge um seine Eichel kreisen, ehe ich ihn wieder ganz in meinem Mund aufnahm. Alexander erwiderte meine Liebkosungen, indem er rhythmisch die Hüften bewegte und ungehemmt meinen Mund zu ficken begann. Das sehnsüchtige Ziehen zwischen meinen Schenkeln wurde fast unerträglich, und dann ergoss er sich in heftigen Schüben in meine Kehle. Ich ließ nicht ab von ihm, genoss es, so viel Macht über ihn zu besitzen, dass er die Kontrolle verlor, wenn auch nur für einen winzigen Moment.

Alexander hielt inne und ließ mein Haar los. Dann half er mir auf die Beine und strich ein paar Grashalme von meinen Strümpfen, bevor er seinen Schwanz wieder in seiner Hose verstaute. Er nahm mich kurz in Augenschein und streckte den Arm aus. »Nach dir.«

»Ganz der Gentleman«, sagte ich trocken.

»So bin ich eben.« Seine gedämpfte Stimme jagte mir einen süßen Schauder über den Rücken. »Davon wirst du dich später gleich noch mal überzeugen können.«

»Noch eine kurze Nummer in der Botanik?«

»Nein, ich brauche ein bisschen mehr Platz. Ein Bett, Kissen...«

»Ist dir der Garten nicht groß genug?«, gab ich zurück.

»Willst du dein Kleid ruinieren?« Seine Finger schlossen sich um den Türknauf. »Ehrlich gesagt, habe ich dich nicht hergebracht, um dich zu verführen.«

»Das habe ich gemerkt«, neckte ich ihn, als wir ins Haus zurückgingen. Dann erblickte ich David, der einsam vor einem der Regale stand und in einem Buch blätterte. Ich küsste Alexander auf die Wange. »Bis später.«

Vorsichtig näherte ich mich David, um ihn nicht zu verschrecken. Wir hatten so viel gemeinsam, kannten uns aber bislang kaum. Und ich hatte durchaus Verständnis für seine Scheu; schließlich war er gezwungen, so zu tun, als wäre er für Edward nichts weiter als ein guter Freund.

»Kennst du das Buch?«, fragte ich.

Er warf einen Blick auf den Umschlag und schüttelte den Kopf. »Leider habe ich seit meinem Abschluss kaum Zeit zum Lesen gefunden.«

»Geht mir genauso«, sagte ich.

»Hast du Edward gesehen?« David sprach so leise, dass ich ihn um ein Haar nicht verstanden hätte.

Ich hatte Edward nicht mehr gesehen, seit ich mit Alexander nach draußen verschwunden war. Ich wusste nur allzu genau, wie es war, wenn man bei einer Party plötzlich allein herumstand. Edward hatte David gebeten, ihn zu begleiten. Vielleicht hatte er ihn sogar angebettelt, und nun hatte er sich verkrümelt. »Wahrscheinlich ist er oben im ersten Stock.« Ich versuchte, so locker wie möglich zu klingen. »Hast du schon unsere Bibliothek gesehen?«

»Nein, aber hättest du Lust, sie mir zu zeigen?« Er schien zu verstehen, dass wir so die Gelegenheit haben würden, den allgemeinen Trubel hinter uns zu lassen und ein paar private Worte zu wechseln.

Ich führte ihn nach oben, zeigte ihm die Zimmer und widmete mich ganz meiner Aufgabe als Gastgeberin. David entspannte sich sichtlich, während wir den Flur hinunterschlenderten.

»Eigentlich hätte ich mir gleich denken können, dass er mal wieder seinen Egotrip durchzieht«, sagte David, als wir vor der Tür zur Bibliothek standen.

»Nicht dass ich sein Benehmen entschuldigen wollte, aber du hast ihm wirklich gefehlt.« Niemand wusste besser als ich, was in Edward vorgegangen war.

»Dann hat er eine äußerst seltsame Art, seine Zuneigung zu zeigen.«

»Das ist bei Alexander nicht viel anders«, versuchte ich ihn zu beschwichtigen.

»Aber Alexander kann die Finger nicht von dir lassen«, gab David zurück.

Ich errötete, während ich hoffte, dass er nicht zu viel mitbekommen hatte. »Ach, ich glaube, er überkompensiert bloß irgendwas.«

»Bestimmt gibt es Schlimmeres.«

Die Finger um den Türknauf gelegt, hielt ich einen Moment lang inne. »Wie gesagt, ich will ihn nicht entschuldigen. Aber Edward will dich doch nur schützen. Alexander tut genau dasselbe mit mir. Und vielleicht verstehen sie ja irgendwann mal, dass ihr Beschützerkomplex einen völlig fertigmachen kann.«

Davids weiße Zähne blitzten, als er trotz allem lachen musste.

Doch dann schüttelte er den Kopf. »Ja, wahrscheinlich hast du recht. Aber das macht es auch nicht einfacher.«

»Absolut nicht«, pflichtete ich ihm bei. Ich öffnete die Tür und machte Licht. »Wir sind noch nicht fertig mit der Einrichtung, aber...«

Der Satz erstarb auf meinen Lippen, als wir uns plötzlich Edward gegenübersahen.

Edward und Lola.

Die sich leidenschaftlich küssten.

16

Edward hob die Hände, als wolle er Lola nicht anfassen, aber trotzdem küssen – daran gab es nichts zu deuteln. Mit offenem Mund starrte ich zuerst die beiden, dann David an. Seine dunklen Augen verengten sich zu Schlitzen, aber er gab keinen Ton von sich, auch nicht als Edward und Lola sich voneinander lösten – wobei der Fairness halber gesagt werden musste, dass Edward sie regelrecht von sich stieß.

»David…«, begann er, doch David war bereits zur Tür hinausgestürzt.

»Was zum Teufel ist denn hier los?«, platzte ich heraus.

Edward wollte etwas sagen, überlegte es sich dann aber anders und stürmte ebenfalls auf den Flur.

Ich hob die Hände. »Was soll das, Lola?« David mochte das Szenario fehlinterpretiert haben, aber ich war mir ziemlich sicher, was hier wirklich gelaufen war.

Lola strich ihr Kleid glatt und musterte mich abweisend. »Edward hat mir die Bibliothek gezeigt.«

»Ich wusste nicht, dass bei der Hausbesichtigung auch Zungenküsse auf dem Programm stehen.« Ich war stocksauer. Das war wirklich nicht nötig gewesen, vor allem nicht, da Edward sich immer noch verzweifelt bemühte, David zurückzugewinnen. »Was hast du dir nur dabei gedacht? Oder hast du deinen Kopf gar nicht erst eingeschaltet?«

»Komm mir bloß nicht so«, fauchte Lola. »Ich bin kein kleines Kind, und ich küsse, wen ich will.«

»Aber du bist nicht zufällig auf die Idee gekommen, dich vorher oder wenigstens währenddessen mal zu fragen, ob *er* das will?«

Lola verzog das Gesicht, als hätte ich ihr eine schallende Ohrfeige verpasst, und ein gequälter Ausdruck huschte über ihr apartes Gesicht. »Ist es so schwer vorstellbar, dass ein Mann wie er auf mich steht? Schon klar, du bist so hin und weg von Alexander, dass du nicht mehr bis drei zählen kannst, aber ...«

»Und dir ist es kein bisschen seltsam vorgekommen, dass er sofort hinter David hergelaufen ist?« Verschwörerisch senkte ich die Stimme. Eigentlich ging es Lola nichts an, aber schließlich war sie meine Schwester und Edwards Geheimnis bei ihr genauso gut aufgehoben wie bei mir. Lola mochte gedankenlos sein, aber grausam war sie ganz bestimmt nicht.

»Ich ...« Die Worte erstarben ihr auf der Zunge, und sie starrte mich mit aufgerissenen Augen an. »Oh.«

»Genau.« Seufzend nahm ich sie in die Arme. »Verstehst du jetzt, warum ich völlig baff war?«

Sie nickte.

»Und verstehst du jetzt auch, warum ich so sauer reagiert habe?«

Sie nickte erneut, hielt dann aber inne. »Ehrlich gesagt, nein.«

»David und Edward haben eine sehr, sehr komplizierte Beziehung«, erklärte ich. »Sie halten sie vor der Öffentlichkeit geheim. Und die beiden machen gerade eine ziemlich schwierige Phase durch.«

»Und ich habe alles nur noch schlimmer gemacht.« Traurig blickte sie mich an. »Nimmst du mir übel, dass ich es bei ihm versucht habe? Ich meine, er sieht gut aus, stammt aus bester Familie und ...«

»Nein, vergiss es«, unterbrach ich sie. »Sei nächstes Mal einfach ein bisschen vorsichtiger.«

»Sagt meine Schwester, die ihren Freund gleich bei der ersten Begegnung geküsst hat und nur ein paar Monate später mit ihm zusammengezogen ist.« Mit einem tiefen Seufzer sah sie zur Tür. »Vielleicht wäre es gut, wenn ich mit den beiden rede.«

»Lass sie das selbst klären«, riet ich. »Aber sei so gut, und fall nicht über noch mehr Gäste her.«

Wir gingen zusammen nach unten und stellten überrascht fest, dass sich ein ganzer Pulk von Gästen an der Haustür zusammendrängte – und schamlos bei dem zusah, was sich draußen abspielte.

Davids Stimme erhob sich schrill über das allgemeine Gemurmel. »Was soll ich denn jetzt glauben? Du wolltest unbedingt, dass ich mitkomme, und dann erwische ich dich beim Knutschen mit einem Mädchen.«

Lola erstarrte. Niemand wusste, von wem David redete, aber das konnte sich gleich ändern.

»Ich habe sie aber nicht geküsst«, widersprach Edward beschwörend und trat einen Schritt auf David zu. »Sie hat *mich* geküsst.« Es schien ihnen völlig egal zu sein, dass ihnen Dutzende von Menschen zusahen, aber vielleicht bekamen sie es auch nicht mit.

Ich bahnte mir einen Weg durch die Menge, doch an der Tür hielt Alexander mich auf. »Misch dich nicht ein.«

»Doch, ich muss...«

Mit einem strengen Blick schnitt er mir das Wort ab. Offenbar nahm er das Ganze nicht allzu ernst, was meine Sorgen aber nicht zu zerstreuen vermochte.

»Wieso bin ich hier, Edward?«, rief David. »Damit du dich besser fühlst? Weil du meinst, irgendeinen Besitzanspruch anmelden zu müssen? Ich habe jedenfalls nicht das Gefühl, aus den richtigen Gründen hier zu sein.«

Hinter mir schwoll das Gemurmel an; offenbar dämmerte den Umstehenden, was hier los war. Eigentlich hätte ich froh sein müssen, dass diese verkorkste Familie nun ein Geheimnis weniger hatte, stattdessen machte sich lediglich ein ungutes Gefühl in meinem Bauch breit.

»Wieso du hier bist? Weil ich dich liebe«, rief Edward aus. »Weil ich für immer mit dir zusammen sein will!«

»Ist ja toll, wie du das zei...« Doch Edward unterbrach ihn mitten im Satz, indem er ihn unvermittelt an sich zog und stürmisch küsste – eine alles andere als dezente Geste und das Geständnis eines Mannes, der sich offenbaren wollte... sich selbst, seinem Geliebten und dem Rest der Welt gegenüber.

Und dann begann zu meiner Überraschung jemand zu klatschen, und sofort fielen auch andere in den Applaus ein. Als sich die beiden voneinander lösten, sahen sie sich völlig perplex um, während alle Umstehenden johlten und sie anfeuerten. Worauf Edward, an Geistesgegenwart wie immer kaum zu schlagen, sich knapp verbeugte und zu einer Zugabe seiner Zuneigungsbekundung ansetzte.

Schließlich kehrten sie Hand in Hand ins Haus zurück, und Alexander legte die Arme um die beiden und drückte sie an sich.

»Das wurde auch dringend Zeit«, verkündete er und zerzauste Edward liebevoll das Haar. David hingegen schien es die Sprache verschlagen zu haben – ob wegen Alexanders ungewöhnlicher Herzlichkeit oder Edwards überschwänglichem Bekenntnis war nicht ganz klar, aber mein Herz hüpfte vor Freude, während ich die Gelegenheit nutzte, die beiden ebenfalls zu beglückwünschen.

»Da ist jemand mit bestem Beispiel vorangegangen.« Grinsend schlug Edward seinem älteren Bruder auf die Schulter und wechselte einen langen Blick mit ihm. Um uns herum traten andere Gäste vor, um David und Edward ebenfalls die Hand zu schütteln und alles Gute zu wünschen. Nur Pepper blieb mit angewiderter Miene im Hintergrund stehen. Warum bloß hatte ich keine Kamera parat?

Ich verdrängte den gehässigen Gedanken, als ich meine Eltern unter den Umstehenden erspähte.

Alexander und Edward hatten nun ein Geheimnis weniger, doch mir selbst brannte immer noch etwas auf der Seele und drohte, mich von innen aufzufressen. Mir hatte vor der Begegnung mit meinem Vater gegraut, aber ich kam nicht drum herum, ich würde mit ihm reden müssen. Ich bahnte mir den Weg zwischen den Gästen hindurch, die nach wie vor den Flur blockierten, und trat zu meinem Vater.

»Kann ich kurz mit dir sprechen? Unter vier Augen?«

Er hob die Augenbrauen, doch ich sparte mir weitere Erklärungen. Während ich ihn in die Küche führte, wappnete ich mich innerlich und versuchte, so ruhig wie möglich zu bleiben.

»Ich habe dich neulich gesehen«, sagte ich.

Mein Vater sah mich verwirrt an. »Wo?«

»In der Innenstadt. Du warst gerade dabei, in ein Taxi zu steigen.« Ich bemühte mich, mir meinen Aufruhr nicht anmerken zu lassen, aber es gelang mir nicht richtig. »Ich habe sie gesehen.«

»Clara, ich verstehe nicht ganz«, erwiderte er, doch ich sah die Wahrheit in seinem Blick. »Wirfst du mir irgendetwas vor?«

Ich schüttelte den Kopf, unfähig, meine Tränen zurückzuhalten. »Weiß Mom davon?«

»Ich verbringe eine Menge Zeit mit Kollegen, und einige davon sind zufällig weiblich.« Mir entging nicht, wie herablassend er plötzlich klang. So von oben herab hatte er nicht mal mit mir gesprochen, als ich noch ein Kind gewesen war.

»Und diese Kolleginnen küsst du auch alle?«

»Schluss jetzt!«, unterbrach uns meine Mutter, die plötzlich im Türrahmen stand. Sie trat zu uns und ergriff die Hand meines Vaters. »Das geht dich nichts an, Clara!«

»Aber dich.« Ich gab mir keine Mühe, meine Enttäuschung zu verbergen. Offenbar wusste sie Bescheid – aber wie konnte sie sich damit arrangieren? Wie lange lebte meine Mutter, die so verletzlich war, schon mit dem Wissen, dass mein Vater fremdging?

»Ich habe es nicht nötig, mich von meiner Tochter wie ein unmündiges Kind behandeln zu lassen«, fuhr sie mich an.

»Jetzt reicht es aber, Mom. Ich behandle dich wie eine Erwachsene«, konterte ich. »Und es wird höchst Zeit, dass wir uns endlich wie Erwachsene benehmen.«

»Ich verbitte mir diesen Ton!«

»Clara«, ergriff mein Vater das Wort. »Es handelt sich um ein Missverständnis.«

»Es mag vielleicht nicht ihre Angelegenheit sein, Harold, aber ich werde auch nicht zulassen, dass du sie schamlos belügst. Ich weiß seit Monaten, was du hinter meinem Rücken treibst. Und jetzt tischst du auch noch Clara deine Lügen auf. Hast du überhaupt keinen Respekt vor deiner Familie?«, herrschte meine Mutter ihn an.

»Ich... ich...«, stammelte er.

»Wir sind hier auf einer Party«, zischte meine Mutter, während sie sich wieder mir zuwandte. »Wie kannst du es wagen, eine Privatangelegenheit in einem solchen Rahmen zu besprechen? Erst zeigst du uns monatelang die kalte Schulter und dann...«

»Ich bin doch auf deiner Seite«, unterbrach ich sie.

»Ach ja?«, gab sie zurück. »Seit wann?«

Ich schluckte, enttäuscht und verletzt wie selten zuvor. Wie konnte sie nur glauben, ich stünde nicht zu ihr? Und wie brachte sie es fertig, sich mit einem Leben als betrogene Ehefrau abzufinden?

»So wenig, wie du dich bislang damit beschäftigt hat, ist es wirklich kein Wunder, dass du von den Herausforderungen einer Ehe keine Ahnung hast«, fauchte sie. Ihr schroffer Ton ging mir durch Mark und Bein.

Lola betrat die Küche und berührte meine Mutter am Arm. »Ich denke, wir sollten gehen.«

»Ja, das halte ich für eine ganz hervorragende Idee.« Ich verschränkte die Arme vor der Brust, als könnte ich so verhindern, dass mir die Worte meiner Mutter zu Herzen gingen.

Meine Mutter ließ sich von Lola hinausführen.

»Ich rufe dich an«, rief Lola über die Schulter.

Ich nickte, obwohl es mir egal war. Nach dem heutigen Abend würde ich mich hier verbarrikadieren und die Welt erst mal eine Zeit lang ausschließen. Ich hielt den ganzen Wahnsinn nicht mehr aus.

Mein Vater trat unruhig von einem Fuß auf den anderen.

»Clara...«

Ich hob die Hand. Ich wollte nichts mehr hören. Mein Leben lang hatte ich zu meinem Vater aufgeschaut, damit war nun Schluss. Ich würde nicht so tun, als hätte ich nichts gesehen. Respekt musste immer wieder neu verdient werden. Es war an der Zeit, dass ihm das jemand zeigte. Resigniert ließ er die Schultern hängen und ging ebenfalls. Während ich meiner Familie hinterhersah, fragte ich mich einen Augenblick, warum Menschen so gut wie immer lieber an einer Lüge festhielten, statt sich mit der Wahrheit zu konfrontieren.

Lügen wurden gemeinhin aus Not erzählt. Um sich selbst oder andere zu schützen. Um Trost zu spenden. Meistens waren Lügen schlicht die einfachere Lösung.

17

Unsere Party neigte sich zwar schon dem Ende zu, doch ich konnte keine Sekunde länger so tun, als wäre alles in bester Ordnung. Erst Peppers unverhohlene Drohung, dann die Beinahe-Implosion meiner Familie – ich brauchte ein paar Minuten für mich selbst. Im ersten Stock war es still. Hier würde ich ein wenig Ruhe vor der Menge finden, die unten immer noch feierte. Ich ging in unser Schlafzimmer, zog meine High Heels aus und ließ mich gegen die Wand sinken. Endlich war ich ungestört, und trotz allem freute ich mich nach all dem Chaos auf zwei Dinge: dass bald alle Gäste verschwunden sein würden und ich Alexander wieder ganz für mich allein hatte. Mein Körper sehnte sich nach seinen Händen. In seiner Umarmung fand ich immer Halt und Trost, egal wie schwierig es in letzter Zeit zwischen uns gewesen sein mochte.

Ich fuhr zusammen, als die Tür zum angrenzenden Badezimmer knarrte. Vielleicht war ich ja gar nicht allein.

»Ist da jemand?«, rief ich leise. Aber niemand antwortete, und ich kam mir komplett albern vor.

Ich ließ mich aufs Bett sinken und löste mein Haar. In ein paar Minuten sollte ich zwar wieder nach unten gehen, aber ich musste nicht mehr perfekt zurechtgemacht sein. Die paar verbliebenen Gäste würden keinen Unterschied bemerken. Im selben Moment spürte ich eine fremde Hand an meiner Schulter – ein eiskalter Schauder lief mir über den Rücken, und ich erstarrte.

Im Haus befand sich noch ein gutes Dutzend Gäste… Leute, die ich kannte, denen ich vertraute – und einige, denen ich nicht vertraute –, doch diese Berührung war mir so verhasst wie die Angst, die mich lähmte.

»Hallo, Clara. Nette Party«, drang Daniels Stimme an mein Ohr, so dunkel wie das Zimmer um mich herum.

Ohne zu überlegen, sprang ich aus dem Bett, rannte zur Tür und riss sie auf. Doch Daniel war schneller, schlug die Tür zu und schloss blitzschnell ab. Ich blieb abrupt stehen. Das Herz schlug mir bis zum Hals, doch ich zwang mich mit aller Macht, Ruhe zu bewahren.

»Du bist nicht eingeladen«, stieß ich eisig hervor. Ich wagte es nicht, mich von der Stelle zu bewegen. Daniel hatte mir zwar nie körperliche Gewalt angetan, aber er war auch noch nie bei mir eingebrochen.

»Tja, da hast du leider recht.« Er trat auf mich zu, und ich wich zurück. »Du hast mich wohl versehentlich vergessen.«

Ich straffte die Schultern. »Von wegen. Du bist hier unerwünscht.«

»Das ist aber nicht sehr freundlich. Ist dir etwa entfallen, wie nahe wir uns waren?« Zu meinem Entsetzen stellte ich fest, dass er mich an die Wand gedrängt und mir den Weg abgeschnitten hatte.

»Du musst gehen, bevor hier ein Unglück passiert.« Aber ich wusste, dass meine Warnung auf taube Ohren stoßen würde. Prompt lachte Daniel spöttisch auf. »Was hast du hier zu suchen?«, fragte ich.

»Vielleicht will ich dir ja meine Glückwünsche aussprechen.« Er hob die Hand und ließ einen Finger über meinen Hals gleiten, wie um die Falschheit seiner Worte zu unterstreichen.

All meine Muskeln spannten sich an, während nackter Ekel Besitz von mir ergriff. Seit fast einem Jahr hatte mich außer Alexander niemand mehr derart intim berührt, und mein Körper rebellierte sofort gegen den ungebetenen Übergriff.

»Fass mich nicht an!«

Daniels Finger schlossen sich so brutal um meine Kehle, dass ich keine Luft mehr bekam. »Sagst du das auch zu ihm?« Er spuckte mir die Worte regelrecht ins Gesicht.

Ich versuchte, mich aus seinem Griff zu winden, doch er drückte nur noch fester zu. »Eben nicht, stimmt's? Ich habe nämlich seine Briefe an dich gelesen. Da war ich schon ein bisschen überrascht, muss ich sagen. Für mich warst du nie eine Hure, Clara. Aber jetzt ist mir klar geworden, was für eine verdammte Schlampe du bist!«

Welche Briefe? Aber dann dämmerte es mir, fügte sich alles mit entsetzlicher Klarheit zusammen. Die Briefe, die aus meinem Schreibtisch verschwunden waren. Der Anrufer, der Bennett nach mir gefragt hatte. Alle Fäden liefen bei dem Mann zusammen, in dessen Würgegriff ich mich gerade befand. Todesangst stieg in mir auf, während ich verzweifelt nach Luft rang. Daniels Augen verengten sich zu Schlitzen, doch dann lockerte er überraschend den Griff um meinen Hals.

»Lass mich los«, stieß ich mühsam hervor. Ich versuchte, ihn zu fassen zu bekommen, aber er hielt mich zu weit auf Abstand. In meiner Verzweiflung trat ich nach ihm, erwischte ihn auch am Oberschenkel, richtete damit aber nichts aus. Tränen stiegen mir in die Augen. Hätte ich doch bloß meine Schuhe angelassen. Hätte ich nur auf Alexanders Vorschlag gehört, pro Etage einen Sicherheitsposten abzustellen.

»Mach dich nicht lächerlich. Ich bestimme, wann du gehen kannst«, knurrte er, und seine Hand schloss sich wieder fester um meinen Hals. »Noch ein paar Sekunden, und dir wird schwarz vor Augen, Clara. Ich bin nicht hier, um dir wehzutun. Ich will dir nur ein paar Fragen stellen. Okay?«

Ich gab meinen Widerstand auf.

»Braves Mädchen.« Er lockerte seinen Griff wieder, ohne jedoch von mir abzulassen. »Ich hatte eigentlich erwartet, dass wir uns wiedersehen ... dass du zur Vernunft kommst, aber anscheinend beschäftigen dich andere Dinge.«

Wie lange würde es noch dauern, bis endlich jemand merkte, wie lange ich schon fort war? Bald würden sich auch die letzten Gäste auf den Weg machen. Aber Belle würde ganz bestimmt nicht aufbrechen, ohne sich von mir zu verabschieden. Wo steckte sie? Wo war Alexander? Ich wagte es nicht, um Hilfe zu rufen. Nicht, nachdem Daniel mir unmissverständlich gezeigt hatte, wie weit er gehen würde.

»Fickst du mit ihm?« In Daniels Stimme schwang eine Kälte mit, die mir einen Schauder über den Rücken jagte. Im Licht des Mondes wirkten seine Augen wie schwarze Scheiben, in denen sich ein abgrundtiefer Hass zu spiegeln schien.

Darauf konnte ich unmöglich antworten. Er hatte mich einmal beschuldigt, ihn in Oxford betrogen zu haben, und ich zweifelte nicht daran, dass er glaubte, ich würde immer noch ihm gehören.

»Fickst du mit ihm?«, herrschte er mich an.

Ich schüttelte den Kopf, wohl wissend, dass mich die Wahrheit ganz bestimmt nicht weiterbringen würde.

»Du verdammte Lügnerin!« Er verpasste mir eine schallende Ohrfeige. Einen Augenblick lang sah ich Sterne und wollte laut aufschreien, doch er erstickte meinen Schrei, indem er die Finger wieder wie einen Schraubstock um meine Kehle schloss.

Draußen hörte ich Schritte und schrie abermals, auch wenn kaum mehr als ein Quieken dabei herauskam. Erleichtert registrierte ich, wie jemand zur Tür gerannt kam, am Türknauf rüttelte und dann mit der Faust gegen die Tür schlug. »Clara?«, hörte ich Belles gellende Stimme.

Ich nutzte meine Chance, versuchte, mich loszureißen, und endlich gelang es mir, aus vollem Hals um Hilfe zu rufen, ehe Daniel mich zu Boden schleuderte.

»Clara!« Jeder im Haus musste meinen Schrei gehört haben. Doch während Daniel mich umdrehte und sich an mich presste, wusste ich, dass es zu spät war. Er drängte sich zwischen meine Beine, während er erneut die Hände um meinen Hals legte. Ich schlug auf ihn ein, versuchte, seine Nieren zu treffen, wie ich es bei einem Selbstverteidigungskurs gelernt hatte, aber er war zu stark. Viel stärker als zu den Zeiten unserer Beziehung, und plötzlich ging mir siedend heiß auf, dass er trainiert haben musste – für genau diese Gelegenheit.

»Hast du ihm alles erzählt?«, stieß er hervor, während er mich würgte. »Von uns? Von unserem Baby?«

Krampfhaft nach Atem ringend, schüttelte ich den Kopf. Es gab kein Baby. Daniel wusste das. Er musste mir eine Chance geben – eine Chance, alles zu erklären. Doch es gelang mir nicht mehr, auch nur einen klaren Gedanken zu fassen, weil er mir die Kehle zudrückte.

Was wollte ich ihm erklären?

Wieso lag ich auf dem Rücken?

Das ohnehin dunkle Zimmer wurde noch dunkler, und vor meinen Augen begann alles zu verschwimmen. Irgendwo in der Ferne hörte ich eine Trommel. Nein, das war kein Instrument – dazu waren die Schläge zu wuchtig. Was ich hörte, klang wie das Tosen eines Orkans, eine Kakophonie aus dumpfen Schlägen und lauten Schreien.

Eine Gestalt erschien hinter Daniel und riss ihn von mir. Endlich bekam ich wieder Luft, keuchte und hustete, während ich mir instinktiv an meine geschundene Kehle griff. Jemand half mir vorsichtig, mich aufzusetzen. Ich starrte in Belles besorgtes Gesicht und schlang die Arme um sie, klammerte mich an ihr fest, während mir Tränen der Angst und der Erleichterung über die Wangen strömten.

»Schsch«, versuchte sie, mich zu beruhigen, doch im selben Augenblick sah ich, wenn auch immer noch ein wenig schemenhaft, wie Alexander und Daniel gegen den Wandschrank krachten.

Mit jedem neuen Atemzug nahm ich meine Umgebung deutlicher wahr, bis ich schließlich genau erkennen konnte, was sich nur ein paar Armlängen von mir entfernt abspielte: Alexander schmetterte Daniel die Faust auf die Nase. Blut spritzte, doch statt nun von ihm abzulassen, setzte Alexander sofort mit einem knallharten Kinnhaken nach.

»Halt Alexander auf«, flehte ich Belle an. »Er wird ihn umbringen. Norris. Hol Norris.«

»Philip sucht schon nach ihm. Er hat deine Eltern nach Hause gefahren.« Sie klang hysterisch, und mir wurde schlagartig klar, dass dieser Albtraum noch lange nicht vorbei war.

Ich riss mich los, rappelte mich auf und versuchte, mich zwischen die beiden Männer zu drängen, doch Alexander stieß mich aus dem Weg. Wodurch er für einen Sekundenbruchteil abgelenkt war – und Daniel ihm die Faust in die linke Niere rammte.

»Aufhören!«, kreischte ich, während sie sich erneut aufeinander stürzten und gefährlich nah am Fenster miteinander rangen. »Aufhören!« Ich schrie so laut, dass es mir in der Kehle wehtat, aber sie schenkten mir keinerlei Beachtung.

Im selben Moment stürmte Norris wie auf Stichwort in den Raum, packte Daniels Arm und drehte ihn nach hinten, bis ein markerschütterndes Knacken ertönte. Daniel strauchelte, und Norris nutzte die Gelegenheit und rang ihn kurzerhand zu Boden. Alexander stand daneben, immer noch wachsam; jede Faser seines Körpers atmete blanke, infernalische Wut. Daniel war zwar kampfunfähig und konnte nichts mehr ausrichten, aber ob Alexander ihn ziehen lassen würde, stand noch nicht fest. Mir war speiübel, als ich zu Alexander taumelte, die Arme um ihn schlang und mich an seinen Rücken schmiegte. Ich musste ihn irgendwie besänftigen. Er entspannte sich ein wenig, trotzdem spürte ich genau, dass er auf dem Sprung blieb, falls Daniel auch nur einen Finger rührte.

Philip spähte herein. »Die Polizei ist unterwegs«, verkündete er, zog es aber vor, nicht über die Schwelle zu treten.

»Los, raus mit der Sprache«, zischte Alexander. »Wer bist du?«

Daniel gab ein hohles Lachen von sich, doch dann musste er

husten und spuckte Blut. Norris drückte seinen Kopf zur Seite, damit er nicht erstickte.

»Das ist Daniel«, sagte Belle leise.

Alexander erstarrte in meiner Umarmung. »Dass du in mein Haus eingedrungen bist, wäre Grund genug für mich, dich zu zertreten.« Er klang so eisig, dass sich mir die Nackenhaare aufstellten. »Aber dass du meine Freundin angefasst hast, ist dein sicherer Tod.«

»X!« Ich schlang die Arme fester um ihn. »Nein!«

Aber Alexander war nicht zu beruhigen. »Er hat dich überfallen. Er hat es gewagt, unser Haus zu entweihen.«

»Und dafür wird er bezahlen. Ich werde dafür sorgen, dass er vor Gericht kommt.« Meine Worte waren jetzt an Daniel gerichtet. Er musste begreifen, dass ich nicht mehr das Mädchen war, das er erniedrigt und herumkommandiert hatte. Es hatte sich einiges geändert. Ich hatte mich geändert.

»Er hat es nicht verdient, dieses Haus auf zwei Beinen zu verlassen«, zischte Alexander.

Norris wandte den Kopf, sah seinen Boss an und schüttelte den Kopf. »Ich habe alles unter Kontrolle. Am besten bringen Sie Clara erst mal weg.«

Ich zerrte an Alexanders Arm, doch er rührte sich nicht.

Daniel schaute sich einen Moment lang um wie ein gehetztes Tier, doch dann hob er den Blick und starrte Alexander hasserfüllt an.

»Hat sie es dir gebeichtet?«, röchelte er. »Dass sie keine Jungfrau mehr war, als ihr euch kennengelernt habt? Dafür habe ich gesorgt.«

»Halt's Maul«, gab Alexander zurück. »Dein Geschwätz interessiert mich nicht.«

»Dabei hätte ich eine Menge interessanter Dinge zu erzählen«, fuhr Daniel fort. »Zum Beispiel, was ich so alles mit ihr getrieben habe. Wie sie darum gebettelt hat. Hat sie dir von unserem Baby erzählt?«

»Schaffen Sie den Kerl hier raus«, sagte Alexander zu Norris, der sofort vortrat und Daniel auf die Beine zerrte.

Doch Daniel war noch nicht fertig. »Erzähl ihm, wie du unser Baby umgebracht hast, Clara. Es war nicht gut genug für sie. Ich durfte die Kleine nicht mal sehen, nachdem sie es getan hatte.«

Alle anderen schwiegen, während er weiterschwadronierte, und mit jeder Sekunde klang er noch irrer.

Norris zerrte ihn zur Tür und stieß ihn über die Schwelle. Alexander wollte ihnen folgen, aber ich hielt ihn fest.

Er hob die Hand. »Ich muss mich um dieses Problem kümmern. Belle bleibt so lange bei dir.« Sanft strich er mir über die Wange. Ein Muskel an seinem Kinn zuckte, als er mich ansah.

Dann war er fort.

»Geh mit«, flehte ich Philip an. »Pass auf, dass er ... dass er nichts tut, was er hinterher bereut.«

Philip nickte und trat auf den Flur. Da er sich zuvor völlig passiv verhalten hatte, war ich nicht sicher, ob er in der Lage oder überhaupt willens war, im Notfall einzuschreiten, falls Norris einknickte und sich Alexanders Rachegelüsten unterwarf. Ich hatte keine Ahnung, wozu Alexander fähig war, aber offensichtlich hatte er es ernst gemeint, als er Daniel mit dem Tod bedroht hatte.

Ich sah zu Belle hinüber, überlegte, ihnen zu folgen, doch im selben Moment gaben meine Beine unter mir nach, und ich sackte zu Boden. Sie war sofort bei mir und nahm mich in die Arme. Ich hatte keine Tränen mehr und fühlte mich wie gelähmt, genau wie an jenem Tag auf der Portobello Road. Scharf sog ich den Atem ein, als die Erinnerung zurückkam. An jenem Tag hatte ich Daniel auf der Straße gesehen.

Belle sah mich forschend an. »Clara, was ist denn? Stimmt irgendwas nicht?«

»Er wusste, wo ich wohne«, platzte ich unvermittelt heraus. Ich hörte selbst, wie hysterisch ich klang. Aber das war mir egal. Ich brauchte einfach nur jemanden, der mir zuhörte. »Er ist mir gefolgt. Er ist verrückt.«

»Das kann man wohl sagen.« Belle legte mir eine Hand auf die Stirn, als wolle sie fühlen, ob ich Fieber hatte.

»Ich habe ihn gesehen«, gestand ich leise. »An dem Tag, an dem ich mich wieder mit Alexander versöhnt hatte. Ich habe ihn gesehen, aber ich dachte, ich hätte es mir nur eingebildet.«

»Und du hast Alexander nichts davon erzählt?«, fragte Belle.

»Einen Moment lang hat es mich aus der Bahn geworfen, aber ich habe dem Vorfall weiter keine Bedeutung beigemessen.« Ich verstummte, als ich Belles Gesichtsausdruck sah; ihr schlechtes Gewissen zeichnete sich auf ihrer Miene ab.

»Ich habe ihn auch gesehen. Vor ein paar Wochen bei uns in der Gegend. Ich hätte ahnen müssen, dass er irgendwas vorhat.«

»Nein«, entgegnete ich. »Daniel war schon immer ein Arschloch, aber dass er den Verstand verloren hat, konnte niemand ahnen.«

»Niemand?«, hakte Belle nach.

Ich schüttelte den Kopf, hielt dann aber inne. »Er hat ein paarmal angerufen, nachdem ich Schluss gemacht hatte. Aber ich habe immer sofort aufgelegt.«

»Er war auch im Krankenhaus«, beichtete sie leise. »Ich habe ihn weggeschickt.«

Ich schlug mir die Hand vor den Mund und schloss die Augen. Damals war ich wegen Unterernährung ins Krankenhaus eingeliefert worden, hatte aber geglaubt, es wäre etwas viel Schlimmeres. Daniels obsessives Verhalten hatte mich geradewegs in eine Essstörung hineingetrieben. Ich hatte versucht, alles rings um mich zu kontrollieren. »Oh Gott«, ein Schluchzen drang aus meiner Kehle, »er glaubt, ich wäre schwanger gewesen.«

»Es spielt keine Rolle, was er glaubt«, sagte Belle bestimmt. »Du warst nicht schwanger, und Daniel spinnt ganz einfach.«

»Ich ... ich ...« Inständig blickte ich Belle an. Würde sie verstehen? Was würde sie von mir denken?

»Clara, du warst nicht schwanger.« Doch diesmal klang der Anflug eines Fragezeichens in ihrer Stimme mit.

»Ich weiß es nicht«, flüsterte ich.

»Wie kannst du das nicht wissen?« Belle starrte mich an, als wäre mir urplötzlich ein zweiter Kopf gewachsen. Nein, schlimmer. Sie starrte mich an, als hätte sie mich nie zuvor gesehen.

»Sie haben Tests gemacht.« Die Wahrheit brach aus mir heraus. Mir war nicht bewusst gewesen, was ich alles verdrängt hatte. »Als der Arzt kam, meinte er, dass ich sehr krank sei und sie mich überwachen müssten, während ich am Tropf hing. Und als ... ich ihn fragte, ob sie auch einen Schwangerschaftstest gemacht hätten, da ... zögerte er.«

»Das bedeutet überhaupt nichts«, erwiderte Belle, doch ihr Blick sagte etwas anderes.

»Also fragte ich, ob ich ein Baby erwarten würde, und er sagte Nein. Weitere Fragen habe ich nicht gestellt, ich wollte je sowieso kein Baby. Aber... Vielleicht hat Daniel ja etwas herausgefunden. Etwas, wovon ich nichts wusste. Und dann ist er durchgedreht.«

»Du machst dich bloß verrückt, wenn du weiter herumrätselst, warum Daniel diese Nummer abgezogen hat«, gab Belle zurück. »Es gibt dafür keine rationale Erklärung.«

»Und wenn doch?« Verstand sie denn nicht, was das bedeutete? Wenn Daniel womöglich etwas herausgefunden hatte, das ich mir selbst nicht eingestehen wollte, würde auch Alexander davon erfahren – weil er garantiert Nachforschungen anstellen würde. »Was, wenn ich doch schwanger gewesen war und Alexander es herauskriegte? Er müsste doch glauben, ich hätte gelogen.«

»Dann sag ihm die Wahrheit.« Belle zögerte einen Moment, ehe sie mir aufmunternd die Hand drückte. »Clara, du musst es selbst herausfinden. Du kannst nicht den Rest deines Lebens in Unklarheit verbringen.«

Sie hatte recht. Ich musste Klarheit haben. Bei dem Gedanken, die Geister der Vergangenheit heraufzubeschwören, wurde mir flau im Magen. Würde es irgendetwas ändern, wenn Daniel die Wahrheit gesagt hatte? Würden sich Alexanders Gefühle mir gegenüber ändern? Würde ich mich verändern?

»Geister erschrecken nur Menschen, die Angst im Dunkeln haben«, sagte Belle leise.

Wir zuckten beide zusammen, als sich jemand hinter uns räusperte. Aber es war nur Philip, der in der Tür stand. »Clara sollte sich lieber erst mal ausruhen«, sagte er.

»Ich kann sie jetzt nicht allein lassen.« Belles schroffer Tonfall überraschte mich. Die angespannte Stimmung zwischen ihnen hatte ich mir also offenbar doch nicht nur eingebildet.

»Alexander kommt gleich. Die Polizei hat Daniel in Gewahrsam genommen, und Norris wird wohl bis morgen früh Posten vor der Haustür beziehen.« Was mich beruhigen sollte, klang aus Philips Mund, als würde er das Ganze überhaupt nicht ernst nehmen.

Ich rang mir ein Lächeln ab, um nicht auch noch zu der allgemeinen Anspannung beizutragen. »Ich bin so weit okay.«

»Sicher?« Anscheinend glaubte mir Belle kein Wort.

»Sie ist bald wieder auf dem Damm.« Alexander kam herein, reichte Belle die Hand und half zuerst ihr auf die Füße, dann mir. »Ein heißes Bad kann Wunder wirken. Und Norris besorgt dir gleich etwas, damit du schlafen kannst.«

»Ich will aber nicht schlafen.« Ich klang wie ein widerspenstiges Kind, doch nun verstand ich, warum Kinder nie ins Bett wollen. Weil sie wissen, dass die Albträume auf einen lauern, sobald man die Augen schließt.

»Du bist in Sicherheit, Süße«, flüsterte er und hauchte mir einen Kuss auf die Stirn, der meine Ängste auf der Stelle zu vertreiben schien.

Philip trat nervös von einem Fuß auf den anderen und hielt Belle den Arm hin.

An der Tür blieb Belle noch einmal stehen. »Ruf mich morgen an.«

»Versprochen.« Und diesmal würde ich mein Versprechen auch halten. An ihrer Stelle wäre es mir wohl genauso schwergefallen zu gehen. Nach diesem Abend war ich mehr denn je davon überzeugt, dass Philip nicht der richtige Mann für sie war. Und umgekehrt traute sie Alexander nicht über den Weg – kein Wunder nach allem, was wir beide mit Männern durchgemacht hatten.

Alexander begleitete sie nicht nach unten, sondern nahm mich in die Arme und flüsterte beruhigend auf mich ein. Aus dem Flur drang Norris' Stimme zu uns herauf, der Belle und Philip zur Tür brachte – gut zu wissen, dass er da war.

»Norris hat das ganze Haus überprüft«, sagte Alexander. »Nirgendwo ist etwas aufgebrochen worden.«

»Also ist er geradewegs durch die Haustür gekommen.« Plötzlich bekam ich wieder eine Gänsehaut. »Siehst du, genau deswegen hasse ich Partys.«

Doch keiner von uns lachte über meinen lahmen Witz. Zuvor waren bereits Hacker und Paparazzi in unsere Privatsphäre eingedrungen, aber all das ließ sich nicht vergleichen mit dem, was heute Abend vorgefallen war. Es erschütterte mich bis ins Mark, wollte mich nicht loslassen, vergiftete mein Dasein. Immer wieder fragte ich mich, wie weit Daniel gegangen wäre, und redete mir ein, ich wüsste es nicht. Es war einfacher, diese Lüge zu schlucken, als der Wahrheit ins Auge zu sehen.

Alexander trug mich ins Bad, stellte mich behutsam auf die Füße und vergewisserte sich, dass ich stehen konnte. Wenige Minuten später war die Wanne halb mit Wasser und Schaum gefüllt. Er trat hinter mich, strich mir das Haar über die Schulter und öffnete ganz langsam den Reißverschluss und küsste mich in den Nacken, während er mir das Kleid vom Körper streifte. Er hakte meinen BH auf und fuhr mit den Händen über meine Brüste, als er ihn mir abnahm. Zu guter Letzt löste er die Clips meines Strumpfhalters und rollte meine Strümpfe herunter, bis ich splitternackt vor ihm stand. Plötzlich fühlte ich mich wieder schutzlos und verwundbar, und ich schmiegte mich eng an ihn, fummelte an seinen Knöpfen. Ich wollte nicht allein sein, keine Sekunde lang. Er leistete keinen Widerstand.

Wir sahen uns an, unverhüllt und verletzlich. Alexander führte meine Hand an seine Lippen und küsste eine Fingerspitze nach der anderen, ehe er mir bedeutete, in die Wanne zu steigen.

Ich ließ mich in das warme Wasser sinken, und er folgte mir. Es war eine wahre Wohltat, meinen Rücken an seine breite Brust zu lehnen, und sofort begann ich mich zu entspannen. Ich schloss die Augen, während er mir Arme und Rücken einseifte, gleichsam alle schlimmen Erinnerungen abwusch. Eine ganze Weile sprach keiner von uns ein Wort, fanden wir Trost in der sanften Stille unserer Zweisamkeit.

»Clara.« Mein Name war wie ein Gebet auf seinen Lippen. »Es tut mir leid.«

Plötzlich hatte ich einen Kloß im Hals, und ich schluckte gegen die aufsteigenden Tränen an. »Warum? Du hast doch nichts falsch gemacht.«

»Ich konnte dich nicht beschützen«, presste er mit erstickter Stimme hervor.

»Aber du hast mich beschützt, X. Ich bin doch hier.«

»Als ich dich gefunden habe ...« Seine Stimme drückte alles aus, was er nicht über die Lippen bringen konnte.

Diesmal wusste auch ich nicht, was ich sagen sollte. Wie musste es für ihn ausgesehen haben?

»Was er ... über das Baby gesagt hat ...«, fuhr Alexander fort. »Er ging davon aus, du hättest mir etwas verschwiegen. Warum?«

Irgendwo tief in meinem Innern fand ich noch ein wenig Kraft, um auf seine Frage antworten zu können. »Ich habe dir von dem Krankenhausaufenthalt erzählt, aber nicht alles. Wenn du so willst, war ich unehrlich – dir genauso wie mir selbst gegenüber.«

Ich rechnete damit, dass er sich mir entziehen, ich zumindest seine Anspannung spüren würde. Doch stattdessen zog er mich eng an sich, spendete mir das letzte bisschen Kraft, das ich noch brauchte.

»Ich weiß nicht, ob ich schwanger war«, sagte ich zögernd, während ich mit meinen Gefühlen kämpfte. »Der Arzt sagte, ich würde kein Baby erwarten.«

»Dann warst du also nicht schwanger.« Die Erleichterung in seiner Stimme machte mir schwer zu schaffen.

»Ich weiß es nicht genau.« Belle hatte recht. Ich musste nicht nur Alexander gegenüber rückhaltlos ehrlich sein, sondern auch selbst der Wahrheit ins Auge sehen. »Offenbar nicht, aber als ich nachgefragt habe, ob ich schwanger *gewesen sei*, hat er nicht geantwortet, und ich habe es dabei belassen. Ich hatte Angst. Ich wollte die Wahrheit nicht erfahren.«

»Und wenn du schwanger gewesen wärst?«, fragte er. »Hätte das etwas für dich geändert?«

Es war eine ganz einfache, aber heikle Frage. »Würde es denn für dich etwas ändern?«

Er antwortete nicht, und mir rutschte das Herz in die Hose.

»Es gibt kein Baby.« Das war die beste – und einzige – Antwort, die ich hatte. Was-wäre-wenn-Fragen hatten mich schon immer verrückt gemacht, und ich wollte mich nicht darauf einlassen. »Und Vergangenheit ist Vergangenheit.«

»Du willst es nicht wissen?«

»Nein«, sagte ich mit fester Stimme. »Und ich will auch nicht, dass du Nachforschungen anstellst. Daniel ist Vergangenheit genauso wie alles, was mit ihm zusammenhängt. Und ich möchte auch, dass das so bleibt.«

»Das kann ich respektieren.«

Konnte er es wirklich? »Wie würdest du über mich denken, wenn ich einmal schwanger gewesen wäre?«

»Ich bin der Letzte, der sich ein Urteil über dich erlauben kann«, sagte er sanft.

»Darum geht es nicht. Wie würdest du dich fühlen?« Ich konnte nicht genau sagen, warum mir das so wichtig war. Vielleicht, weil ich etwas Konkretes brauchte, nachdem ich so lange im Netz der Unwissenheit gefangen gewesen war.

»Es würde mir zu schaffen machen, aber nicht aus den Gründen, die du dir vorstellst«, antwortete er.

»Sondern?«

»Hättest du ein Baby verloren, würde ich mir Sorgen machen, dass du es bereust. Dass du dir eines Tages ein Kind wünschen könntest, ich dir den Wunsch aber nicht erfüllen kann.«

»Oh.« Das war mir neu. Ich hatte nie konkret über Kinder nachgedacht. Noch nicht. Trotzdem konnte ich nicht leugnen, dass ich die Vorstellung eines Lebens ohne Kinder ziemlich trist fand. »Ich wusste nicht, dass du keine Kinder zeugen kannst…«

»Das kann ich sehr wohl, aber ich will es nicht.«

Seine Enthüllung hebelte mich vollends aus. Ich war noch zu jung, um ernsthaft eine Schwangerschaft in Erwägung zu ziehen; vielmehr war es mir stets wie ein Traum vorgekommen, außerhalb jeder Reichweite. Doch indem wir nun darüber sprachen, hatte ich seltsamerweise das Gefühl, als wäre er mit einem Mal doch in greifbare Nähe gerückt.

»Ich hätte es dir gleich von Anfang an sagen müssen«, meinte er, als ich schwieg.

»Es ist okay. Ich verstehe es«, erwiderte ich, während mich eine tiefe Trostlosigkeit überkam. Wäre meine Zukunft nun genauso leer, wie ich mich gerade fühlte?

»Nein, tust du nicht. Meine Kinder würden in ein Leben hineingeboren werden, das aus nichts als Pflichten besteht. Sie hätten keinerlei Entscheidungsfreiheit über ihr Leben, sondern wären Gefangene in einem, wenn auch goldenen Käfig.«

»X.« Ich griff nach seiner Hand, während mich eine neuerliche Woge des Kummers überkam. So empfand er also? Lebte er in einem Zustand ständiger Trauer um ein Leben, das er niemals führen konnte? Und wäre alles anders, wenn er ein ganz normaler Mann wäre?

»Du brauchst kein Mitleid mit mir zu haben. Es bedeutet auch, dass ich dich niemals mit jemandem werde teilen müssen.«

Mir schnürte es die Kehle zusammen, wie immer, wenn er von einer Zukunft sprach, von der ich nur hoffen konnte, dass ich sie überhaupt mit ihm erleben durfte. Wie konnte er behaupten, er würde mich nicht lieben, und gleichzeitig von einem gemeinsamen Stück Lebensweg sprechen? Statt mich abzuschrecken, verliehen mir diese Widersprüche neuen Mut. Selbst jetzt, wo wir über eine Familie diskutierten, die wir niemals haben würden, erschien mir das Szenario realer als eine Zukunft ohne ihn, so unlogisch es auch erscheinen mochte. Aber folgte die Liebe jemals logischen Gesetzmäßigkeiten?

Schweigend fuhr Alexander die Linie meines Halses nach, zuerst nach oben, dann auf der anderen Seite wieder herunter, während sich sein Körper wie eine Feder anspannte. Unwillkürlich kehrten meine Gedanken zu den Ereignissen des Abends zurück. Ich berührte meinen Hals und musste gegen die Angst ankämpfen, die unvermittelt in mir aufstieg. Ich konnte die Stelle zwar nicht sehen, die Empfindlichkeit meiner Haut ließ mich jedoch ahnen, wie wund sie sein musste.

»Alles halb so wild«, sagte ich und bemühte mich um einen lässigen Tonfall.

Aber im Gegensatz zu mir konnte Alexander sehen, wie Daniel mich zugerichtet hatte. »Er hat dich verletzt, so schwer, dass es jeder sehen kann. Das ist definitiv nicht halb so wild. Du musst zum Arzt.«

»Mir geht's gut.« Vielleicht hatte er ja recht, aber ich würde unter keinen Umständen riskieren, wieder in den Klatschblättern aufzutauchen. Sowie irgendein übereifriger Paparazzo von Daniel erfuhr, würde ihm dies bloß eine weitere Plattform für seine Spinnereien bieten.

»Hör auf, die Märtyrerin zu spielen. Dein Körper gehört mir. Oder hast du das etwa schon wieder vergessen? Morgen wirst du dich untersuchen lassen. Unser Familienarzt ist sehr diskret, falls es das ist, was dir Sorgen bereitet.«

Genau das war meine Hauptsorge. Aber nicht die einzige. Ich wollte – nein, *musste* – das Ganze so schnell wie möglich hinter mir lassen. Doch nach dem, was Alexander in der letzten Woche durchgemacht hatte, würde ich alles tun, um ihn zu beschwichtigen. »Natürlich.«

»Ich hatte fast gehofft, du würdest dich dagegen sträuben, Süße, damit ich dir noch einmal ganz klar zeigen kann, wem dieser Körper gehört«, raunte er dicht an meinem Ohr.

»Wenn das so ist…« Mein Atem stockte, als seine Hände zu meinen Brüsten wanderten. Spielerisch wog er sie in seinen Händen, strich über meine Brustwarzen, bis sie sich ihm entgegenreckten.

»Ich habe versprochen, dich heute Abend noch zu ficken.« Heiß streifte sein Atem meinen Hals, während seine Hände tiefer wanderten. »Aber unsere Pläne haben sich geändert.«

Ich ließ mich gegen ihn sinken und verlor mich in den Liebkosungen seiner Hände. Es war mir egal, wie unsere Pläne für den restlichen Abend aussahen, solange ich nur hiervon genug bekam »Hmm«, stöhnte ich.

»Stattdessen bringe ich dich gleich ins Bett und liebe dich, bis wir beide diesen Albtraum vergessen haben. Aber vorher werde ich deinen Körper verehren.« Er legte vorsichtig die Hand an meinen Hals und bog meinen Kopf nach hinten, bis sich unsere Lippen berührten. Es war ein sehr langsamer Kuss, voller Verheißung und Süße. Es war, als würden wir einander mit diesem Kuss ganz neu entdecken, und ich begriff, dass wir das Geschehene niemals vergessen konnten. Stattdessen blieb uns keine andere Wahl, als zu versuchen, es gemeinsam zu überwinden, und dies war der erste Schritt.

Instinktiv wandte ich mich ihm zu, ohne der Hand zwischen meinen Beinen noch länger Beachtung zu schenken. Ich brauchte ihn, brauchte seinen Körper an meinem. Meine Haut glühte, dort wo er sie berührte, und erinnerte mich daran, dass ich am Leben war. In seinen Armen gab es keine Ängste und Gefahren. Sobald er mich berührte, war es, als würde ich nach Hause zurückkehren, dorthin, wo ich hingehörte.

Er legte die Hände um mein Hinterteil, hob mich hoch und setzte mich auf den Wannenrand. Ein Gefühl des Verlusts überkam mich, als er sich von mir löste und sich auf die Knie aufrichtete. Warmes Wasser lief an meinen Beinen hinab.

»Ist dir kalt?«, fragte er und drückte einen Kuss auf meine Kniescheibe.

Ich schüttelte den Kopf. Wie könnte mir kalt sein, wenn er in der Nähe war? Ich stand lichterloh in Flammen. Nichts zählte mehr, nur dieser wunderbare Mann zwischen meinen Beinen.

»Ich werde dafür sorgen, dass du dich gleich besser fühlst«, versprach er, strich über meine Schenkel und drückte sie auseinander. »Ich werde dich an einen Punkt führen, wo nur noch wir beide zählen, du und ich.« Er senkte den Kopf und begann, meinen Bauch mit Küssen zu übersäen, dann hielt er kurz inne und strich mit den Fingern über mein geschwollenes Geschlecht. Ich schnappte nach Luft, als er mich behutsam öffnete und mich dann mit der Zunge zu liebkosen begann, zuerst langsam, dann mit wachsender Eindringlichkeit. Ich ließ den Kopf gegen die Fliesen sinken und umklammerte den Wannenrand wohl wissend, dass es hier nicht darum ging, mich zu vögeln. Sondern es war ein Geschenk. Sein Mund schloss sich über meiner Klitoris, dann begann er zärtlich daran zu knabbern. Aber ich brauchte mehr. Ich musste mich verlieren.

Ich musste loslassen. Vollständig.

Alexander legte einen Arm um meinen Schenkel, während ich meine Hand in seinem dunklen, feuchten Haar vergrub und ihn noch näher heranzog. Ich wollte mehr. Mehr von seiner Zunge. Mehr von seinem Mund. Mehr von den Versprechungen, die er mir machte, ohne ein Wort zu sagen. Die Begierde in mir schwoll weiter an, immer lauter und eindringlicher, bis sie in einem Crescendo aus Stöhnen und Wimmern gipfelte.

Der Kopf zwischen meinen Beinen kam zur Ruhe, doch statt sich aufzurichten, verharrte Alexander in dieser Position, als müsse er meinen Duft tief in seine Lunge saugen.

Noch immer wurde ich von Nachbeben meines Höhepunkts geschüttelt, auch dann noch, als sich ein Gefühl tiefen Friedens in mir ausbreitete. Was er mir gegeben hatte, reichte nicht. Ich brauchte mehr. Erst wenn wir untrennbar miteinander vereint waren, würde ich mich zufriedengeben. Erst wenn ich ihn in mir spüren konnte.

»Vorsichtig, Süße«, warnte er, als ich aufstehen wollte.

»Bitte, lass mich.«

Er richtete sich auf und entstieg dem Wasser wie ein Gott. Glitzernde Tropfen perlten von seinem schlanken, muskulösen Körper, sickerten in Bächen über sein Sixpack und seine perfekt geformten Lenden. Er reichte mir ein Handtuch, ohne sich die Mühe zu machen, sich selbst abzutrocknen. Den Blick immer noch wie gebannt auf ihn gerichtet, trat ich vor und ließ mich darin einhüllen. Ich streckte die Hand aus und strich über seine Brust, als müsste ich mich vergewissern, dass er real war. Lediglich an den wulstigen Narben, die sich über seinen Brustkorb zogen, verharrte ich kurz. Anfangs hatte ich sie als etwas betrachtet, das ihn verunstaltete, seine atemberaubende Perfektion zerstörte, doch inzwischen liebte ich sie... ganz einfach, weil ich alles an ihm liebte, selbst die Schatten der Vergangenheit, die ihn immer noch zeichneten.

Auch ich hatte Narben, doch im Gegensatz zu seinen waren sie bei mir unter der Haut verborgen, in einem Teil meines Innern, den ich für unergründlich gehalten hatte. Bis er aufgetaucht war.

Viele dieser Narben hatte Daniel mir zugefügt, so wie er es auch heute versucht hatte, doch Alexander war wie Balsam für meine Seele, und jede Berührung von ihm heilte mich. Ich sehnte mich nach seiner Medizin.

Er löste meine Hand von meinem Hals – zuerst hatte ich seine Narben betastet und dann instinktiv die sichtbaren Verletzungen auf meiner eigenen Haut berührt.

»Ich bin der einzige Mann, der dich jemals wieder anfassen wird«, sagte er.

Es gab eine Zeit, in der ich mich gegen diesen Ausdruck seiner Dominanz gesträubt hätte, doch heute Abend nahm ich sie mit offenen Armen an, weil ich sie als das betrachten konnte, was sie in Wahrheit war.

»Lass uns zu Bett gehen«, sagte ich. »Und dann will ich, dass du mich liebst.«

Vorhin war ich zu sehr mit der Befriedigung meiner sinnlichen Bedürfnisse beschäftigt gewesen, um die wahre Bedeutung seiner Worte zu erfassen. Doch als ich sie jetzt wiederholte, begriff ich. Wir sahen einander in die Augen. Es gab keine Mauer, keine Grenzen zwischen uns. Wir hatten sie eingerissen, Stein um Stein.

Alexander streckte mir die Hand hin – eine Geste, die ich Dutzende Male gesehen hatte, und doch war es jetzt wie das allererste Mal. Ich ließ das Handtuch fallen und ergriff sie. Noch nie hatte ich eine solche Intimität empfunden wie in diesem Moment, als sich unsere Hände berührten. Er nahm mich in die Arme und küsste mich voller Leidenschaft, ehe er mich hochhob und ins Schlafzimmer trug. Vorsichtig legte er mich aufs Bett, streckte sich neben mir aus und schlang die Arme um mich. Mein Herz hämmerte wie eine Trommel, die zur Schlacht rief. Ich stählte mich innerlich, als die Gefühle mich zu übermannen drohten. In seinen Augen spiegelte sich mein eigener innerer Kampf – die Zerrissenheit zwischen Gewissheit und Angst. Aber ich sah noch etwas anderes darin. Etwas, das sich nicht anders deuten ließ; etwas, das mir den Atem verschlug und sich wie ein Feuerball durch meine Glieder fraß.

»Clara, ich … ich …«

»Es ist okay«, wisperte ich.

»Ich habe versucht, mich zu beherrschen«, sprudelte es unkontrollierbar aus ihm heraus, während er mich forschend ansah, nach Vergebung suchte, die ich ihm niemals würde gewähren können, weil es nichts zu vergeben gab. »Ich habe versucht, dich davor zu bewahren, aber ich kann es nicht. Ich liebe dich. Gütiger Gott, hilf mir, aber ich liebe dich so sehr.«

Ich presste mich gegen ihn, während sich unsere Lippen trafen, als wären wir uns gerade zum allerersten Mal begegnet. Unsere Liebe war aus dem Feuer geboren, getauft mit den Flammen der Angst und der Sehnsucht, denen wir wie neu geschaffen entstiegen – zwei Seelen, im Verbotenen, doch Unauslöschlichen vereint. Wir verschmolzen zu einer untrennbaren Einheit, in der sich jeder im anderen wiederfand, bis wir gemeinsam in einem reißenden Strom aus Schreien und leisen Versprechungen explodierten. Wir klammerten uns aneinander, eng umschlungen, für immer miteinander verbunden, in stummem Staunen über das Wunder unserer Liebe, bis die Begierde unsere Körper erneut verschmelzen ließ.

18

Für mich schien es eigentlich keine Rolle zu spielen, dass Daniel in U-Haft saß, da ich, von der Arbeit einmal abgesehen, ohnehin gewissermaßen unter Hausarrest stand – Norris begleitete mich zur Arbeit und holte mich wieder ab. Alexander telefonierte im Flüsterton hinter geschlossenen Türen. Belle rief ununterbrochen an. Trotzdem hatten die Medien seltsamerweise nichts von dem Vorfall mitbekommen. Ich versuchte, mit Schals und Kaschmirrollis die sichtbaren Spuren von Daniels Übergriff zu kaschieren, während ich dem Rest der Welt mehr oder weniger überzeugend vorgaukelte, alles wäre in bester Ordnung. Ich hatte den Angriff weitgehend verschwiegen, was einerseits gut war, die Situation andererseits jedoch reichlich anstrengend machte. Mein Leben jenseits des Kreises meiner Vertrauten verlief in seinen gewohnten Bahnen, wohingegen sich alle, die mir wirklich nahestanden, um Normalität lediglich bemühten, aber im Grunde außer sich waren.

»Ich habe mir heute freigenommen«, verkündete ich Alexander am Mittwochmorgen.

Er stellte den Wasserkessel ab und legte beschützend die Arme von hinten um mich. »Geht es dir gut? Ich kann meine Termine auch absagen.«

»Keine Angst, X, ich schwänze bloß. Edward hat für mich und Belle eine Shoppingtour arrangiert.« Ich gab eine Kapsel in den Kaffeeautomaten und schaltete ihn ein, dann schmiegte ich mich in die Wärme von Alexanders Umarmung.

»Shopping«, wiederholte er, als hätte er noch nie davon gehört.

»Kauft Norris etwa auch all deine Klamotten für dich?«, fragte ich lachend.

»Nein.« Er schüttelte den Kopf. »Ich glaube nicht. Meine Sachen tauchen einfach irgendwie auf, keine Ahnung, wie.«

»Dann hast du wohl eine gute Fee, die das erledigt. Vielleicht sollte ich mich gelegentlich bei ihr bedanken, weil du immer so gut aussiehst.«

Alexander drehte mich an den Schultern herum und drückte mich gegen die Arbeitsplatte. Wieder einmal musste ich gegen den Impuls ankämpfen, mit den Fingern durch sein kunstvoll zerzaustes Haar zu fahren. Sein marineblauer Dreiteiler ließ darauf schließen, dass er wichtige Termine hatte.

»Es liegt nur an dir, dass ich so gut aussehe«, erwiderte er.

Mein Puls beschleunigte sich, und ich spürte das Blut durch meine Adern rauschen. Ob dieses Gefühl jemals nachließ? Oder würde ich einfach für den Rest meines Lebens so wahnsinnig verliebt in ihn sein? Die Vorstellung, auch nur eine Sekunde von ihm getrennt zu sein, war schrecklich!

Ich bemühte mich nach Kräften, mich ein wenig zu beruhigen. »Was für Termine hast du heute?«

»Nur langweiliges Zeug«, antwortete er grinsend. »Ein Treffen mit einem Parlamentsmitglied. Dann ein spätes Mittagessen mit meinem Vater. Und mit Batman.«

»Batman?«

»Ich wollte nur sehen, ob du mir auch zuhörst, Süße.«

»Ich höre dir immer zu, X.« Ich rückte seine Krawatte zurecht und strich mit einem provokanten Blick über die rote Seide.

Alexander schloss die Arme noch fester um mich. »Du bringst mich auf Ideen.«

»Genau das hatte ich vor.« Mein Atem stockte, als er meine Hüften umfasste und mich näher heranzog.

»Du willst, dass ich die Krawatte ablege, stimmt's?«, fragte er und wartete, bis ich nickte. »Und dann? Soll ich dir die Augen verbinden, damit du nicht weißt, wo meine Hände und meine Zähne sind? Mein Schwanz?«

Ein Stöhnen drang aus meinem Mund.

»Vielleicht sollte ich dich ja auch an einen Stuhl fesseln. Ich könnte meine Termine sausen lassen und stattdessen zusehen, wie du dich windest, während diese langweiligen Männer über langweilige Dinge diskutieren.«

Ja, bitte.

»Entscheidungen. So viele Entscheidungen.« Er fuhr mit dem Finger über meine Lippen, die sich instinktiv teilten. »Oder ich schleppe dich ins Bett und fessle dich an Händen und Füßen, sodass deine süße kleine Muschi auf Gedeih und Verderb meinem Mund und meinen Fingern und am Ende meinem Schwanz ausgeliefert ist. Ich könnte dich ficken, über Stunden und Stunden.«

Mein Körper reagierte augenblicklich.

»Ich buche das ganze Programm«, hauchte ich.

»Leider kann ich meine Termine nicht absagen.«

»Dann sollten wir uns lieber beeilen.« Ich legte meine Lippen auf seinen Mund.

Alexander küsste mich mit einer Leidenschaft, die mich sein sorgsam gestyltes Haar vergessen ließ – und erst recht all die Dinge, die draußen auf mich warteten.

An der Eingangstür von Tamara's Boutique in Kensington übergab mich Norris an Belle. Obwohl Daniel in Untersuchungshaft saß, war es beruhigend, meinen vertrauenswürdigen Leibwächter an meiner Seite zu haben. Gleichzeitig war mir bewusst, dass seine Gegenwart letzten Endes nur ein Pflaster war, das ich über kurz oder lang mit einem Ruck abreißen musste, um mich mit der darunter schwärenden Wunde zu konfrontieren. Ich durfte nicht zulassen, dass die Vergangenheit das fragile Glück gefährdete, das Alexander und ich endlich gefunden hatten. Belle schloss mich in die Arme und drückte mich fest an sich.

»Ab hier übernehme ich«, sagte sie zu Norris.

»Ich bleibe in der Nähe«, versprach er.

Früher oder später würde ich meine Freiheit wieder brauchen, aber für den Moment war meine Angst noch zu präsent, als dass ich auf die Sicherheit hätte verzichten können, die mir seine Anwesenheit bot.

So winzig die Boutique sein mochte, bestand doch kein Zweifel daran, dass die Kundschaft zur Crème de la Crème Londons gehörte: Schwere Seidenvorhänge verhüllten die Schaufenster, die zwar ausreichend Licht hereinließen, den

Kundinnen aber dennoch ein Gefühl von Privatsphäre vermittelten. Die für Altbauten typischen durchgetretenen Holzdielen waren mit prächtigen Flauschteppichen ausgelegt. Die Kleiderauswahl war hingegen recht überschaubar. Am auffallendsten war eine Handvoll üppig gepolsterter Sessel und Stühle, von denen Edward bereits einen mit Beschlag belegt hatte und nun aufstand, als Belle und ich eintraten.

Obwohl wir uns in einer Boutique für Damenmode befanden, passte er mit seiner stylischen hellblau-grau gemusterten Hose perfekt hierher. Er rückte seine Hornbrille gerade und musterte uns von Kopf bis Fuß – aus Gründen der Bequemlichkeit hatte ich mich für Jeans und T-Shirt entschieden, schließlich wusste ich nicht, wie viele Outfits ich anprobieren würde, während Belle mit ihrem Ensemble aus einem weiten schwarzen Kaschmirpulli, einer knalligen Lederhose und Ankle-Boots ihm in puncto Chic in nichts nachstand.

»Ladies.« Er breitete die Arme aus.

Belle ergriff seine Hände und küsste ihn auf beide Wangen, als wären sie uralte Freunde, dann drehten sie sich zu mir um.

»Wie geht es dir?«, fragte Edward mit besorgter Miene, was die Ähnlichkeit mit seinem Bruder noch deutlicher hervortreten ließ.

Ich warf Belle einen Blick zu, um bestätigt zu sehen, was ich im Grunde ohnehin längst wusste: Sie hatte ihm von dem Übergriff erzählt. »Ihr beide seid inzwischen ja richtig dicke«, sagte ich vorwurfsvoll.

»Er wusste ja längst, dass etwas nicht stimmte«, erwiderte sie und kreuzte ihre schlanken Arme vor der Brust.

»Wenn Norris am Telefon eine – ich zitiere – Überführung in die Untersuchungshaft arrangiert, braucht man nicht viel

Fantasie, um zu ahnen, dass etwas passiert ist«, fügte Edward hinzu. »Sei bitte nicht ihr böse. Ich habe sie gedrängt, mir alles zu erzählen.«

»Ich bin nicht böse. Es ist ein bisschen schwer zu erklären. Mir macht es nichts aus, dass du Bescheid weißt, sondern ich will nicht, dass du dir Sorgen machst. Aber mir geht's gut. Alexander ist bloß besonders vorsichtig.«

Mit einem Seufzer ließ ich mich auf den samtbezogenen Diwan fallen. Es gab wohl keine Möglichkeit, dem Drama zu entkommen. Dass die anderen sich Sorgen um mich machten, mochte tröstlich sein, trotzdem wäre es mir am liebsten gewesen, sie hätten mich einfach bloß in Ruhe gelassen.

Edward zog skeptisch die Brauen hoch, sagte jedoch nichts.

»Für eine Boutique gibt es hier aber ziemlich wenig Kleider«, versuchte ich, das Thema zu wechseln.

»Wir bekommen eine Privatvorführung«, erklärte er mir. Er wartete, bis Belle Platz genommen hatte, und setzte sich schließlich. »Tamara hat ja bereits deine Maße und zeigt uns exklusiv eine Auswahl ihrer Winterkollektion.«

»Ohhh!« Belles Augen weiteten sich vor Begeisterung. »Ich hoffe, du hast einen Blankoscheck dabei.«

Edward winkte ab. »Alexander hat alles in die Wege geleitet. Ich habe Anweisung, dass du alles nehmen sollst, was dir gefällt.«

Eigentlich überraschte mich die Neuigkeit nicht: In den letzten Tagen hatte seine Fürsorglichkeit beinahe fanatische Züge angenommen.

Tamara entpuppte sich als echte Granate. Sie musste in den Vierzigern sein und besaß mehr Stil und Pep als so manche Zwanzigjährige. Sie trug ihr Haar zu einem hellblonden Bob frisiert und wirkte in ihrem todschicken Wickelkleid und hohen Stiefeln eher wie ein Topmodel als eine Designerin.

»Sie müssen Clara sein«, sagte sie und nahm mich mit einem wohlwollenden Lächeln in Augenschein. »Mein platingraues Abendkleid wird unglaublich an Ihnen aussehen.«

Obwohl ich mir nicht vorstellen konnte, dass ich in nächster Zeit viele Anlässe haben würde, es zu tragen, nickte ich freudig.

»Die Models sind gleich so weit. Darf ich Ihnen solange eine kleine Erfrischung anbieten? Mineralwasser? Oder ein Gläschen Champagner?«

»Einen Kaffee vielleicht?«, fragte ich schüchtern.

Sie nickte und verschwand im Hinterzimmer.

»Wie geht es David?«, fragte ich Edward, auf dessen Gesicht sich augenblicklich ein Strahlen ausbreitete.

»Wahrscheinlich hat sich noch nie jemand so gefreut wie ich, auf der Titelseite eines Klatschblattes zu stehen«, gestand er mit einem wehmütigen Lächeln. »Leider sieht mein Vater das ein bisschen anders.«

»Pfeif auf deinen Vater«, warf Belle ein, worauf Edward in schallendes Gelächter ausbrach.

»Das kannst du laut sagen. Es ist unglaublich, wie leicht ich mich plötzlich fühle«, sagte er. »Ich hätte mich schon vor Jahren outen sollen.«

»Und in ganz England brechen reihenweise die Herzen. Der begehrteste Junggeselle des Landes ist vom Markt«, sagte ich.

»So wie ich es sehe, gebührt eher dir die Ehre, den begehrtesten Junggesellen des Landes geangelt zu haben. Die sind nur traurig, weil der Trostpreis jetzt auch noch in festen Händen ist.«

Erfreulicherweise war die Resonanz der Presse in den letzten Tagen weitgehend positiv gewesen; darunter hatte es auch Kommentare gegeben, Edwards Enthüllung sei ein weiterer Beweis dafür, dass der Dinosaurier namens Monarchie wider Erwarten doch so etwas wie Pfeffer im Allerwertesten hätte.

Wir plauderten so locker, als würden wir uns bereits seit Jahren kennen, und zum ersten Mal seit Alexanders und meiner Versöhnung fühlte ich mich, als wäre die Last auf meinen Schultern ein wenig leichter geworden. Ich hörte mein Handy in meiner Handtasche läuten und runzelte die Stirn, als ich Lolas Nummer auf dem Display sah.

Nicht dass ich keine Lust gehabt hätte, mit meiner Schwester zu telefonieren, aber eigentlich rief sie nur an, wenn es etwas Wichtiges gab. Lola war nicht der Typ für Plauderstündchen am Telefon.

»Ja?«, sagte ich, stand auf und trat ein Stück zur Seite, während Belle und Edward sich zu einigen versuchten, welches Foto der so hartnäckigen wie aufdringlichen Berichterstattung über sein Outing am schmeichelhaftesten war.

»Clara, gut, dass ich dich erreiche. Hast du kurz Zeit?«, stieß sie atemlos hervor und fuhr fort, ohne meine Antwort abzuwarten. »Mutter will den Familienrat einberufen.«

Es war ein gutes Gefühl, ausnahmsweise einmal nicht mit mitleidigen Fragen darüber bombardiert zu werden, wie es mir nach dem Vorfall vom Samstag ging. Zwar war es Alexander gelungen, die Sache aus den Medien herauszuhalten, trotzdem hatte er darauf bestanden, meine Eltern zu informieren. Dass sie bisher nicht reagiert hatten, zeigte mir nur, dass ihre eigenen Probleme bei Weitem nicht gelöst waren.

»Sie will unbedingt einen PR-Experten wegen der Sache mit Daniel und...«

»Und die Affäre?«, unterbrach ich.

»Du kennst doch Mutter. Nie im Leben würde sie Tacheles reden, aber, ja, auch dafür. Sie hat Angst, ein Skandal könnte sich negativ auf dich auswirken.«

»War das deine Idee?«, fragte ich unverblümt. Lola studierte zwar noch, würde jedoch bald ihren ersten Abschluss in PR machen. Ihr Ehrgeiz war kein Geheimnis, und ich kannte meine Schwester gut genug, um zu wissen, dass ein Vorfall in der Familie für sie keine Verschlusssache, sondern eher eine perfekte Gelegenheit war, ihre Qualitäten unter Beweis zu stellen.

»Nein, ihre.« Ich hörte den Anflug von Feindseligkeit in ihrer Stimme und versuchte einzulenken.

»Dads Affäre wirkt sich lediglich negativ auf mich aus, wenn er sie nicht beendet«, erklärte ich tonlos. »Ansonsten ist es mir ziemlich egal, was er treibt.«

»Immerhin wirst du den mächtigsten Mann Großbritanniens heiraten.«

Ich ignorierte die leise Herablassung in ihrem Tonfall. »Eine Beziehung und eine Hochzeit sind definitiv zwei Paar Schuhe, Lola.«

»Kein Grund, den Überbringer der schlechten Nachrichten zu erschießen«, konterte sie. »Also, kommst du nun oder nicht?«

»Vermutlich«, antwortete ich, obwohl alles in mir gegen die Art und Weise rebellierte, mit der meine Mutter mit der Untreue meines Vaters umging. *Ihre Ehe*, das war es, worüber sich meine Eltern Gedanken machen sollten. Stattdessen hatten sie keine anderen Sorgen als die Frage, wie sie in der Öffentlichkeit dastanden; ganz zu schweigen davon, dass Alexander bestimmt nicht begeistert sein würde, wenn ich ihm erzählte, dass ich mit einer PR-Beraterin zu tun hatte.

»Ich muss noch ein paar Telefonate führen, sage aber Bescheid, wann, wie und wo.« Sie beendete das Gespräch ohne ein Wort des Abschieds, kopfschüttelnd stellte ich mein Handy auf lautlos und verstaute es in meiner Handtasche.

»Ich nehme an, das war nicht Alexander«, sagte Edward.

»Meine Mutter will einen PR-Experten engagieren«, sagte ich und nahm dankbar eine Tasse Kaffee von Tamara entgegen. Belle lachte los, und nach ein paar Sekunden stimmte ich in ihr Gelächter ein.

»Alexander hatte völlig recht«, sagte Edward nachdenklich. »Du passt tatsächlich perfekt in unsere Familie.«

»Plant etwa schon jemand die Hochzeit?«, fragte ich entsetzt.

»Nur die ganze Welt«, beruhigte er mich.

»Das habe ich ihr auch schon gesagt.« Belle grinste.

»Stell sofort dieses Grinsen ab, Annabelle Stuart«, warnte ich, worauf sie noch ungenierter feixte.

»Hör auf zu schmollen. Jetzt wird eingekauft«, befahl Edward, als eine atemberaubende Blondine in einem auf Figur geschnittenen dunkelblauen Kleid vor uns trat. Die Kreation hatte einen U-Boot-Ausschnitt und war hinten offen, auch der züchtig wirkende, bis übers Knie reichende Rock war auf der Rückseite geschlitzt und gab einen Blick auf ihre wohlgeformten Beine frei.

»Das brauchst du unbedingt«, murmelte Belle.

»Es ist so ...« Ich suchte nach den passenden Worten.

»Klassisch? Sexy? Zeitlos?«, schlug Edward vor. Ich konnte nur nicken.

Es war genau die Art von Kleid, wie es von mir erwartet wurde. Am Ständer hätte ich es vermutlich nie ausgesucht, aber es an diesem Model zu sehen... ich bestellte es ohne zu zögern. Die nächste Stunde war der reinste Traum aus Taft, Leinen und Krepp, und innerhalb kürzester Zeit verlor ich den Überblick über die Sachen, die ich nach Edwards und Belles Meinung unbedingt ordern musste. Und ich ließ mich allzu gern verführen. Nach der Modenschau gingen die beiden los, um uns schon mal einen Tisch fürs Mittagessen zu organisieren.

Als Tamara mir auch noch Schuhe brachte, beugte ich mich vor. »Wie viel habe ich denn schon ausgegeben?«, raunte ich.

»Machen Sie sich deswegen keine Sorgen. Mr. Alexander hat darauf bestanden, dass Sie die Rechnung nicht zu Gesicht bekommen.« Sie tätschelte meinen Arm und drückte mir ein Paar Louboutins in die Hand... praktischerweise ohne Preisschild. »Sie leben das absolute Märchen, Clara. Versuchen Sie, es zu genießen.«

Aber das Problem bei Märchen war, dass die Leute nur die Liebesgeschichten im Gedächtnis behielten und die bösen Monster und fiesen Hexen vergaßen, die an jeder Ecke lauerten. Happy Ends bekam man nicht auf dem Silbertablett serviert, sondern musste schwer dafür kämpfen, und manchmal ging die Geschichte auch nicht gut aus.

Ich schlüpfte in die Schuhe und betrachtete staunend ihre sexy Form und die schwindelerregend hohen Absätze.

»Die musst du nehmen«, sagte eine raue Stimme hinter mir. Prompt zogen sich meine Eingeweide zusammen, und die Welt rings um mich war in grelles Blitzlicht getaucht. Unvermittelt. Übermächtig. Unbestreitbar.

Ich fuhr herum und streckte das Bein vor, sodass er den teuren Schuh bewundern konnte.

Er nickte Tamara zu. »Packen Sie sie ein.«

»Ich fürchte, ich war ziemlich unartig und habe viel zu viele Kleider gekauft«, sagte ich, als Tamara uns allein gelassen hatte.

Er beugte sich vor und stützte die Hände auf den Knien ab. »Soweit ich weiß, bietet dieser Laden private Vorführungen. Vielleicht kannst du sie mir ja zeigen.«

»Ich werde zum Mittagessen erwartet«, wiegelte ich ab, spürte jedoch, wie mein Widerstand unter der Seidigkeit seiner Stimme zu schmelzen begann.

»Such dir etwas von den Sachen aus.« Das war keine Bitte.

Ich ging ins Hinterzimmer, wo Tamara gerade überwachte, dass meine neuen Sachen auch gut eingepackt wurden. Früher wäre mir eine solche Bitte peinlich gewesen, aber Alexanders Worte hatte das Feuer in mir zum Lodern gebracht, und ich konnte nur an eines denken, es möglichst schnell zu löschen, indem ich mich seiner Berührung hingab.

»Alexander will eines der Kleider sehen, die ich gekauft habe«, sagte ich. »Er hätte gern eine kleine Privatpräsentation.«

Tamara war viel zu lebenserfahren, um nicht zu verstehen, was ich damit andeuten wollte, aber ich hatte soeben ihre halbe Winterkollektion gekauft, deshalb legte sie nur den Kopf schief. »Natürlich, Liebes. Den Wünschen Seiner Königlichen Hoheit werden wir sofort nachkommen.«

Den Wünschen Seiner Königlichen Hoheit werde *ich* sofort nachkommen, korrigierte ich im Stillen

»Die Auswahl überlasse ich natürlich Ihnen.« Tamara trat einen Schritt beiseite. Ein Blick genügte, und ich wusste, was ihm am besten gefallen würde.

»Ich habe Ihnen ja gleich gesagt, dass es Ihnen ausgezeichnet steht.«

Sie führte mich in einen Umkleideraum, zog den Damastvorhang zur Seite und hängte das Ballkleid auf. »Wenn Sie Hilfe brauchen… Ich bin gleich hier, aber außer Sichtweite.«

Die Zweideutigkeit ihrer Bemerkung entging mir nicht. So würde das Leben an Alexanders Seite künftig aussehen: Privilegien, wo ich ging und stand. Erkaufte Privatsphäre. Und, dachte ich, als der platingraue Stoff über meinen Kopf glitt, wunderschöne Dinge. Ich brauchte all das nicht, trotzdem durchströmte mich allein beim Gedanken an seine Macht ein Gefühl der Wärme. Er konnte die Welt ebenso in die Knie zwingen, wie er es mit mir getan hatte.

Lediglich von zwei über meinen Schulterblättern verlaufenden Bändern gehalten, schmiegte sich das Kleid um meine Hüften; das schärfste Detail jedoch war der Schlitz, der meinen Schenkel auf beinahe schamlose Weise entblößte. Es war eines dieser Kleider, die man nur mit ganz speziellen Dessous tragen konnte – oder, noch besser, ohne etwas darunter.

»Clara«, rief Tamara. »Ich habe hier noch Strümpfe und Schuhe für Sie. Schließlich können Sie ihm nicht halb nackt unter die Augen treten.«

Ich bezweifelte, dass Alexander etwas dagegen einzuwenden hätte, nahm die Sachen aber trotzdem entgegen. Auf der Rückseite der Strümpfe verlief eine elegante Naht, und der Strumpfgürtel war kaum mehr als ein Hauch aus zarter Spitze. Früher wäre ich im Traum nicht auf die Idee gekommen, ein solches Kleid mit High-Heels und praktisch nichts darunter zu tragen, aber inzwischen sah ich meinen Körper mit Alexanders Augen und hatte gelernt, mich wohl in meiner Haut zu fühlen.

Der Laden wirkte völlig verwaist; von Tamara und den Models war weit und breit nichts zu sehen. Doch so sexy ich mich auch fühlen mochte, war ich eben doch keine Laufstegschönheit. Allein bei der Vorstellung, durch den Showroom zu stolzieren, kam ich mir komplett lächerlich vor, aber kaum stand ich vor Alexander, waren alle meine Bedenken schlagartig verschwunden. Er sog mich beinahe mit Blicken auf, fickte mich förmlich mit seinen Augen, während ein Lächeln um seine Mundwinkel spielte, das Sünde ohne Reue versprach. Seit unserer ersten Begegnung war Alexander meine größte Versuchung, doch mittlerweile hatten sich unsere Rollen vertauscht – inzwischen war ich der Apfel, von dem er unbedingt einen Bissen wollte.

Ich spürte, wie der Stoff des Abendkleids auseinanderglitt und den Blick auf meine Schenkel mit den Strapsen freigab. Alexander saß auf dem Samtsofa, einen Arm lässig über der Rückenlehne, während er sich mit der anderen Hand über seine Bartstoppeln strich, als ich auf ihn zutänzelte, mich wie in Zeitlupe umwandte und zurückging. Er hatte seine Krawatte gelöst und sein Jackett aufgeknöpft, was jedoch seiner Aura der Macht keinerlei Abbruch tat. Vor wenigen Stunden noch hatte er mit den wichtigsten Männern der Welt über Politik diskutiert und sich darauf vorbereitet, eines Tages ein ganzes Land zu führen, und nun strich er sich nachdenklich mit dem Finger über die Unterlippe, die ich am liebsten geküsst hätte. Genau hierin lag seine wahre Macht – in seiner Gabe, dem Rest der Welt seinen Willen aufzuzwingen.

Er streckte die Hand aus und winkte mich wortlos mit einer Geste heran. Gehorsam trat ich wieder zu ihm, dicht genug, um ihn berühren zu können, doch ich hielt mich zurück und wartete auf ein weiteres Signal von ihm. Ich sah den Drang, mich zu dominieren, in seinen Augen glitzern, wohingegen seine Miene ausdruckslos und beherrscht blieb.

Augenblicklich spürte ich das verräterische Ziehen im Unterleib und fragte mich, welchen exquisiten Torturen er mich später aussetzen würde, wobei längst klar war, dass ich nie genug davon bekommen würde.

»Gerade überlege ich, ob ich dir das Ding hier abmachen…«, er schob die Hand unter das Strumpfband, »…und dich damit an den Stuhl fesseln soll.«

»Wieso eigentlich nicht?«, murmelte ich und drehte mein Bein so hin, dass seine Hand weiter an meinem Schenkel hinaufgleiten konnte.

Mit einem teuflischen Grinsen nahm er seine Hand weg, ließ mich unbefriedigt zurück. »Sonst reiße ich dir ja immer die Kleider vom Leib, Clara, deshalb denke ich, dass wir sie diesmal vielleicht lieber anlassen sollten.«

»Aber wie willst du mich dann anfassen?«

»Oh, das werde ich schon tun, Süße. Hast du Angst, ich könnte nicht scharf werden, bloß weil du nicht nackt bist? Weil ich nicht deine Nippel anfassen oder deine hinreißende, nackte kleine Muschi sehen kann?« Er lehnte sich nach vorn und legte die Hand auf meine Brust. »Glaubst du etwa, ich würde es nicht schaffen, dich scharf zu machen? Vergiss es. Dein Körper versteht ganz genau, was ich von ihm will – was ich von ihm erwarte. Oder?«

Sein Daumen strich über meine Brustwarzen, die prompt hart wurden und gegen den feinen Seidenstoff rieben.

»Ich bin nicht sicher, ob ich dir erlauben kann, dieses Kleid außerhalb unserer eigenen vier Wände zu tragen«, fuhr er fort.

»Jeder, der dich darin sieht, erkennt auf den ersten Blick deine perfekten Kurven, und dein Körper ist so unglaublich empfindsam, vor allem deine Brüste. Es wird dir nicht gelingen, sie zu verbergen. Sie schreien regelrecht nach Aufmerksamkeit, hab ich recht?«

Ein Stöhnen drang über meine Lippen, als er in meine Nippel kniff, und ich spürte, wie die Lust durch meinen Körper strömte.

»Andererseits«, fuhr er fort, »will ich, dass die anderen Männer sehen, was ich habe. Sie sollen deinen anmutigen Körper bewundern. Ich will, dass sie dich begehren, dich besitzen wollen. Aber dazu wird es niemals kommen. Und warum, Süße?«

»Weil ich allein dir gehöre«, hauchte ich, während mich ein lustvoller Schauder nach dem anderen überlief.

»Braves Mädchen«, lobte er wohlwollend, ließ seine Hand von meinen Brüsten abwärts zwischen meine Beine wandern und begann, mein Geschlecht zu reiben, dann schob er seine Finger in meine feuchte Spalte. »Genau dafür werde ich dich auch belohnen, dich und deinen Körper. Ich liebe es, wenn du unter meiner Berührung erblühst – wenn du so feucht und bereit bist, von mir gefickt zu werden.«

Mein Kopf war vollkommen leer, alles Blut war in meinen Unterleib gerauscht – süße Qual und pure Ekstase mischten sich zu einem lüsternen Cocktail, der mich atemlos vor Begierde machte.

»Ich will, dass du mich reitest, Clara«, hörte ich seinen Befehl durch den Nebel meiner Gier dringen. Er löste seinen Gürtel und befreite seinen Schwanz. »Ich will zusehen, wie mich deine herrliche Muschi umschließt und wie du mich fickst.«

Er packte mich bei den Hüften, zog mich auf seinen Schoß

und schob mit einer abrupten Bewegung den hauchzarten Stoff des Abendkleids zur Seite, sodass ich vollends entblößt war. Vorsichtig ließ ich mich auf ihn sinken, spürte, wie sein harter Schwanz in meiner feuchten Spalte verschwand.

»Genau so, Süße«, raunte er und rieb mit dem Daumen meine pulsierende Klitoris. Ich sah ihm in die Augen, doch sein Blick wanderte nach unten zu meinen Hüften, die ich so weit anhob, dass sein Schwanz um ein Haar aus den seidigen Falten geglitten wär. Seine Lider schlossen sich halb, als ich mich wie in Zeitlupe wieder hinabsinken ließ und ihn in mir aufnahm, Zentimeter um Zentimeter, bis zur Wurzel. Ich ließ mein Hinterteil kreisen und genoss das Gefühl, beinahe bis zum Bersten von ihm ausgefüllt zu sein.

»Ich liebe dich«, stöhnte er, als ich mich fester gegen ihn presste.

Seine Worte waren das reinste Aphrodisiakum, die Bestätigung, nach der ich mich so lange sehnte. Wieder und wieder hob und senkte ich mich rhythmisch. Ich wollte mehr, wollte mich unauflösbar mit ihm vereinen, mich mit ihm verbinden, bis nichts uns jemals zu trennen vermochte.

»Ich liebe dich«, sagte er noch einmal. Seine Worte stachelten meine Leidenschaft noch weiter an, trieben mich immer näher dem Höhepunkt entgegen. Ich spürte, wie sich meine Muskeln zusammenzogen und ich die Finger in seinem schwarzen Haar vergrub. Ich klammerte mich mit aller Kraft an ihn, während sich seine Atemzüge beschleunigten und er in mich eintauchte, seinen Rhythmus meinen Bewegungen anpasste, mich antrieb. Schneller. Schneller. Seine Zähne umschlossen meine zarten Nippel, und ich explodierte mit einem Schauder an seiner Brust, während er sich weiter dem Höhepunkt entgegenbewegte.

»Ich stehe drauf, wenn du mich fickst«, stöhnte er und stieß ein weiteres Mal in mich. Mein Körper fühlte sich an, als stünde er in Flammen, als würde ich innerlich zerfließen. Es war zu viel, aber in Wahrheit war es immer zu viel für mich – und zugleich doch nie genug.

Wir bewegten uns im Takt, angetrieben von einem rohen, unverhüllten Instinkt, trieben einander immer weiter dem Orgasmus entgegen.

»Komm«, befahl er mit leiser, drohender Stimme. Ein weiteres Mal wurde ich von einer mächtigen Woge überspült und fortgerissen, während er mit einem animalischen Grollen kam, das in jeder Faser meines Körpers widerzuhallen schien.

Zitternd und bebend sank ich an seine Brust. In dieser Position verharrten wir, bis sich jene weiche Seligkeit in mir ausbreitete, die es mir gestattete, mich zu bewegen. Alexander strich mir eine Haarsträhne aus dem Gesicht und küsste die Kuhle über meinem Schlüsselbein.

»Vielleicht will ich ja, dass du deine Modenschau zu Hause fortsetzt.«

»Das ließe sich machen.« Ganz vorsichtig stieg ich von ihm hinunter. Er strich mit dem Finger über meine Muschi, die feucht von seinem Samen glitzerte.

»Ich liebe den Gedanken, dass du angefüllt bist von mir.« Ich sah die vertraute Begierde in seinen Augen aufglimmen.

Mit zittrigen Knien stand ich vor ihm und drohte ihm spielerisch mit dem Finger. »Ich habe jetzt wirklich eine Verabredung.«

»Die Glückspilze.« Er grinste. »Bis heute Abend.«

Ich konnte es kaum erwarten.

19

Am nächsten Morgen herrschte reges Treiben im Büro, und auch ich war nach meiner Nacht mit Alexander voller Tatendrang. Tori saß auf Bennetts Tischkante, als ich in sein Büro spähte. Sie hatte einen Block in der Hand, aber ihre Miene ließ ahnen, dass die Arbeit nicht an oberster Stelle ihrer Prioritätenliste stand.

Ich klopfte gegen den Türrahmen. »Störe ich?«

»Nein, nein«, antwortete Bennett. Ihre schuldbewussten Gesichter waren absolut rührend.

»Ich habe am Dienstag vergessen, dir den Bericht zu geben«, sagte ich und drückte ihm die Akte in die Hand.

Grinsend glitt Tori von Bennetts Schreibtisch. Ihre Wangen waren fast so rot wie ihr Haar. »Dann lass ich euch beide mal arbeiten«, sagte sie und warf Bennett einen verliebten Blick zu. Es war maximal eine Frage von Tagen, bis die Mannschaft bei Peters & Clarkwell merken würde, dass zwischen den beiden etwas lief. »Und wir zwei machen später weiter.«

Mit einem Seufzer sank Bennett auf seinem Stuhl zurück und sah Tori hinterher.

Ich konnte einen Anflug von Eifersucht nicht unterdrücken. Die beiden befanden sich unübersehbar im Flitterwochenmodus, aber das war nicht der einzige Grund: So wenig sie scharf darauf sein mochten, dass jeder im Büro von ihrer Beziehung erfuhr, hatten sie in Wahrheit keine Probleme. Sie konnten jederzeit ausgehen, ohne Angst haben zu müssen, dass die Paparazzi sie auf Schritt und Tritt verfolgten. Niemand da draußen würde auf die Idee kommen, gleich ihre Hochzeit zu planen. Noch nicht. Auch wenn ich ihnen wünschte, dass sich zwischen ihnen etwas Festes entwickelte. Andererseits war Bennett Witwer mit zwei kleinen Töchtern, und ich sah womöglich bloß die romantische Seite und nicht die Probleme, die das mit sich bringen mochte. Von außen betrachtet, wirkten die Beziehungen anderer Leute immer unkomplizierter, als sie es in der Realität vielleicht waren.

»Wie war dein freier Tag?«, erkundigte er sich.

Der gestrige Mittwoch war der erste freie Tag gewesen, seit ich in der Agentur angefangen hatte. »Fantastisch«, antwortete ich wahrheitsgetreu.

Zum ersten Mal, seit ich Alexander kannte, hatte sich mein Leben halbwegs normal angefühlt.

»Du siehst müde aus«, bemerkte Bennett.

Ich musste ein Lachen unterdrücken. So stressig mein Alltag gerade sein mochte, war dies nicht der Grund, weshalb ich müde aussah. Vielmehr ging die Tatsache voll und ganz auf das Konto meines unersättlichen Geliebten.

»Du hast immer noch all deine Urlaubstage, nimm die doch, ehe sie am Jahresende verfallen«, fuhr er fort.

»Ich nehme sie einfach über Weihnachten«, sagte ich. Alexanders Kalender war proppenvoll – Termine mit irgendwelchen Würdenträgern, Wohltätigkeitsveranstaltungen, darunter auch viele während des Tages. Er hatte vorgeschlagen, dass ich ihn begleitete, und ich hatte ihn erst daran erinnern müssen, dass ich einen Job hatte.

»Ich nehme dich beim Wort«, sagte Bennett streng. »Außerdem bräuchte ich deine Hilfe«, fuhr er etwas leiser und mit einem vielsagenden Blick in Richtung seiner Bürotür fort.

»Klar, Boss.« Ich senkte ebenfalls die Stimme und fragte mich, was es zu flüstern geben mochte.

»Ich will Tori am Freitag ausführen«, gestand er. »Bisher waren wir meistens bloß bei mir, und sie kommt prima mit meinen beiden Mädels zurecht, aber ich… Na ja, ich hätte es gern ein bisschen romantischer.«

Dieser Mann war so unglaublich süß. Ich nickte auffordernd.

»Kauft man heutzutage einer Frau noch Blumen? Ich bin ein bisschen aus der Übung, will sie aber unbedingt glücklich machen. So glücklich, wie sie mich macht.«

»Ja, Blumen sind immer noch angesagt.« Meine Stimme war ganz belegt vor Rührung. Bei dem Chaos, das gerade in meinem Leben herrschte, war ich dankbar für jeden in meinem Umfeld, der glücklich war. »Ich denke, sie könnte Rosen mögen.«

»Danke, Clara. Ehrlich gesagt, warte ich nur darauf, dass ich diese Geschichte gegen die Wand fahre.«

»Das wirst du nicht«, beruhigte ich ihn.

»In meiner Ehe habe ich ständig Mist gebaut«, gestand er. »Erst wenn man den anderen verloren hat, wird einem bewusst, was man zu sagen versäumt hat. Diesen Fehler will ich kein zweites Mal begehen.«

Ich wusste nicht, was ich darauf erwidern sollte. Zwar schien die Gefahr, Alexander zu verlieren, für den Moment gebannt zu sein, trotzdem war es nicht völlig ausgeschlossen. Die Möglichkeit bestand jederzeit. Und seine Narben waren der sichtbare Beweis dafür.

»Ich hoffe, Alexander kann seine Gefühle dir gegenüber zeigen«, sagte Bennett sanft.

Meine Lippen verzogen sich zu einem Lächeln. Allein der Gedanke an Alexander – und den Weg, den wir inzwischen gemeinsam zurückgelegt hatten – vertrieb den Anflug von Traurigkeit sofort wieder, der mich erfasst hatte.

»Was soll ich bloß ohne dich anstellen?«, fragte Bennett nachdenklich.

Ich lachte angespannt. »Solange du mich nicht feuerst, gehe ich nirgendwohin.«

»Ich dachte nur.«

Das schien neuerdings ein verbreitetes Problem unter meinen Freunden und meiner Familie zu sein. »Wie gesagt, ich gehe nirgendwohin.«

»Gut.« Er verzog das Gesicht zu einem Lächeln, das jedoch nicht ganz bis zu seinen Augen reichte.

Bennetts argwöhnisches Lächeln ging mir immer noch im Kopf herum, als ich zu meinem Schreibtisch zurückkehrte. Alle außer mir schienen zu mutmaßen, dass in meinem Leben bald kein Stein mehr auf dem anderen sein würde. Ja, ich war bei Alexander eingezogen. Ja, wir waren wahnsinnig verliebt ineinander. Aber ich hatte mir doch nicht einen Spitzenabschluss an einer Top-Uni erarbeitet, nur um mir dann einen Ehemann zu krallen und die Füße hochzulegen. Ich liebte meinen Job, was die meisten Leute einfach nicht zu kapieren schienen. Eine Beziehung mit Alexander stellte mich vor völlig andere Herausforderungen – bei ihm reihte sich eine festliche Einladung an die andere, ein Wohltätigkeitsball jagte den nächsten, und schon bald war auch mein eigener Terminkalender voll. Aber das bedeutete noch lange nicht, dass ich meinen Job aufgeben würde.

Beim Anblick meines elegant geschwungenen Namens auf der Notiz auf meinem Schreibtisch verflüchtigten sich meine Befürchtungen sofort. Ich brach das Siegel und zog einen zweiten Umschlag hervor. Das war ja etwas ganz Neues. Mit zitternden Fingern riss ich ihn auf und blickte auf die Bestätigung für eine gecharterte Maschine.

In dieser Sekunde läutete das Telefon auf meinem Schreibtisch. Ich riss den Hörer von der Gabel. »Hallo?«

»Pack nur das Allernötigste. Viel wirst du nicht brauchen.«

Ich ließ mich auf dem Stuhl nach hinten sinken. Für einen Moment war ich wie gebannt von seiner rauen Stimme. »Ich wusste gar nicht, dass du noch ein normales Telefon benutzt.«

»Nachdem ich mir den ganzen Morgen über langweiliges Geschwafel über Ölgeschäfte angehört habe, wollte ich deine Stimme hören.«

Das Eingeständnis traf mich völlig unvorbereitet. Alexander rief mich so gut wie nie an, sondern zog es vor, sein Verlangen nach mir schriftlich zu formulieren. »Also brennen wir durch?«

»Wir müssen für eine Weile raus hier.« Einen Moment herrschte Stille, dann fuhr er fort. »Ich habe schon mit Bennett gesprochen.«

»Ehrlich?« Kein Wunder, dass mein Boss das Thema Urlaub angeschnitten hatte. Das war bestimmt ein Trick, um den Abstand zwischen mir und Daniel weiter zu vergrößern – eine völlig unnötige Aktion. »Ich würde lieber selbst bestimmen, wann ich was mache, immerhin bin ich eine berufstätige Frau, X.«

»Aber du hättest nie im Leben eingewilligt.«

»Noch habe ich gar nicht eingewilligt. Der Zeitpunkt ist denkbar ungünstig.« Es gab eine Million Gründe, Nein zu sagen – ein Wort, das er ab und zu mal zu hören bekommen sollte.

»Süße.« Ein warnender Unterton schwang in seiner Stimme mit. »Es ist alles arrangiert. Und Bennett ist genauso unnachgiebig wie ich.«

Ich legte den Umschlag beiseite. »Wohin fliegen wir?«

»Das ist eine Überraschung.« Seine Selbstzufriedenheit troff förmlich durch die Leitung.

»Gibt es keinen einzigen Hinweis für mich? Brauche ich eine Winterjacke oder einen Badeanzug?«

»Ich dachte, ich hätte mich klar genug ausgedrückt. Klamotten sind überflüssig. Na ja, auf dem Flugplatz wirst du vielleicht etwas anziehen wollen.« Er hielt inne. »Wobei ich dich im Bikini auch toll fände. Für alles andere ist bereits gesorgt.«

»Alles klar. Bikini und Zahnbürste«, konterte ich trocken. »Aber dasselbe gilt für dich. Wenn ich das Wochenende praktisch nackt verbringen soll, wirst du das auch tun.«

»Wenn du kommst, habe ich alles, was ich brauche«, erwiderte er nur.

Beim Gedanken an ein Wochenende mit Alexander und seinem göttlichen Körper musste ich schlucken.

»Bevor es losgeht, will ich noch ein paar Dinge regeln. Norris bleibt bei dir zu Hause.«

»Das ist gemein.« Ich schmollte. »Zuerst auf lüsterne Gedanken bringen, und dann nicht nach Hause kommen.«

»Vor...freude«, raunte er.

Ich legte auf und wand mich auf meinem Bürostuhl. Ein Anruf von Alexander mitten am Tag wirkte sich nicht gerade günstig auf meine Arbeitsmoral aus.

Alexander mochte ein Nein nicht als Antwort akzeptieren, aber das würde mich nicht davon abhalten, mir Bennett ordentlich zur Brust zu nehmen. Dieses Mal machte ich mir nicht die Mühe anzuklopfen, ehe ich sein Büro betrat.

»Ja?« Ein Lächeln spielte um seine Mundwinkel.

»Eigentlich wollte ich Tori ja sagen, was für ein toller Fang du bist, aber das muss ich mir jetzt noch mal genau überlegen«, erklärte ich ihm.

»Du brauchst dringend Urlaub.« Bennetts Miene wurde ernst. »Weißt du noch, was ich vorhin gesagt habe? Einen verpassten Arbeitstag bereut man nicht, das Glück, das man versäumt, dagegen sehr wohl.«

»Ich kann auch in London glücklich sein.«

»Hier ist für das ganze Wochenende Regen angesagt. Los, flieg in die Sonne. Ich kann es dir auch gern auf deine To-do-Liste schreiben, wenn es dir dann leichter fällt.«

»Ich brauche eigentlich gar keinen Urlaub, überhaupt gar keinen!«, wandte ich ein.

Bennett hob eine Braue; mit einem Mal wurde mir bewusst, dass ich ziemlich laut geworden war.

»Okay, vielleicht ja doch. Aber nur einen klitzekleinen.« Mit Daumen und Zeigefinger zeigte ich ihm, wie klitzeklein.

»Wir sehen uns nächste Woche«, rief er, als ich, noch immer leicht verlegen, zur Tür hinausstürmte.

Tori fing mich mit dem Mittagessen vom Lieferservice auf dem Korridor ab. »Viel Spaß.«

»Ich will nichts hören«, warnte ich.

»Die meisten Mädchen würden einen Mord dafür begehen, von einem Prinzen abgeschleppt zu werden.«

Wenn das kein Argument war. »Kann sein. Wie ich höre, hast du für Freitag auch schon Pläne.«

»Allerdings.« Ihre Züge erhellten sich – ein sicheres Zeichen, dass Bennett nicht der Einzige war, den es voll erwischt hatte. »Ach ja, übrigens hat in der Halle gerade eine Frau nach dir gefragt.«

»Nach mir?«

»Ja. Blond. Etwa in deinem Alter.«

Belle hatte eigentlich keinen Grund, mich bei der Arbeit zu besuchen, es sei denn, sie wollte mit mir Mittagessen gehen. Ich holte meine Handtasche und fuhr nach unten. Eigentlich sollte ich Norris anrufen und ihm sagen, dass ich das Gebäude verlassen würde, aber ich verwarf den Gedanken, da ich schließlich nicht allein unterwegs sein würde. Kaum gingen die Aufzugtüren auf, erkannte ich meinen Fehler.

Blond? Ja.

Belle? Definitiv nicht.

Pepper drehte sich um und sah mir direkt ins Gesicht. Ich widerstand dem Drang, zurück in den Aufzug zu flüchten. Diese Frau musste schon ganz besonders gute Gründe haben, mich bei der Arbeit aufzusuchen – sofern man bei ihr überhaupt je von *gut* sprechen konnte. Für mein Empfinden waren Pepper und gut ein Widerspruch in sich, trotzdem wollte ich erfahren, wieso sie ihren knochigen Hintern hierhergeschafft hatte.

Sie lehnte lässig am Empfangstresen und tippte mit ihren manikürten Nägeln auf die Oberfläche. Nur Pepper würde im Ledermini und in geschnürten Wedges ein Bürogebäude betreten. Ich zupfte mein schickes, aber dezentes Wickelkleid zurecht. Im Vergleich zu ihr kam ich mir plötzlich hoffnungslos overdressed vor. Sämtliche Männer, die die Lobby betraten, mussten zweimal hinsehen – der Anblick, wie die Köpfe herumfuhren und die Typen versuchten, einen Blick auf die langbeinige Blondine zu erhaschen, hatte beinahe etwas Komisches.

Ich wappnete mich innerlich und trat auf sie zu. Dass sie nichts Gutes im Schilde führte, war ihr schon von Weitem anzusehen.

»Clara.« Sie lächelte freundlich. »Ich habe darum gebeten, bei dir anzurufen.«

»Ich war in einem Meeting«, sagte ich und erlaubte ihr, mich mit zwei Luftküssen zu begrüßen. Paparazzi-Fotos von einer wilden Keilerei mit Pepper Lockwood waren so ziemlich das Letzte, was ich jetzt gebrauchen konnte.

»Können wir irgendwo reden?«, fragte sie.

Ich hob meine Handtasche. »Ich war gerade unterwegs in die Mittagspause. Wollen wir ein Stück gehen?«

Wenn man uns sah, würde keiner ahnen, dass wir uns auf den Tod nicht ausstehen konnten, aber ich spürte ihre Ablehnung ganz deutlich. Auch ich hatte alle Mühe, mein Lächeln zu bewahren, als wir das Gebäude verließen.

Norris stieg aus dem Rolls, der vermutlich hier stand, seit er mich am Morgen ins Büro gefahren hatte.

»Soll ich Sie fahren, Miss Bishop?«, fragte er ungewohnt knapp. Vielleicht war ich ja nicht die Einzige, die Pepper nicht leiden konnte.

»Nein, nein, ich komme schon zurecht«, wiegelte ich ab. »Wir gehen nur kurz um die Ecke einen Happen essen.«

Er nickte und wartete darauf, dass wir uns in Bewegung setzten, um uns mit ein paar Schritten Abstand zu folgen –

was in diesem Fall vermutlich eher zu Peppers Sicherheit wäre, da ich nicht beschwören konnte, dass ich sie in den nächsten zwanzig Minuten nicht vielleicht erwürgen würde.

»Alexander hält dich ja ziemlich an der kurzen Leine, was?«, bemerkte sie. Inzwischen war die aufgesetzte Freundlichkeit verschwunden, nur das ekelerregend süßliche Lächeln klebte noch auf ihrem Gesicht.

Ich beschloss, lieber nicht darauf einzugehen, um unser Gespräch nicht unnötig in die Länge zu ziehen. »Was willst du?«

»Wieso so sachlich? Ich habe mich auf ein kleines Plauderstündchen mit dir gefreut.«

»Plauderstündchen sind etwas für Freundinnen und Nachbarn, nicht für uns.« Ich hatte keine Lust auf Spielchen. Pepper war eine Schlange, bereit, jederzeit zuzubeißen, und je seltener ich sie sah, desto besser.

»Ich wollte dir eine Chance geben.«

»Wofür?«, fragte ich und zog eine Braue hoch.

»Die Kurve zu kratzen«, antwortete sie leise. »Wir wissen beide, dass Alexander andere Verpflichtungen hat. Am Ende wird er dich entsorgen, gemeinsam mit dem Müll. Wieso warten, bis es wehtut?«

»Wie nett von dir.« Ich blieb vor einem Sandwich-Shop stehen. »Aber weder Alexander noch seine Verpflichtungen brauchen dich zu interessieren.«

»Was soll ich sagen, ich bin eben eine loyale Monarchistin«, sagte sie mit einem boshaften Lächeln. »Ich habe dich schon einmal gewarnt, dass ich Informationen habe, die sein Ende bedeuten könnten. Glaub mir lieber, wenn ich sage, dass ich auch dich vernichten kann.«

»Moment, ich will nur sichergehen, ob ich dich richtig verstanden habe. Sobald ich mich von ihm trenne, sind diese Informationen verschwunden?«, hakte ich nach.

»Genau.«

Ich betrachtete sie einen Moment lang. So hässlich sie innerlich war, ließ sich ihre äußere Schönheit nicht abstreiten. Den meisten Frauen reichte wahrscheinlich ihre bloße Gegenwart, dass sie sich wünschten, niemals geboren worden zu sein. Sie war Erotik pur, aber ich hatte selbst erlebt, wie sie ihre Sinnlichkeit im Zaum hielt, um sich in die aristokratischen Kreise einzufügen. Um als perfekte Frau an Alexanders Seite zu gelten, würde sie alles tun, ganz egal, was es kostete. Zu schade, dass ich nicht mitspielen würde. Bei unserer ersten Begegnung war ich ziemlich beeindruckt von ihr gewesen, aber als ich sie jetzt sah, mit ihrem Übereifer, hatte ich nur noch Mitleid für sie übrig.

»Glaubst du ernsthaft, er kommt ausgerechnet zu dir gelaufen, wenn ich ihn verlasse?«, fragte ich sie unverblümt. »Lass uns doch mal ehrlich sein. Im Sommer hatte ich ihn für eine ganze Weile verlassen. Und ist er zu dir gekommen? Hat er sich in deine Arme geflüchtet?«

Pepper blinzelte und reckte ihr Näschen in die Luft. »Du kennst Alexander doch überhaupt nicht. Du hast keine Ahnung, wozu er fähig ist und was er braucht.«

»Ich weiß immerhin, dass er dich jedenfalls nie brauchen wird, auch wenn du dich ihm noch so oft an den Hals wirfst.«

Sichtlich getroffen, wich sie zurück, doch Pepper war nicht der Typ, der in Tränen ausbrach. Stattdessen wandte sie sich ab und ging davon, nur um nach ein paar Metern noch einmal stehen zu bleiben und mir eine letzte Drohung entgegenzuschleudern. »Vergiss diesen Moment nicht, Clara. Vergiss den Moment nicht, in dem du ihn zerstört hast.«

XX

Claras Lider flatterten sanft im Schlaf, und ich fragte mich, wovon sie wohl träumte. Das stete Vibrieren des Flugzeugs hatte sie in den Schlaf gelullt, kaum dass die Maschine vom privaten Londoner Flugplatz abgehoben war. Ihre Wangen waren leicht gerötet, und das Haar fiel ihr halb übers Gesicht. Nie hatte sie zerbrechlicher ausgesehen. Die Erkenntnis, wie fragil sie war, ließ meine Brust eng werden. Clara war eine starke Frau – emotional und psychisch, aber körperlich nicht. In den Sekunden, ehe ich sie aus Daniels Griff befreit hatte, war mir ihre eine große Schwäche bewusst geworden, und das hatte mich zutiefst erschüttert. Bislang hatte ich mich davor gefürchtet, sie zu lieben, ihren Körper und ihre Seele für mich zu beanspruchen. Jede Frau, die ich geliebt hatte, war mir entrissen worden. Nie hatte ich das letzte Lächeln meiner Mutter sehen können, und Sarahs Blut hatte an meinen Händen geklebt, als sie in meinen Armen gestorben war. Ich hatte mir eingeredet, dass es sicherer wäre, wenn ich mich von Clara fernhielte. Auf diese Weise würde ich nicht Gefahr laufen, auch sie zu verlieren. Aber beim Anblick von Daniels Händen um ihre Kehle war die von mir sorgsam zwischen uns errichtete Mauer schlagartig eingestürzt. Ich durfte sie nicht verlieren, unter keinen Umständen. In diesem Moment siegte mein Egoismus über den Entschluss, sie nicht lieben zu dürfen. Ich konnte sie nicht allein lassen, völlig ohne Schutz.

Ich musste an das Gespräch mit meinem Vater denken; die Krone würde ihr im Zweifelsfall nicht denselben Schutz bieten wie einem Mitglied der Königsfamilie. Seine Aussage war keine Überraschung gewesen, angewidert hatte sie mich aber trotzdem. Daniel mochte eine Gefahr aus ihrer Vergangenheit sein, aber erst dadurch, dass unsere Beziehung öffentlich geworden war, hatte er sie überhaupt ausfindig machen können. Und jetzt lief er dank eines jungen, ehrgeizigen Anwalts, der ihn auf Kaution aus der U-Haft herausgeboxt hatte, wieder frei herum. Meine eigenen Anwälte hatten mir versichert, dass er vor Gericht gestellt und verurteilt werden würde, aber das nützte mir herzlich wenig, wenn er bis dahin ungeniert durch die Straßen Londons spazieren konnte.

Das Glas in meiner Hand zerbrach. Verwundert sah ich zu, wie das Blut aus einer Schnittwunde in meiner Handfläche sickerte. Mir war gar nicht bewusst gewesen, dass ich so fest zugedrückt hatte. Als ich die Hand öffnete, regneten Scherben auf den Klapptisch vor mir. Clara schreckte aus dem Schlaf hoch.

»Was...« Beim Anblick meiner Hand war sie schlagartig hellwach. »Oh Gott, ist alles in Ordnung mit dir?«

»Nur ein kleines Missgeschick«, wiegelte ich ab.

»Wir sollten die Wunde verbinden. Wo ist die Flugbegleiterin?«

»Ich habe sie zum Piloten ins Cockpit geschickt«, antwortete ich betont sachlich – es war wichtig, mich in Claras Gegenwart einigermaßen im Griff zu haben, weil ich wusste, dass ihr meine heftigen Stimmungsschwankungen zusetzten. »Ich wollte nicht, dass du ihretwegen aufwachst.«

Clara trat zu einem der Schränke und begann, darin zu wühlen. Ich stand auf, wickelte eine Serviette um meine Hand und gesellte mich zu ihr.

»Da ist er ja.« Sie zog einen Verbandskasten heraus. »Und sieh mal, was ich noch gefunden habe.« Sie hielt eine Schachtel Kondome hoch. »Das heißt wohl, sie haben nichts dagegen, wenn ihre Kunden Mitglied im Mile High Club werden«, sagte sie kichernd.

In diesem Augenblick war ihr Lachen das Schönste und Aufregendste, das ich je gehört hatte. In den letzten Tagen hatte ich es viel zu selten zu hören bekommen. Je weiter wir uns von London entfernten, umso näher würde sie mir wieder kommen – das war meine Überlegung gewesen. Deshalb musste ich dafür sorgen, dass wir so viele Kilometer wie möglich zwischen sie und ihn brachten. Ich musste ihr Lachen hören, musste ihr Gesicht ansehen, wenn ich mit ihr schlief. Vielleicht konnte ich ihr ja hier beweisen, wie sehr ich sie liebte. Die Angst hatte mich viel zu lange gelähmt und wirkte sich auch jetzt negativ auf die Zeit aus, die wir gemeinsam verbrachten. Aber an diesem Wochenende würden wir uns davon befreien, wenn auch nur für kurze Zeit.

»Was würdest du davon halten, ebenfalls Mitglied zu werden?«, fragte ich und drängte sie gegen die Kabinenwand.

»Gern«, stieß sie atemlos hervor, »aber erst wenn die Blutung gestoppt ist.«

Ich löste mich von ihr und ließ sie die Utensilien zusammensuchen. Dann nahm sie meine Hand und säuberte behutsam die Wunde. In wortlosem Staunen sah ich zu, wie sie den Verband anlegte und anschließend sanft die Lippen auf meine Handfläche drückte.

»Und mit einem Kuss wird alles ganz schnell wieder gut«, flüsterte sie.

»Mir fallen durchaus noch ein paar andere Dinge ein, die helfen könnten, damit es mir schnell wieder gutgeht.« Ich schob meine Hand in den Bund ihrer Jeans und stellte erfreut fest, dass sie bereit für mich war.

»Wie lange dauert der Flug noch?«, fragte sie und unterdrückte ein Stöhnen, als ich ihre Muschi liebkoste.

»Nicht lange genug.« Eilig zog ich meine Hand heraus, knöpfte ihre Hose auf und riss sie ihr über die Hüften. Mein Verlangen nach ihr drohte mich zu überwältigen – doch es beschränkte sich nicht nur auf ihren einzigartigen Körper, sondern ich wollte sie ganz, mit Haut und Haar. Nur wenn ich in ihr war, fand ich Trost. Je mehr ich ihre Liebe annehmen konnte und mir selbst gestattete, auch für sie Liebe zu empfinden, umso mehr wuchs mein Wunsch, sie gänzlich zu besitzen. Seit jenem Moment, als uns das Schicksal zueinandergeführt hatte, wollte ich nur sie, und mir war bewusst, dass ich zwar vorgab, lediglich ihren Körper mit Beschlag zu belegen, sie jedoch mein Herz besaß.

Sie leistete keinerlei Widerstand, sondern ließ ihren Hintern mit einer derart aufreizenden Bereitschaft kreisen, dass mein Schwanz noch weiter anschwoll. Ich packte den dünnen Stoff ihres Höschens und zog ihn ihr über die Hüften, sodass sie von der Taille abwärts nackt vor mir stand, dann drehte ich sie herum und drückte sie gegen die Wand, während ich meine Hose aufmachte. Der Schmerz in meiner Hand verging, als die Begierde mich übermannte, und zugleich erfasste ein Gefühl tiefer Liebe mich, als ich mich nun gegen ihr Fleisch drängte, das sich für mich öffnete, sich um meine Eichel wölbte. Ich hielt inne. So groß mein Verlangen nach ihr sein mochte, wollte ich ihre Lust noch weiter hinauszögern, indem ich ihr meine Dominanz bewies, nach der sie sich so sehr sehnte; jene Dominanz, die sie brauchte, um endgültig frei zu sein. »Dieses Wochenende wirst du keinerlei Kleider tragen. Ich will deine Muschi nackt und jederzeit bereit für mich haben.«

»Tja, damit dürfte Sightseeing wohl flachfallen.« Ich hörte die Sehnsucht in ihrer Stimme, während sie die Hüften bewegte, um mich in sich aufzunehmen.

Meine Hand landete mit einem befriedigenden Klatschen auf ihrer linken Pobacke. Ich spürte, wie meine Handfläche vibrierte, was meine Lust noch mehr steigerte und es mir schwer machte, mich zu beherrschen und mich nicht sofort in sie zu bohren. »Du wirst dich ausziehen, sobald die Tür hinter uns zugeht«, fuhr ich barsch fort und spürte, wie sie sich an mich drängte. »Und ich werde das Wochenende damit zubringen, mich um dich zu kümmern. Möchtest du irgendwelche Einwände äußern?«

Sie schüttelte den Kopf, worauf ich mich ein winziges Stück weiter in ihre feuchte Muschi schob. Sie stieß ein Wimmern aus, und ich sah zu, wie sich ihr rosiges Fleisch um meinen Schwanz schmiegte.

»Was brauchst du, Süße?«, fragte ich mit seidenweicher Stimme.

»Ich muss gefickt werden«, antwortete sie kleinlaut und flehend.

»Und ich werde dir geben, was du brauchst.« Ich schob mich in sie und lauschte genüsslich dem Schrei, der aus ihrer Kehle drang. Dann bog ich die Hüfte nach vorn, um mich tiefer im weichen Samt ihrer Muschi zu versenken. Ihr Fleisch hieß mich willkommen, pulsierend und vibrierend, als ich sie mit tiefen, kraftvollen Stößen fickte. Ich wollte mehr. Mehr von ihr. Clara, nackt vor mir kniend, ihre Lippen, die sich warm um meinen Schwanz schlossen. Die vergangene Woche war die pure Hölle gewesen; die Sorge um sie hatte mich beinahe um den Verstand gebracht. Deshalb würde ich nicht zulassen, dass wir die nächsten Tage länger als unbedingt nötig getrennt voneinander wären. Ich wollte Clara, sie ausfüllen, ihre Angst ebenso bannen wie meine eigene, auf die einzige Art, die ich beherrschte – indem ich mit ihr verbunden blieb, mit ihrem Körper und ihrer Seele gleichermaßen.

»Komm, Liebste«, befahl ich, während sich ihre Atemzüge beschleunigten und ihre Schreie und ihr Wimmern zu einer Sinfonie anschwollen, die mich immer weiter antrieb, bis ihr Körper stocksteif wurde und sie von einem heftigen Höhepunkt geschüttelt wurde. Die Kontraktionen ihres Körpers schienen sich auf mich zu übertragen und entrissen mir meine mühsam aufrechterhaltene Kontrolle, sodass ich mich in sie ergoss, ihre Hüften immer noch fest im Griff, während ich endlich Erlösung fand.

Ich hielt sie fest, bis ihr Beben verebbt war, dann zog ich mich aus ihr heraus. Schließlich hob ich ihr Höschen auf und führte sie zurück zu unseren Sesseln, wo ich sie auf meinen Schoß zog und wir uns aneinanderschmiegten. Ein Gefühl tiefer Zufriedenheit überkam mich, als ich sie in den Armen hielt, alles war genau so, wie es sein musste. Sie hatte mir gezeigt, wie verloren ich gewesen war, hatte sich um mich gekümmert, so viele Wunden geheilt, die mich gequält hatten, und nun war es an der Zeit, dass ich mich ihrer Wunden annahm.

Der Wagen brachte uns zu dem Chalet, das ich fürs Wochenende reserviert hatte. Dank seiner Hanglage bot das Haus Ausblick über ein herrliches Skiresort. Um diese Jahreszeit war in St. Moritz nicht allzu viel los, da die Sommersaison gerade vorüber war und die Skitouristen noch nicht eingetroffen waren. Clara kuschelte sich in den Daunenanorak, den ich ihr bei der Landung überreicht hatte, und legte ihre Finger auf meine verbundene Hand, während sie die Schönheit der Natur in sich aufsog.

»Wäre dir etwas mit Strand lieber gewesen?«, fragte ich, als sie ihren Sicherheitsgurt löste.

»Wichtig ist nur, dass ich bei dir bin«, antwortete sie. »Die Aussicht ist wunderbar.«

»Allerdings«, gab ich zurück. Seit sie aufgewacht war, konnte ich kaum den Blick von ihr wenden.

»Du siehst sie dir ja gar nicht an«, tadelte sie errötend.

»Oh doch, das tue ich sehr wohl.«

Wie ich angeordnet hatte, brannte ein Feuer im Kamin, als wir eintraten.

»Das ist ja unglaublich!« Clara trat beiseite und ließ den Chauffeur mit unserem Gepäck eintreten.

Ich hatte das Chalet ausgewählt, weil es ein Höchstmaß an

Privatsphäre bot, trotzdem freute ich mich, dass es auch ihr gefiel. Es bestand aus einem großen Wohnraum mit üppig gepolsterten Sofas und dicken Fellen vor dem Kamin. An der Decke hing ein rustikaler Kronleuchter, und durch die raumhohen Fenster bot sich ein atemberaubender Blick auf die Stadt unter uns – näher würden wir der Zivilisation die nächsten drei Tage nicht kommen. Der erste Schnee war bereits gefallen und bedeckte die Spitzen der Berge ringsum. Für das Wochenende war Sturm angesagt, deshalb würden wir unseren Kurzurlaub praktisch komplett im Haus verbringen.

»Wir haben Vorräte fürs ganze Wochenende und brauchen keinen Fuß vor die Tür zu setzen«, erklärte ich ihr.

»Wow, X, nun hast du mich also in die Einsamkeit einer Berghütte entführt. Was hast du mit mir vor?«

Statt einer Antwort schloss ich die Tür. Das metallische Ratschen des Riegels hallte bedeutungsschwanger in der Stille wider. Clara fuhr herum und sah mich mit vor Anspannung aufgerissenen Augen an. Ich streckte ihr die Hand hin. Sie ergriff sie, ohne zu zögern. Dieses Wochenende stellte den Beginn unseres Heilungsprozesses dar. Ich musste ihr zeigen, dass ich sie beschützen würde; indem ich die Kontrolle übernahm, bis ihr Körper wieder wusste, dass er sich in meinem Gewahrsam befand. Die britische Krone mochte ihr den Schutz verwehren, ich jedoch würde ihn ihr gewähren. Und eines Tages stünde sie auch unter dem Schutz meines Namens.

»Erinnerst du dich an unser Arrangement?«, fragte ich.

Sie legte aufreizend den Kopf schief und ließ ihre Daunenjacke zu Boden gleiten. »An ein Arrangement erinnere ich mich nicht, sondern nur an eine Anweisung.«

»Und hast du Einwände dagegen? Soweit ich mich erinnere,

warst du immer nur zu gern bereit, dich meinen Anweisungen zu fügen.«

»Keine Einwände«, sagte sie und schlüpfte aus ihren Schuhen, dann legte sie die Hand auf den Knopf am Bund ihrer Jeans. »Aber eine Bitte hätte ich.«

»Ich bin hier, um Ihre Wünsche zu erfüllen«, sagte ich und spürte, wie mein Mund trocken wurde, als ich zusah, wie sie den Knopf öffnete und sich aus ihrer engen Jeans schälte. Nur unter Aufbietung all meiner Willenskraft konnte ich mich beherrschen.

Ich durchbohrte sie förmlich mit Blicken, starrte wie gebannt auf ihre vollen Brüste mit den perfekt geformten Brustwarzen. Später würde ich sie in den Mund nehmen und an ihnen saugen, bis sie kam. Meine Zunge glitt über meine Unterlippe, während ich mir ausmalte, wie ich sie mit Beschlag belegte.

Nackt trat sie vor mich hin und strich mit dem Finger einladend über meine Lippe. »Nicht behutsam sein. Nimm mich so, wie du es brauchst. Benutz meinen Körper. Ich will ihn spüren, mit dir ... überall.«

»Manchmal bin ich aber gern behutsam mit dir«, gab ich zurück, sorgsam darauf bedacht, die richtigen Worte zu finden, was ziemlich schwierig war, nun, da ihre perfekte kleine Muschi so bereitwillig auf mich wartete.

»Ich will es hart und langsam und verzweifelt und zärtlich. Ich will alles. Dich«, stieß sie mit rauer Stimme hervor und senkte den Blick. Ich spürte den Aufruhr in ihrem Innern, die Leidenschaft, die in ihr glomm. Sie bat mich, die Kontrolle zu übernehmen. Zu spüren, wie sehr sie sich danach verzehrte, ging mir durch Mark und Bein, und ich hatte Mühe, sie nicht gleich hier zu nehmen und ihr die Antworten zu geben, nach denen sie sich sehnte.

Clara hatte mich wieder aufgerichtet und bot mir so viel von sich – ihren Körper ebenso wie ihr Herz. Sie nahm mich nicht nur, wie ich war, sondern schien mich aufrichtig zu wollen trotz all der Geheimnisse und dunklen Seiten, die unsere Liebe auf eine harte Probe gestellt hatten. Es war ein Geschenk, das mich zu überwältigen drohte und meine Zurückhaltung ins Wanken geraten ließ.

Ich legte einen Finger unter ihr Kinn und zwang sie, mich anzusehen. »Du schenkst mir dein Vertrauen, Clara, und das nehme ich sehr ernst. Wenn ich dich ficke, Clara, und das werde ich, bis du mich anflehst, damit aufzuhören, benutze ich dich nicht. Ich werde dich niemals benutzen. Wenn ich dich ficke, schenke ich dir Freiheit. Willst du diese Freiheit haben?«

»Ja, bitte«, wisperte sie.

21

Wie angewiesen, wartete ich auf ihn, auf dem Bett liegend, das Gesicht zur Wand gedreht. Kerzenschein tauchte den Raum in sanftes, romantisches Licht. Ich strich über die weichen Daunenkissen und widerstand der Verlockung, einfach einzuschlafen, während er hinter mir seine Vorkehrungen traf: das scharfe Scharren von Stoff auf Holz, das Knarzen der Bodendielen. Ich hatte mich ihm angeboten, mit Haut und Haar, ohne zu wissen, was das bedeutete. Doch mit jedem neuen Geräusch beschleunigte sich mein Puls vor Erwartung. Was mir früher Angst eingejagt hatte, befeuerte nun meine Erregung und ließ meine Sinnlichkeit jäh auflodern.

Seine Hände und sein Körper vermochten mir Linderung von den Albträumen der vergangenen Woche zu verschaffen. Ich musste ihm nur vertrauen, musste daran glauben, dass er mich befreien konnte, und genau das tat ich. Ich war bereit, mich seiner animalischen Dominanz zu unterwerfen. Seine Liebeserklärung war wie ein Befreiungsschlag gewesen, trotzdem konnte ich noch immer die Angst in seinen Augen sehen.

Doch hier, weit weg von London, mit viel Abstand zu allem, was geschehen war, würden wir uns endlich ungehindert unseren Gefühlen widmen.

Die Matratze gab unter seinem Gewicht nach, als er sich neben mich sinken ließ. Begierde durchflutete mich neuerlich, als seine Hand über mein Steißbein strich. Unwillkürlich reckte ich ihm die Hüften entgegen, doch er gebot mir Einhalt. Seine Worte kamen mir wieder in den Sinn. Ich würde kommen, aber immer nur dann, wenn er es wollte, und ich ging davon aus, dass ich heute Abend regelrecht darum würde betteln müssen.

»Ich werde dir jetzt die Augen verbinden«, sagte er leise und rieb weiter meinen Hintern. »Warum, wirst du gleich verstehen.« Er hielt mir einen Schal vors Gesicht, um mir Gelegenheit zu geben, Nein zu sagen. Als ich keine Anstalten machte, legte er ihn mir über die Augen und verknotete ihn fest, ehe er mich bei der Hand nahm, mich hochzog und meine Füße auf den Boden stellte. Er trat hinter mich, eine Hand auf meinen unteren Rücken gelegt – allein die winzige beruhigende Geste genügte, um meine Beklommenheit zu vertreiben. Ich stieß mit der Hüfte gegen den Bettpfosten. Er stoppte mich und drehte mich so hin, dass mein Bauch gegen den kühlen Holzrahmen gedrückt wurde.

»Spreiz die Beine«, befahl er. Ich gehorchte, was er mit einem »braves Mädchen« belohnte, ehe er meine Arme anhob, ein seidenes Seil um meine Handgelenke schlang und so fest zuzog, dass ich gezwungen war, mich auf die Zehenspitzen zu stellen. Das Seil strich über meine Brüste, als er es um meinen Oberkörper legte, dann hielt er kurz inne, und ich spürte, wie er die Enden zwischen meinen Schulterblättern zu einem

Knoten band. Als Nächstes schlang er das Band um meinen Bauch und zog es gerade so fest, dass es sich leicht in meine Haut drückte. Ich spürte seine Hände auf meinem Bauch, als er einen weiteren Knoten direkt über meinem Nabel band. Die Enden ließ er zwischen meinen gespreizten Beinen baumeln. Ich überließ mich seiner Kunstfertigkeit, wohl wissend, dass jeder Handgriff sorgsam platziert war und seinen Sinn hatte.

Das Seil strich an meinem linken Knöchel entlang, als er danach griff und es festband. Er legte es um meinen rechten Knöchel und zog es auch hier fest, sodass ich mich noch weiter auf die Zehenspitzen aufrichten musste. Mein Körper war nun vollständig gestreckt. Der leichte Schmerz war köstlich, und ich spürte, wie er allmählich in Erregung umschlug. Anfangs hatte ich Zweifel gehabt, ob ich es schaffen würde, aber nun gelang es mir mit jeder Sekunde besser, mich der Anspannung hinzugeben. Einen Moment lang bewegte sich keiner von uns, und ich konzentrierte mich auf seinen Atem, der stoßweise ging. Dann hörte ich das scharfe Klicken einer Gürtelschnalle, gefolgt vom Zischen von Leder auf Stoff. Instinktiv spannte ich Arme und Beine an und wappnete mich innerlich für das vertraute Brennen, als ich den Gürtel auf dem Boden aufschlagen hörte. Als Nächstes raschelte Stoff, dann spürte ich die Hitze seines Körpers auf meiner sensiblen Haut. Angetrieben von dem Wunsch, mich gegen ihn zu pressen, zerrte ich an meinen Fesseln.

»Entspann dich«, befahl er und fuhr mit dem Finger mein Rückgrat entlang. »Vor mir brauchst du keine Angst zu haben, Clara. Ich werde dir nichts als Lust spenden. Ich habe dir die Gewalt über deine Hände und deine Füße genommen, aber deine Stimme bleibt dir noch. Verstehst du, was ich sage?«

Er packte mich an den Haaren und riss meinen Kopf zurück, als ich nickte. »Benutz deine Stimme. Sag es mir.«

»Ich verstehe«, flüsterte ich.

»Sag mir, was du gerade denkst.« Er löste seinen Griff und grub seine Zähne in meine Schulter.

Ich stöhnte auf, als die Lust mich durchströmte und sich meine Brustwarzen in der Kühle des Raums aufrichteten. Blind und ohne meinen Tastsinn waren meine anderen Sinne mit einem Mal merklich geschärft, und die Reize drohten mich zu überfluten. Ich spürte den zarten Luftzug, der über meine Haut strich, und meine Nasenflügel bebten, als mir der Geruch nach Wachs und Blumen in die Nase stieg.

»Sag es«, wiederholte er mit fester Stimme und rollte meine Brustwarze zwischen zwei Fingern, was meine ohnehin überreizten Nerven beinahe zum Kollabieren brachte.

»Ich ... ich will dir Lust bereiten«, stammelte ich.

»Das ist sehr erfreulich, Süße«, murmelte er und löste seinen Griff um meine Brust. »Dich so zu sehen ... gefesselt und mir auf Gedeih und Verderb ausgeliefert ... Hast du eine Ahnung, was das in mir auslöst? Was ich am liebsten mit dir tun würde? Soll ich es dir zeigen?«

In letzter Sekunde verkniff ich mir ein Nicken. »Ja.«

Die Augenbinde wurde weggezogen, und ich blinzelte, während sich meine Augen an das flackernde Licht der Kerzen und der Flammen im Kamin gewöhnten.

»Es ist ein Jammer, dass du das Bild nicht als Ganzes sehen kannst.« Alexander trat an die Ecke des Bettes und beobachtete gierig meine Reaktion, als ich langsam nach oben blickte. Ein rotes Seil war um einen quer über die gesamte Zimmerdecke verlaufenden Holzbalken geschlungen, zu einem aufwendigen

Knoten gebunden und um meine Handgelenke geschlungen, sodass es meine Arme oben hielt. Mein Blick wanderte nach unten, wo es direkt unterhalb meiner Brüste verlief. Ich hatte zwar gespürt, wie er es um meinen Brustkasten gelegt hatte, trotzdem erfasste mich jähe Lust und vertrieb die Erschöpfung, die sich allmählich in meinen Gliedern breitgemacht hatte. Der Knoten auf meinem Bauch war so raffiniert geschlungen, dass ich mich nur fragen konnte, wie oft er ihn schon gebunden haben mochte. Wer hatte sich in der Vergangenheit so glücklich schätzen dürfen, seiner Kontrolle vollständig ausgeliefert zu sein? Ich verdrängte den unerfreulichen Gedanken und versuchte, einen Blick auf meine an den Bettpfosten gefesselten Knöchel zu werfen.

Pure Lust flackerte in Alexanders Augen, als ich ihn wieder ansah. Genüsslich ließ ich meinen Blick über seinen prachtvollen Körper wandern, bis hinab zu seinem erigierten Schwanz. Die Hitze schoss mir in die Wangen, und abermals wurde mir meine Verwundbarkeit bewusst. Doch statt verlegen zu sein, stand ich förmlich in Flammen.

»Du siehst hinreißend aus mit deinen rosigen Wangen. Es juckt mich in den Fingern, deinen anderen Backen dieselbe Farbe zu verleihen.« Ich erstarrte. »Ich werde mit dir anstellen, was mir gerade in den Sinn kommt, es sei denn, du sagst das Safeword.«

Trotzig presste ich die Lippen aufeinander. Ich hatte unmissverständlich erklärt, dass ich ihm vertraute. Und genau das tat ich auch.

Er trat wieder hinter mich, und ich musste den Impuls unterdrücken, meinen Hintern an ihm zu reiben, um seinen harten Schwanz an meinem weichen Po zu spüren. Er lachte leise, als er meine erbärmlichen Versuche sah, ihm näher zu kommen. Ich spürte seine Handfläche über meine Pobacke streichen und spielerisch darauf klopfen. Behutsam rieb er die Stelle, ehe er zum nächsten Hieb ausholte, dann ein weiteres Mal. Abwechselnd strich er über meinen Hintern und versohlte mich, bis meine Haut zu brennen begann.

»Perfekt«, raunte er dicht neben meinem Ohr. »Soll ich dir verraten, weshalb ich dich gefesselt habe? Weil ich will, dass du wahre Erlösung erlebst. Ich will dich am Rand der Verzweiflung sehen, will hören, wie du mich anflehst, gemeinsam mit dir zum Höhepunkt zu gelangen. Heute wird es noch nicht soweit sein. Du bist noch nicht zur Gänze bereit. Doch ich werde dir zeigen, wie sehr ich dich liebe – wie heilig mir dein Körper ist. Ich werde dich dazu bringen, vor Lust zu schreien und zu winseln und dich an den Seilen festzuklammern, und dann fange ich wieder von vorn an.«

Ein leises Wimmern drang aus meinem Mund, als er sich auf die Knie sinken ließ. Seine Finger schlossen sich um mein geschwollenes Geschlecht, dann spürte ich seine Zähne, die spielerisch über meinen Po strichen und daran knabberten, ehe er grob die Backen auseinanderschob. Sekundenbruchteile später tauchte seine Zunge in mich hinein, und er vögelte mich mit seinem Mund, bis meine Knie nachgaben, doch die Fesseln verhinderten, dass ich zu Boden sank. Meine Beine waren so zittrig, dass ich den Großteil meines Gewichts auf meine Arme verlagern musste, während ich aufschrie, als Alexander mich weiter mit Küssen traktierte. Er leckte meine erregte Muschi, bis ich ihn anflehte aufzuhören. Ich verlor den Bodenkontakt, hing hilflos in den Fesseln, hin- und hergerissen zwischen Qual und Lust. In dem Moment, als sich mein Unterleib lustvoll zusammenzog, löste er sich von mir und stützte mich mit einer Hand, bis ich mein Gleichgewicht wiedergefunden hatte. Mein Fußgewölbe schmerzte, meine Waden zitterten vor Anstrengung, meine Arme brannten.

»Ich bin noch nicht fertig mit dir«, erklärte er, stand auf und trat an die andere Ecke des Raums, um eine kleine Flasche Öl aus seiner Tasche zu nehmen. Gemächlich schlenderte er wieder herüber, so als hätte er alle Zeit der Welt, und schien sich an meinem Stöhnen und Wimmern zu ergötzen. Ich hatte mich rettungslos in meiner Rolle verloren, war völlig überwältigt von dem, was sich hier abspielte, gleichzeitig brannte ich darauf, alles zu tun, was er von mir verlangte. Er verwandelte mich in ein winselndes, bedürftiges Wesen, und ich genoss es in vollen Zügen.

Alexander beugte sich neuerlich vor. Diesmal schob er einen Finger in meine pulsierende Spalte. Mein Körper spielte völlig verrückt. Alexander verlangsamte seine Bewegungen, bis ich mich ein wenig beruhigt hatte. Schließlich zog er seine Hand zurück, und ich hörte, wie er den Verschluss der Flasche öffnete. Öl sickerte an meiner Spalte entlang, dann tauchten seine Finger neuerlich in mich hinein und begannen, mich zu massieren, ehe sein Daumen zu meinem Anus wanderte und sich vorsichtig hineinschob. Wieder brachte er mich an den Rand des Irrsinns, sorgsam darauf bedacht, mich nicht kommen zu lassen.

»Macht es dir etwas aus, wenn ich dich hier berühre?«, fragte er und schob seinen Daumen tiefer in mich hinein.

»Mehr«, stöhnte ich, lediglich getrieben von einem einzigen Gedanken: ihn in mir zu haben. Ich lechzte danach, weiter gedehnt zu werden, bis ich zerbarst.

»Ich bin nicht sicher, ob du das wirklich willst«, sagte er, doch seine raue Stimme verriet mir, dass er sich nichts sehnlicher wünschte, als auch noch diese letzte Bastion meines Körpers zu erobern.

»Fick mich«, bettelte ich. »Fick mich genau dort.«

Seine Hand verharrte kurz, was mir Zeit gab, noch einmal über das nachzudenken, was ich von ihm verlangte. Dass er sich nicht bewegte, machte das Ganze ungleich erregender.

»Du willst, dass ich dich ficke?« Er ließ seinen Daumen langsam kreisen.

»Ja. Oh Gott ja, halt endlich den Mund und hör verdammt noch mal auf zu fragen«, blaffte ich ungehalten.

Doch er zog sich aus mir zurück. Am liebsten hätte ich vor Frust aufgeschrien. Ihn angebettelt. Mein Körper gehörte ihm. Warum nahm er sich nicht, was ihm zustand?

»Ich werde jetzt deine Beine losbinden«, hörte ich ihn zu meiner Enttäuschung sagen. Ich war das reinste Nervenbündel, zugleich frustriert und voller Hoffnung.

Die Fesseln um meine Knöchel wurden gelöst, und ich versuchte, die Beine durchzubiegen, was mir jedoch nicht gelang, weil ich immer noch halb an dem Balken über meinem Kopf hing.

»Ich will dir nicht wehtun.« Er löste den Knoten um meine Handgelenke gerade weit genug, dass ich die Knie ein wenig beugen konnte. »Darum musst du mich schon bitten. Ich muss wissen, dass du damit einverstanden bist«, sagte er und streichelte meine Pobacke.

»Bitte, fick mich dort«, bettelte ich. »Nimm mich, nimm alles von mir.«

»Beug die Knie«, befahl er. Öl tröpfelte über meine blanken Pobacken, dann spürte ich, wie sich seine Eichel in mich schob. Es fühlte sich an, als stünde mein Hintern in Flammen, und ich biss mir auf die Unterlippe, doch der Schmerz vermochte die süße Qual nicht zu lindern. Er legte einen Arm um meine Taille, um mich zu entlasten. Ich war ihm immer noch hilflos ausgeliefert. Er schob sich ein bisschen weiter hinein. Der Widerstand meines Körpers gegen diese ungewohnte Penetration schwand mit jeder Sekunde, bis ich ihn vollends in mir aufgenommen hatte. Mein Kopf sank auf meinen Arm, und ich begann zu schluchzen.

Alexander hielt inne und gab mir Gelegenheit, mich an die neuen, ungewohnten Empfindungen zu gewöhnen. Ich wusste, dass er ohne ein Signal meinerseits nicht fortfahren würde. Also gab ich es ihm. Mein Verlangen, von ihm in Besitz genommen zu werden, war unermesslich. Seine Hand glitt abwärts, von meinem Bauch zwischen meine Beine, wo er mit geübten Bewegungen meine Klitoris zu massieren begann. Lust flammte in mir auf, und ich ergab mich seinen Liebkosungen.

»Nicht«, stöhnte ich mühsam. »Nicht... aufhören.«

Er zog sich gerade weit genug zurück, um sich ein weiteres Mal in mir zu versenken. Seine Selbstbeherrschung war wirklich beeindruckend.

»Mehr«, verlangte ich, worauf er sich seinen Instinkten hingab und seine Bewegungen beschleunigte. Er hielt mich fest umfangen und grub sich wieder und wieder stöhnend in mich hinein. Mit jedem Stoß war es, als würde mich ein Dolch aufspießen. Ich war gefangen zwischen Schmerz und Lust, spürte jedoch bereits, wie sich ein mächtiger Höhepunkt in mir aufzubauen begann. Schließlich explodierte ich in seinen Armen, und meine Lustschreie hallten von den hölzernen Wänden wider.

»Jaaa!«, schrie ich auf, als ich die Hitze seines Samens spürte, der sich in mich ergoss. Schließlich zog er sich aus mir zurück und strich mit dem Finger über die Reste, die er auf meiner Haut hinterlassen hatte. »Jetzt gehörst du endgültig mir.«

»Ja«, bestätigte ich atemlos, wieder und wieder, auch als er die Fesseln um meine Handgelenke löste.

Er nahm mich in die Arme und trug mich zum Bett.

»Ich werde dich jetzt sauber machen«, erklärte er beiläufig.

Ja, Hygiene war vielleicht nicht die schlechteste Idee. Das Licht im Badezimmer ging an, während ich noch immer bebend auf der Matratze lag. Alexander hatte mich liebevoll und mit sicherer Hand an meine Grenzen und darüber hinaus geführt und mir dadurch die intensivste Lust beschert, die ich je erlebt hatte. Und, ja, ich sehnte mich noch immer nach seinen Berührungen, als hätte ich nicht schon mehr als genug davon bekommen. Er kam zurück, breitete die Decke über mir aus und legte sich neben mich, dann liebte er mich noch einmal und zeigte mir, was es bedeutete, ihm zu gehören.

22

Als ich aufwachte, war Alexanders Seite des Bettes leer. Ich räkelte mich und spürte das angenehme Ziehen in meinen Muskeln. Er hatte mich gefesselt, mich liebkost und gequält, mich an meine Grenzen gebracht, und nun erinnerte sich mein Körper daran. Mein Blick fiel auf das Seidenseil, das im Schein des Kaminfeuers immer noch am Fußende des Bettes lag. Ich glitt unter der Decke hervor, tappte barfuß hinüber und strich darüber. Der Stoff fühlte sich glatt und rau zugleich an, eng und befreiend. Ich legte es um mein Handgelenk und ließ die Szene im Geiste noch einmal Revue passieren. Die Erinnerungen stiegen in mir auf, im Stakkato, zuerst Erregung, dann Qual und schließlich Erlösung.

Als ich Alexander neben dem Ofen im Wohnraum sitzen sah, vibrierte mein Körper förmlich vor Begierde. Scheu blieb ich auf den Stufen stehen und genoss den Anblick seiner muskulösen Schultern, seines sehnigen Rückens. Dieser Mann, dieser Gott, gehörte mir. Noch immer hatte die Erkenntnis etwas Surreales, wurde erst durch Berührung zur Tatsache. Es war mir nach wie vor ein Rätsel, wie ausgerechnet wir uns unter den Milliarden Menschen auf der Welt hatten finden können. Ich blieb eine ganze Weile dort stehen, sah zu, wie der orange Schein der Flammen sein tiefschwarzes Haar schimmern ließ, bis ich es nicht länger ertrug. Erst jetzt wurde mir bewusst, dass zwischen uns eine unauslöschliche Verbindung bestand. Magnetisch. Unwiderstehlich. Ich würde diesen Mann jederzeit in einem Meer aus Menschen finden. An jenem Tag im Oxford and Cambridge Club hatte uns eine Kraft zueinander geführt, die keiner von uns leugnen konnte. Alles, was ich bisher getan hatte, jede Entscheidung, sogar jeder Fehler, hatte mich unweigerlich zu ihm geführt.

Alexander drehte sich um. Sein Gesicht lag halb im Schatten verborgen, als er die Hand nach mir ausstreckte. Ich flog förmlich in seine Arme, setzte mich auf seinen Schoß und zog die Beine an die Brust, während er mich umschlang.

»Konntest du nicht schlafen?«, fragte ich.

Er strich mir eine Haarsträhne hinters Ohr und küsste mich. »Ich wollte dich nicht wecken. Bitte entschuldige, dass ich dich allein gelassen habe.«

»Du brauchst dich nicht zu entschuldigen. Du hast mich quasi ins Koma gevögelt.« Ich fuhr die markante Linie seines Kiefers nach.

»Ich hätte nach dir sehen müssen.« Er schüttelte den Kopf, während wieder jener selbstverachtende Ausdruck über sein Gesicht huschte, den ich so gut kannte. »Die letzte Nacht war sehr intensiv. Du solltest danach nicht allein sein.«

»Mir geht's gut«, erklärte ich nachdrücklich. Ich hasste es, wenn er sich selbst infrage stellte. Was ich auch tat, ich konnte ihn offensichtlich nicht davon überzeugen, dass ich ebenso hingerissen von ihm war wie er von mir. »Sieh mich an, X. Ich bin überglücklich. Ehrlich. Du machst mich sehr glücklich.«

»Ich versuche es.« Der Anblick seiner gequälten Miene brach mir beinahe das Herz.

»Wenn du nicht aufhörst zu schmollen, muss ich dich versohlen«, warnte ich.

Er legte die Hand auf mein Hinterteil und lächelte, wenn auch etwas widerstrebend. »Das ist doch meine Aufgabe, Süße.«

»Dann solltest du dich vielleicht bald an die Arbeit machen«, raunte ich, doch in diesem Moment meldete sich mein Magen mit einem leisen Knurren. Diese blöden menschlichen Grundbedürfnisse.

»Ich denke, du solltest zuerst etwas essen«, sagte er und lachte leise.

Widerstrebend stand ich auf, und wir gingen in die Küche, wo Alexander einen Karton Milch aus dem Kühlschrank nahm und sich an die Zubereitung von Rühreiern und Toast machte. Trotzdem lag seine Trübsal wie ein Schatten über dem frühen Morgen.

»Du machst mir die ganze Stimmung kaputt«, maulte ich und sah ihm von einem Stuhl aus zu.

»Wir haben das Abendessen sausen lassen. Das ist inakzeptabel.«

»Ich breche schon nicht zusammen«, erklärte ich ruhig. »Mir geht es gut, ich bin gesund, X. Eine ausgefallene Mahlzeit bringt mich schon nicht um.«

»Trotzdem …« Er wendete die Eier mit einem Spatel.

Schweigend werkelte er weiter vor sich hin. Schließlich stellte er mir einen vollen Teller hin, auf den ich mich gierig stürzte. Zufrieden registrierte ich den Anflug eines Lächelns auf seinen Zügen. Er hatte das Bedürfnis, sich um mich zu kümmern, und ich sollte aufhören, mich dagegen zu wehren. Auch in diesem Punkt würde es vermutlich eine Weile dauern, bis ich begriff, dass seine Sorge kein Zeichen dafür war, dass er mich für schwach hielt.

»Ich glaube, ich könnte mich daran gewöhnen, jeden Morgen mein Frühstück von dir serviert zu bekommen.« Strahlend schob ich meinen Teller weg. Jeden Tag ging es in kleinen Schritten vorwärts.

»Und ich könnte mich daran gewöhnen, dir jeden Morgen das Frühstück zu machen«, gab er zurück, doch er sagte es so bedeutungsschwer, dass mir ein Schauder über den Rücken lief.

»Das wirst du wohl müssen, wenn du mich die ganze Nacht wach hältst«, konterte ich, zwar im Scherz, trotzdem machte mein Puls keine Anstalten, langsamer zu werden.

»Wenn es nach mir ginge, jede Nacht«, sagte er und ließ den Blick über meinen Körper schweifen, ehe er an meiner linken Hand hängen blieb. »Aber man hat gewisse Erwartungen an mich, Clara.«

Wieder beschleunigte sich mein Herzschlag, und ich spürte, wie sich ein flaues Gefühl in meiner Magengegend ausbreitete. Dieses Gespräch hatten wir schon einmal geführt, und schon damals war es nicht gut ausgegangen.

»Und es sieht so aus, als wären diese Erwartungen jetzt auch mit dir verbunden.« Alexander hielt inne und räusperte sich. »Eine Ehe war für mich nie erstrebenswert, sondern bloß etwas, das von mir erwartet wurde.«

»Ich weiß«, warf ich eilig ein, um das Gespräch in eine andere Richtung zu lenken, bevor er alles kaputt machen würde. »Geht mir genauso. Es ist noch viel zu früh – für uns beide.«

»Also hast du nicht die Absicht, mich zu heiraten? Sondern benutzt mich nur, weil du verrückt nach meinem Körper bist?« Er grinste, doch es war ein brüchiges Grinsen.

»Wir sind beide noch jung. Ich weiß, dass deine Familie bestimmte Vorstellungen und Erwartungen an dich hat, und mir ist auch bewusst, dass wir uns über kurz oder lang damit auseinandersetzen müssen, aber für den Moment will ich mich lieber auf dich und mich konzentrieren.« Ich ignorierte die leise Stimme in meinem Kopf, die mich daran erinnerte, dass unsere Beziehung ein Verfallsdatum hatte, und beschloss mit voller Absicht, so zu tun, als wüsste ich nicht, dass eine Trennung eines Tages unvermeidlich war.

Alexander schob die Hände unter mein Hinterteil, hob mich hoch und trug mich ins Schlafzimmer. »Dann lass dir sagen, dass du mein Ein und Alles bist, Clara«, erklärte er und bewies mir, dass es nicht nur leere Worte waren.

Den ganzen Tag über schwankte seine Stimmung zwischen sinnlicher Leidenschaft und düsterer Verzweiflung. In den Momenten, wenn wir uns liebten, war er voll und ganz bei mir, doch sobald wir uns trennten, und wenn auch nur für ein paar Minuten, gewann die Düsternis sofort die Oberhand. Ich spürte seinen inneren Kampf, konnte ihn aber nicht nachvollziehen. Also war ich einfach die ganze Zeit bei ihm, im Schlafzimmer, auf der Treppe oder auf dem Bärenfell vor dem Kamin. Wann immer ich ihn zu mir lockte, wusste ich, dass ihn jene Dämonen schon bald wieder im Würgegriff haben würden, von denen er mir nichts erzählen wollte.

Trotzdem war ich glücklich. Welchen Kampf er auch immer auszufechten haben mochte, er führte dazu, dass wir einander noch näher waren als zuvor. So viel stand fest. Für den Moment blieb mir nichts anderes, als an seiner Seite zu bleiben und ihn ansonsten seinem Kampf zu überlassen. Als meine Reserven aufgebraucht waren, fiel ich in tiefen, traumlosen Schlaf, nur um von seinen zärtlichen Händen wieder geweckt zu werden.

»Clara, du musst dich anziehen.« Der eindringliche Tonfall wollte so gar nicht zu den liebevollen Berührungen passen.

»Aber warum?«, murmelte ich und rieb mir die Augen, ehe ich erstaunt feststellte, dass draußen der Morgen graute.

»Wir müssen aufbrechen«, informierte er mich und sammelte die wenigen persönlichen Dinge ein, die wir ausgepackt hatten.

Ich setzte mich auf, zog das Laken über meine nackte Brust und sah ihn fragend an. Aufbrechen? Aber wir sind doch erst gestern angekommen. »Ich dachte, wir bleiben bis Montag.«

»Ich muss nach London zurück. Der Wagen ist in ein paar Minuten hier.« Er trat zu mir und hauchte mir einen Kuss auf die Stirn. »Zieh dich warm an. Die Temperaturen sind merklich gefallen.«

Ich kroch aus dem Bett und machte mich auf die Suche nach meiner Reisetasche. Ich zerrte mir einen Pulli über den Kopf und schlüpfte in meine Jeans. Mit Panik würde ich nichts erreichen, das war mir bewusst, trotzdem schwirrten mir lauter Fragen im Kopf herum. Wieso die überstürzte Abreise? Ich dachte an Edward, an Belle, an das ganze Land im Allgemeinen und, natürlich, an Daniel. Welche Nachrichten würden mich empfangen, wenn ich gleich das Chalet verließ? In Wahrheit wollte ich die Antwort lieber gar nicht wissen.

Alexander kam zurück und nahm wortlos meine Reisetasche. Ich folgte ihm beklommen, doch erst auf dem Weg zum Flughafen fand ich meine Stimme wieder. »Was ist passiert? Geht es um … Daniel?«

Ich wollte lieber gleich Bescheid wissen, damit ich im Zweifelsfall gewappnet wäre. Vielleicht war mit seiner U-Haft etwas schiefgelaufen.

»Nein, es geht nicht um Daniel.« Ich registrierte einen Hauch von Unaufrichtigkeit in seinem Tonfall, doch er fuhr fort, bevor ich weiter nachhaken konnte. »Es gibt neue Entwicklungen im Hinblick auf den Unfall.«

»Den Unfall?«, wiederholte ich; ich hatte nicht die leiseste Ahnung, was er meinte.

»Mein Unfall«, sagte er leise. »Es gibt neue Informationen, die alles verändern könnten.«

Der Unfall lag fast acht Jahre zurück, und doch verfolgte er ihn nach wie vor. Was könnte die Presse nun wieder ausgegraben haben, um ihn und seine Familie zu quälen?

»Was für Informationen?«

»Jemand behauptet, es wären Drogen im Spiel gewesen«, antwortete er mit eisiger Schärfe.

»Dass Alkohol mit im Spiel war, weiß ich ja schon.« Ich bemühte mich um einen beschwichtigenden Tonfall, um zu verhindern, dass er sich komplett verschloss. »Aber Drogen auch? Warst du etwa high?«

»Ich nicht.« Er presste die Lippen aufeinander, als würde er versuchen, eine besonders schmerzvolle Erinnerung zu verdrängen. »Aber meine Schwester.«

Damit hatte ich nicht gerechnet. »Sarah?«

»Diese Person behauptet, ihr und Sarah wären K.o.-Tropfen

verabreicht worden, und zu dem Unfall wäre es nur deshalb gekommen, weil Sarah am Steuer gesessen hätte.«

Niemand wusste genau, was in dieser Nacht vorgefallen war. Alexanders Erinnerung war fast vollständig ausgelöscht. Die Medien hatten behauptet, er hätte am Steuer gesessen, und er hatte aus seinen Schuldgefühlen heraus die Verantwortung übernommen. Aber wir wussten beide, dass in Wahrheit Sarah gefahren war. Und dass es nur zwei Menschen gab, die Zeugen des tragischen Unfalls geworden waren. Er brauchte mir nicht erst zu sagen, wer dieser Jemand war, der nun an die Presse gegangen war. Sie hatte mich bereits selbst vorgewarnt.

»Pepper behauptet, ich hätte ihr die Tropfen verabreicht und wäre schuld an Sarahs Tod«, fuhr er tonlos fort und starrte weiter blicklos auf die Landschaft, die neben uns vorüberzog.

Sie hatte also nicht gelogen. Sie würde ihn zerstören.

Die Maschine erwartete uns bereits auf dem Flugplatz und brachte uns auf direktem Weg nach London zurück. Wir hielten uns zwar fest an den Händen, trotzdem war jeder in seine eigenen Gedanken versunken. Das war Alexanders Welt: ungeplante Flüge und wichtige Strategiesitzungen. Zum ersten Mal wurde mir bewusst, wie er sich in das komplexe Netzwerk der britischen Politwelt einfügte. Doch was uns bei unserer Rückkehr erwarten würde, darüber konnte ich nur spekulieren.

Zwei Limousinen warteten bei der Landung auf dem Rollfeld des privaten Flugplatzes; vor einer stand Norris. Alexander ließ meine Hand los und trat zu ihm. Die beiden sprachen leise miteinander, und ich sah Alexander in meine Richtung nicken – aller Wahrscheinlichkeit nach erteilte er ihm Instruktionen, was weiter mit mir passieren sollte. Aber wenn er sich einbildete, dass ich ihn einfach gehen lassen würde, hatte er sich geschnitten. Wir hatten so lange und erbittert darum gekämpft, die Mauer aus Lügen und Geheimnissen zwischen uns niederzureißen, und nun wollte ich auf keinen Fall zulassen, dass sie wieder hochgezogen wurde.

Schließlich beendeten die beiden ihre Unterhaltung, und ein Mann, den ich nicht kannte, trat vor. »Ihr Vater hat mich angewiesen, Sie sofort zu ihm zu bringen«, sagte er zu Alexander.

Ich sah die unausgesprochene Frage in Alexanders Blick, und er kannte meine Antwort. Er streckte den Arm aus.

»Ihr Vater würde gern allein unter vier Augen mit Ihnen sprechen«, sagte der Mann mit einem kalten Blick in meine Richtung.

»Clara und ich haben keine Geheimnisse voreinander. Es wird allmählich Zeit, dass er das begreift«, gab Alexander finster zurück.

Der Mann deutete auf den Wagen, der mit laufendem Motor wartete, und wir stiegen ein. Erst jetzt fiel mir ein, dass ich Alexander nichts von Peppers Besuch erzählt hatte, aber es war zu spät. Ich hätte das ganze Fiasko verhindern können, hatte es aber nicht getan. Weil ich blind vor Hass auf Pepper gewesen war.

Ich trug die Schuld an allem, was passieren würde, und was am allerschlimmsten war: Ich hatte wieder einmal zugelassen, dass Geheimnisse zwischen uns standen.

23

Ich kannte den Palast, wenn auch nur als Touristin. Nun folgte ich Alexander durch die privaten Räumlichkeiten, die definitiv nicht Bestandteil der offiziellen Besichtigungstour waren. Bestimmt hätte ich an einem anderen Tag die prachtvolle Eleganz bewundert, heute jedoch schien von den altehrwürdigen Mauern ringsum Gefahr zu drohen, als wären wilde Raubtiere darin, die ihre Beute lauernd umkreisten. Fühlte sich für Alexander so der Erwartungsdruck an, der ständig auf seinen Schultern lastete?

Er riss die hohen Flügeltüren auf und betrat einen Raum, der eher wie ein Filmset denn wie ein Arbeitszimmer aussah. Kunstvoll gearbeitete Teppiche zierten die tapezierten Wände, und vor den Bogenfenstern waren Vorhänge aus schwerem Stoff drapiert. König Albert stand, eine Hand auf den Kaminsims gelegt, mit dem Rücken zu uns, neben ihm saß seine Mutter mit züchtig im Schoß gefalteten Händen, als würde sie für eine neue Sonderbriefmarke posieren. Sie würdigte uns keines Blickes, sondern verharrte in ihrer Pose als Königinmutter.

»Großmutter.« Alexander nickte knapp in ihre Richtung, ehe er sich an seinen Vater wandte. »Vater.«

König Albert machte keine Anstalten, den Gruß zu erwidern. »Ich habe darum gebeten, allein mit dir zu sprechen.«

»Das ist mir bewusst, aber ich habe keine Geheimnisse vor Clara.« Alexander stand da, die Arme an den Seiten, den Kopf trotzig erhoben. In diesem Moment verliebte ich mich ein weiteres Mal in ihn.

Was nicht ganz ungefährlich war, schließlich hatte ich ihm wichtige Informationen vorenthalten und konnte nicht einschätzen, welchen Preis ich für diesen Fehler würde bezahlen müssen.

»Du hast sehr wohl Geheimnisse, Alexander.« Albert wirbelte herum und starrte seinen Ältesten aus zusammengekniffenen Augen argwöhnisch an.

»Wir haben alle unsere Geheimnisse, vor allem diejenigen, in deren Adern blaues Blut fließt«, konterte Alexander.

»Aber nicht solche, mit denen die Klatschpresse Auflage macht!«, schleuderte König Albert ihm entgegen. »Ich habe alles darangesetzt, die Familie vor derlei Skandalschund zu bewahren. Deshalb frage ich dich noch einmal: Stimmt es?«

Die Frage brach mir das Herz. Auch wenn meine eigene Familie in einem Netz aus sorgsam gewebten Lügen und Halbwahrheiten leben mochte – zum Beispiel meine Eltern, die seit Jahren allen eine gut funktionierende Ehe vorgaukelten, auch wenn ich keine Sekunde an ihrer Liebe füreinander zweifelte –, beschützen wir einander doch vor Kummer und Leid, und selbst in schlimmsten Krisenzeiten hatte unsere Liebe zueinander am Ende stets gesiegt. Meine Eltern hatten eisern hinter mir gestanden, als ich krank geworden war. Und die Affäre meines Vaters hatten sie nie offiziell geleugnet, auch wenn sie nicht bereit gewesen waren, mich einzuweihen. Doch nun erlebte ich zum ersten Mal, was es bedeutete, in eine Familie hineingeboren zu sein, die Leistung und Pflichterfüllung über Zuneigung und Verständnis stellte. Ich wünschte mir inbrünstig, Alexander vor seinem Vater beschützen, von den Fesseln befreien zu können, die dieses Leben ihm auferlegte.

»Du weißt genauso viel über diese Nacht wie ich«, erwiderte Alexander. Die müde Tonlosigkeit seiner Stimme ließ ahnen, dass er seine Argumente unzählige Male vorgebracht hatte, ohne auch nur einmal wirklich angehört worden zu sein.

»Dann erkläre mir bitte, wieso dieses kleine Miststück jetzt behauptet, jemand hätte ihr in dieser Nacht Gamma-Hydroxybuttersäure verabreicht.« Mit ausholenden Schritten durchquerte der König den Raum und baute sich vor Alexander auf. Die beiden Männer starrten einander feindselig an.

»Miststück?«, wiederholte Alexander leise. »Warst du nicht derjenige, der wollte, dass ich sie heirate?«

Unvermittelt begann sich der Raum um mich zu drehen, und ich hatte Mühe, den Halt nicht zu verlieren. Alexander hatte mir geschworen, dass er keinerlei Interesse an Pepper hatte, und er hatte mich auch vor den Erwartungen seines Vaters gewarnt. Doch dass diese so konkret gewesen waren... Die Vorstellung, dass sie als passendere Partnerin für ihn galt, war wie eine schallende Ohrfeige.

»Spar dir gefälligst deine albernen Späße. Oder lachst du auch noch, wenn eine gerichtliche Untersuchung eingeleitet wird?«

»Gerichtliche Untersuchung? Willst du es ernsthaft so weit kommen lassen?« Alexander schien wieder die Oberhand zu gewinnen und ging um seinen Vater herum. »Ich an deiner Stelle wäre da vorsichtiger. In diesem Zusammenhang könnten noch mehr unschöne Dinge ans Licht kommen, mit denen sich Auflage machen lässt.«

»Wage es nicht, mir zu drohen«, grollte König Albert und bohrte Alexander seinen Zeigefinger in die Brust. »Ich bin dein König und dein Befehlshaber.«

»Und mein Vater«, konterte Alexander und fuhr sich mit der Hand durch sein zerzaustes Haar. »Du könntest dich ein einziges Mal um mich, deinen Sohn, sorgen. Aber, nein, lass uns keine Spielchen spielen. Du warst ja schon immer zu beschäftigt, mein Vater zu sein.«

»Du hast keinerlei Respekt vor der Komplexität eines Lebens als Regent. Schon heute fürchte ich mich vor dem Tag, an dem du diese Aufgabe übernehmen wirst, und werde bitterlich um mein Land weinen, da du nun einmal das Beste bist, was ich ihm geben kann«, stieß er hervor.

Unwillkürlich trat ich einen Schritt vor, doch Alexander gebot mir mit einer knappen Geste Einhalt. Das hier war seine Schlacht. Ich wünschte bloß, er müsste sie nicht allein ausfechten.

»Glaubst du ernsthaft, ich wäre scharf darauf, deinen Platz einzunehmen? Dass ich mir wünschen könnte, ein privilegiertes Leben gegen meine Freiheit einzutauschen?«, fragte Alexander.

»Genau aus diesem Grund bist du ja die größte Enttäuschung meines Lebens.« Der König trat vor einen Servierwagen, entkorkte eine Kristallkaraffe, goss sich einen Schluck der bernsteinfarbenen Flüssigkeit in ein Glas und ließ sie kreisen, ehe er es an die Lippen hob. »Ich habe dafür gesorgt, dass sich jemand um die Angelegenheit kümmert. Im Moment scheint Miss Lockwood lediglich der Presse zur Verfügung zu stehen, aber ich bin sicher, für dich macht sie eine Ausnahme.«

»Und für dich etwa nicht?«, hakte Alexander nach. »War ich Teil dieses Arrangements? Verzeiht sie dir, dass sie die letzten beiden Jahre ihres Lebens damit zubringen musste, mit dir zu vögeln, wenn sie mich dafür bekommt? Eine Krone für ihr Schweigen?«

Mir fiel die Kinnlade herunter.

»Alexander!«, rief die Königinmutter hinter uns entsetzt aus.

Alexander schenkte ihr keine Beachtung, sondern goss sich ebenfalls einen Drink ein.

»Das ist meine Privatsache.« König Albert unternahm keinen Versuch zu leugnen.

Erst jetzt dämmerte mir, dass ich die Einzige hier im Raum war, die nicht gewusst hatte, wie tief Peppers Verbindung zur königlichen Familie ging. Die Vorstellung, dass sie und der König… Mir wurde regelrecht übel. Mittlerweile verstand ich, weshalb Alexander sie so verabscheute. Aber wie weit reichte des Königs Macht über Alexander? Konnte er ihn zu einer Heirat zwingen, um die hässlichen Gerüchte verstummen zu lassen?

»Unabhängig davon werden wir Arrangements treffen«, fuhr König Albert fort. »Die Geschichte wird im Sande verlaufen. Ich bin sicher, wenn Pepper erst verstanden hat, dass wir eine Vereinbarung haben, wird sie alles zurücknehmen. Aber bis dahin dürfen wir nicht zulassen, dass diese Sache weitere Kreise zieht. Im Augenblick ist es nur bösartiger Klatsch. Sie hat noch keine Fernsehinterviews gegeben, was uns Zeit gibt, sie unter Kontrolle zu bringen.«

»Und du willst mich zwingen, sie zu heiraten, damit sie die Klappe hält?« Blanke Ungläubigkeit schwang in Alexanders Stimme mit. Er schüttelte den Kopf. »Ich habe kein Interesse an deinen abgelegten Geliebten. Oder ist das der Plan dahinter? Ich soll sie heiraten, damit du sie dir weiterhin als Mätresse halten kannst?«

»Deine Andeutungen gefallen mir nicht.«

»Und mir gefällt dein Vorschlag nicht.«

»Das ist kein Vorschlag.« König Albert drosch mit der Faust gegen die Wand, dass der Putz von der Decke rieselte. »Sondern ein Befehl. Sieh es als erstes von vielen Opfern, die du im Namen dieses Landes bringen musst. Sie ist die perfekte Wahl für dich. Das richtige Alter. Enge Verbindung zur Familie. Und eine erstklassige Herkunft.«

»Ich bin kein Zuchthengst«, erklärte Alexander mit rauer Stimme. »Außerdem habe ich meine Wahl getroffen.«

»Keine Ahnung, wie du darauf kommst, dass es dir zusteht, selbst eine Wahl zu treffen, aber wenn du damit andeuten willst, du hättest dich für diese amerikanische Schlampe entschieden, sollte ich vielleicht noch einmal überlegen, ob nicht Edward der geeignetere Kandidat für den Thron wäre.«

»Du sprichst ab sofort respektvoll über Clara, sonst ist dieses Gespräch beendet!«

»Und du bist inzwischen wohl schon so geblendet von ihr, dass du nicht merkst, welchen Schaden du dieser Familie zugefügt hast. Außerdem ist es höchste Zeit, endlich deine Rolle anzunehmen, sonst…«

»Sonst was? Das muss dich ja beinahe umbringen«, ätzte Alexander. »Dich zwischen der größten Enttäuschung deines Lebens und deinem inzwischen als schwul geouteten Sohn entscheiden zu müssen. Tja, falls du es noch nicht gemerkt haben solltest: Keiner von uns hat Interesse, deine Forderungen zu erfüllen.«

König Albert wandte sich Lady Mary zu. »Mutter, bitte bring Clara in den Salon, damit ich offen mit meinem Sohn sprechen kann.«

Die Art, wie er *mit meinem Sohn* sagte, ließ mich zusammenzucken. Wenn er das, was er hier tat, nicht als offen betrachtete, wollte ich vielleicht lieber nicht im Raum sein, wenn er seiner Wut ungeniert Ausdruck verlieh. Aber ich würde unter keinen Umständen den Raum verlassen, und schon gar nicht mit dieser Frau. Während des Wochenendes auf dem Landsitz der Familie war ich schon einmal in den Genuss ihrer Gesellschaft gekommen – eine Erfahrung, die mir für den Rest meines Lebens genügte.

»Bleib hier, Clara«, sagte Alexander, als seine Großmutter sich erhob. »Wir sind gleich fertig.«

»Wir sind nicht einmal annähernd fertig, sondern erst, wenn du begriffen hast, dass du etwas unternehmen musst, um die Lage zu entspannen.« König Albert trat einen Schritt auf seinen Sohn zu. Die beiden waren so grundverschieden. Im Vergleich zu Alexander mit seinem rabenschwarzen Haar und seinem attraktiven Gesicht wirkten des Königs heller Teint und das ergrauende Haar beinahe kränklich farblos. Doch sie in ihrem erbitterten Machtkampf zu sehen, ließ keinen Zweifel an ihrer beider Entschlusskraft. Keiner von ihnen würde zurückstecken, so viel war klar. Wer sich auf lange Sicht durchsetzen würde, hätte im Augenblick noch keiner zu sagen vermocht.

»Deine Affäre wird allmählich zur nationalen Blamage«,

zischte König Albert. »Weder ich noch dieses Land können zulassen, dass sie weiterhin andauert.«

»Affären sind etwas Geheimes. Aber ich verstecke meine Beziehung mit Clara vor niemandem, und es interessiert mich nicht, was du oder dieses Land darüber denkt. Ob es dir nun gefällt oder nicht, aber dein Blut fließt in meinen Adern, und ich werde König sein.« Alexander trat auf mich zu und packte mich bei der Hand. »Und ich werde es mit Clara an meiner Seite sein. Auch dies, ob es dir passt oder nicht.«

König Alberts Mund verzog sich zu einem hässlichen Grinsen. »Das werden wir ja sehen.«

»Genau«, gab Alexander zurück, fuhr herum und zerrte mich förmlich hinter sich her aus dem Raum, sodass ich Mühe hatte, mit ihm Schritt zu halten. Draußen auf dem dunklen Korridor löste ich mich aus seinem Griff und zwang ihn, ebenfalls stehen zu bleiben und mich anzusehen.

Ich war nicht länger sein Geheimnis. Aber ich hatte selbst ein Geheimnis und ertrug seine Last nicht länger.

»Ich muss dir etwas sagen«, begann ich und zwang mich, das Hämmern meines Herzens zu ignorieren. »Pepper war vor unserer Abreise nach St. Moritz bei mir«, sagte ich atemlos. »Sie hat mich gewarnt, dass sie Informationen hätte, mit denen sie dich zerstören könnte, aber ich habe ihr nicht geglaubt.«

Alexander sah mich mit versteinerter Miene an.

Ich schluckte gegen die aufsteigende Angst an und zwang mich fortzufahren. »Sie hat mir Gelegenheit gegeben, sie an diesem Schritt zu hindern, aber ich habe die Gelegenheit nicht ergriffen. Das ist alles meine Schuld.«

»Was hat sie von dir verlangt?«, fragte Alexander so leise, dass mir das Blut in den Adern gefror.

»Sie wollte eine Art Deal. Ich sollte dich verlassen, dann würde sie dir nichts tun.« Dicke, heiße Tränen kullerten mir übers Gesicht. »Ich war zu egoistisch, um dich zu schützen.«

Alexander umfasste mein Kinn und zwang mich, mein tränennasses Gesicht zu heben. »*Ich* muss *dich* beschützen. Wo war Norris? Sie hätte gar nicht erst in deine Nähe kommen dürfen.«

»Ich habe ihn weggeschickt«, gestand ich. »Ich dachte, ich würde allein mit ihr fertigwerden.«

»Mit einer hinterhältigen Schlange wie Pepper wird niemand allein fertig. Ich bin dir nicht böse, Süße.« Mit dem Daumen wischte er mir eine Träne ab. »Sondern nur wütend, weil mich niemand gewarnt hat. Andererseits konnte wohl keiner davon ausgehen, dass ein paar vage Drohungen und Ultimaten eine solche Katastrophe auslösen würden. Ich muss mit Norris reden.«

»Bitte nicht«, bettelte ich. »Er hat nichts falsch gemacht. Ich bin diejenige, die Mist gebaut hat.«

»Mag sein, aber ich will nicht, dass sie noch einmal in deine Nähe kommt.«

»Mir ist erst jetzt klar, wie verrückt sie in Wahrheit ist«, sagte ich.

Obwohl sein Gesicht halb verdeckt von den Schatten war, entging mir der Anflug des Zweifels darin nicht.

»Sie ist verrückt«, wiederholte ich beharrlich; wie sehr wünschte ich mir die Souveränität, mit der Alexander gerade seinem Vater entgegengetreten war und ihm klargemacht hatte, dass es keine Lügen und Geheimnisse zwischen uns gab.

»Ich habe sie nicht unter Drogen gesetzt. Bewusstlose Frauen törnen mich überhaupt nicht an«, beharrte er.

Obwohl ich spürte, dass er mir etwas verschwieg, würde ich ihn nicht bedrängen; zumindest nicht, solange er noch damit beschäftigt war, die neuen Entwicklungen zu verdauen.

»Ich weiß, dass das noch nicht alles ist«, erklärte ich und legte ihm den Zeigefinger auf die Lippen, als er den Mund öffnete, um etwas zu erwidern, »aber sag es mir erst, wenn du bereit dafür bist.«

»Ich muss erst ganz sicher sein, dann werde ich dir alles erklären, Süße. Keine Geheimnisse mehr. Keine Mauern zwischen uns.« Er küsste meine Hand und schloss die Finger darum. »Aber heute Abend will ich dich nach Hause bringen.«

»Ich gehe überallhin, wo du hingehst«, versprach ich. Und das war die reine Wahrheit.

24

Der Rolls fuhr durch die stillen Straßen und hielt vor dem Tor. Alexander stieg aus und wies mich an, sitzen zu bleiben. Ich konnte es kaum erwarten, endlich das schmiedeeiserne Tor zu passieren, das unser Privatleben von der Öffentlichkeit abschirmte, die uns im Augenblick so vehement auf die Pelle rückte.

»Norris bringt unser Gepäck«, sagte er und half mir aus dem Wagen, »und ich bin direkt hinter dir.«

Die ganze Heimfahrt über war er auffallend still gewesen. Ich hatte keine Ahnung, ob er immer noch über die heftige Auseinandersetzung mit seinem Vater nachgrübelte oder versuchte, sich ein Bild über die jüngsten Ereignisse zu machen. Ich wusste nur eins: Wir waren endlich zu Hause. Als ich durch das Tor trat, registrierte ich aus dem Augenwinkel eine Bewegung und erstarrte, mein Fluchtinstinkt schlug Alarm. Da löste sich ein vertrautes Gesicht aus dem Dunkel.

»Was machst du denn hier?«, fragte ich, immer noch atemlos vor Schreck.

»Ich muss mit Alexander sprechen. Ich denke, er erwartet mich.«

In diesem Moment trat Alexander durch das Tor und blieb abrupt stehen. Sein Blick wurde eisig.

»Jonathan«, sagte er kalt.

Ganz langsam fand ein Puzzleteilchen, das ich die ganze Zeit gesucht hatte, seinen Platz, trotzdem konnte ich das große Bild immer noch nicht recht erkennen. Ich blickte von Alexander zu Jonathan und versuchte, die unausgesprochenen Gedanken hinter ihren attraktiven Gesichtern zu lesen.

»Du hättest nicht herkommen sollen«, sagte Alexander.

»Ich musste kommen, um zu erklären, was passiert...«

»Deine Anwesenheit ist schon Erklärung genug. Verschwinde«, unterbrach Alexander ihn leise und stieß ein dumpfes Grollen aus, als Jonathan den Kopf schüttelte.

Die Anspannung war beinahe mit Händen greifbar. Wie eine dicke Wolke aus Blut und Gewalt und glühendem Hass, der Alexander aus sämtlichen Poren zu dringen schien, lag sie über ihnen. Einzig die Gewissheit, dass Norris in der Nähe war, beruhigte mich ein wenig, denn sollte die Situation zwischen den beiden Männern eskalieren, wäre ich vollkommen hilflos.

»Es war nicht so, wie du denkst«, sagte Jonathan, trat einen Schritt näher und schob die Hände in die Taschen seiner Wolljacke. »Ich war unschuldig.«

»Nichts, was in dieser Nacht passiert ist, hatte auch nur ansatzweise etwas mit Unschuld zu tun«, herrschte Alexander ihn an. Die Worte hallten in der Stille wider. Ein paar Häuser weiter gingen auf einer Veranda die Lichter an.

Ich machte keine Anstalten, die beiden Kontrahenten zur

Ruhe zu ermahnen. Was sich zwischen ihnen abspielte, war unaufhaltsam. Sie waren in einer gänzlich eigenen Welt, gefangen in einem Netz der Vergangenheit, aus dem sie sich nur mit einer handfesten Auseinandersetzung würden befreien können. Und mir blieb keine andere Wahl, als zuzusehen und abzuwarten.

»Pepper wollte das Zeug unbedingt haben. Es war nicht besonders viel, nur eine winzige Dosis, um ein bisschen locker zu werden.« Jonathans Stimme schwoll an, und er schüttelte den blonden Schopf. »Ich hätte Nein sagen müssen. Sie war ja noch ein halbes Kind.«

»Und Sarah?«, blaffte Alexander. »Wollte sie es auch?«

»Sarah habe ich nichts gegeben, ich schwöre bei Gott. Und sollte sie doch etwas genommen haben, war es jedenfalls nicht von mir. Sie hätten an diesem Abend gar nicht dort sein dürfen, schließlich waren sie noch minderjährig.«

Das Bild wurde immer klarer, bis ich all die Einzelteile vor mir sehen konnte – all die vielen Fehler, die letztlich zu einer Tragödie geführt hatten. An diesem Abend waren tatsächlich Drogen im Spiel gewesen, nur stammten sie nicht von Alexander. Das hatte ich immer gewusst, bislang war mir lediglich nicht klar gewesen, wie Sarah an sie gekommen war. Nun bestand kein Zweifel mehr: Jonathans Fehler hatte ein unschuldiges Mädchen das Leben gekostet.

»Wusstest du es?«, fragte Alexander, trat vor und packte Jonathan am Kragen. »Wusstest du, dass Sarah Drogen genommen hatte, als wir aufgebrochen sind?«

Scham zeichnete sich auf Jonathans Zügen ab. »Ich habe es vermutet.«

Alexander stieß ihn zu Boden und baute sich mit geballten Fäusten über ihm auf. Die Angst raubte mir regelrecht den Atem, ich wusste nicht, wie weit Alexander in seiner blinden Wut gehen würde. Bislang hatte ich mich nie ernsthaft vor ihm gefürchtet, doch nun machte er mir Angst. Ich löste mich aus dem Schatten und trat zwischen die beiden Männer.

»Du wirst nicht...«

Alexanders scharfer Blick ließ mich innehalten. »Das ist nicht deine Sache, Clara.«

»Alles, was du tust, was du empfindest und durchmachst, ist auch meine Sache«, widersprach ich sanft. »Lass die Vergangenheit ruhen, X.«

»Ruhen lassen kann man Fehler. Aber das hier war kein Fehler, sondern ein feiger und kaltblütiger Akt.« Er schob mich zur Seite und beugte sich vor, sodass sein Gesicht nur wenige Zentimeter über Jonathans schwebte. »Jetzt ist nicht der Zeitpunkt zu verzeihen.«

Er packte Jonathan am Kragen, zog ihn hoch und schob ihn so weit von sich weg, um seinem einstigen Freund einen Schlag in die Magengrube versetzen zu können, hart genug, dass Jonathan die Luft wegblieb. Trotzdem reagierte er sofort, holte ebenfalls aus und traf Alexanders linke Wange. Erschrocken wich ich zurück und wusste einen Moment lang nicht, was ich machen sollte – um Hilfe rufen oder weglaufen. Jonathan hatte Alexanders ungezügelter Wut nur wenig entgegenzusetzen. Alexanders Hände schlossen sich um Jonathans Hals, worauf dieser verzweifelt nach Luft zu ringen begann; Sekunden später wurden seine Augen glasig, und sein Widerstand erlahmte. Schlaff glitten seine Hände zu Alexanders Brustkorb.

»Schluss jetzt!«, schrie ich und warf mich mit meinem vollen Körpergewicht gegen Alexander. Zwar war auch ich keine ebenbürtige Gegnerin, trotzdem genügte mein Angriff zumindest, Alexander dazu zu bewegen, von Jonathan abzulassen.

Taumelnd wich Jonathan zurück, ehe er japsend und spuckend auf die Knie sank.

»Bitte nicht«, flehte ich Alexander an. »Er ist es nicht wert.«

»Aber sie war es wert«, knurrte er. »Trotzdem hast du recht, dieses Stück Dreck ist es definitiv nicht wert.«

Er wandte sich an Jonathan. »Hau ab. Ich will deine verdammte Fresse nie wieder sehen.«

Noch immer hielt ich Alexander fest und redete beschwichtigend auf ihn ein, aber es nützte nichts. Selbst als Jonathan mühsam auf die Füße kam und in Richtung Tor stolperte, blieb er angespannt wie eine Feder.

Jonathan drehte sich noch einmal um und sah Alexander an. Er hatte den Riegel so fest umklammert, dass seine Fingerknöchel weiß hervortraten. »Trotz allem tut es mir leid.«

Alexander würdigte ihn keines Blickes, doch allein seine Erwiderung jagte mir einen Schauder über den Rücken. »Darauf kann ich gern verzichten.«

Manches konnte man verzeihen... Andere Dinge vergaß man nie und konnte sie niemals vergeben, ganz gleich wie lange sie zurücklagen. Das schien auch Jonathan zu spüren. Er schloss kurz die Augen, dann schob er den Riegel zurück und trat durch das Tor, ehe es hinter ihm ins Schloss fiel.

Ich nahm Alexanders Arm und schob ihn behutsam in Richtung Tor, doch er rührte sich nicht vom Fleck; stattdessen wandte er sich um, nahm unser Gepäck, das immer noch auf dem Weg stand, und ging hinein. Einen Moment lang stand ich in der abendlichen Stille, in der tröstlichen Kargheit der Baumkronen über mir und der Häuserfassaden ringsum. Plötzlich fühlte sich alles seltsam surreal an, so als wäre die Welt ihrer Farben beraubt und ich gezwungen, im trüben Grau der Schatten zu verharren.

Was damals vorgefallen war, konnte ich nicht wiedergutmachen. Jonathans Handeln konnte nicht einfach als Jugendsünde abgetan werden. Zu viele Leben waren dadurch zerstört worden, und sein Eingeständnis hatte die Wunden wieder aufgerissen, die Alexander all die Jahre gequält hatten. Mir blieb nur, ihn zu lieben, in all dem Chaos und Leid, und ihn durch die Düsternis zu führen, die sich wieder einmal über uns senkte.

Norris kam ans Tor. »Wo waren Sie?«, stieß ich hervor. »Er hätte... er hätte beinahe...«

Meine Gefühle übermannten mich, und ich hatte Mühe, nicht in Tränen auszubrechen. Wie oft konnte ich heute noch weinen? Was hier gerade geschah, ging weit über das gewohnte Chaos hinaus. König Albert würde erst Ruhe geben, wenn er mich und Alexander auseinandergebracht hatte. Mit jeder Minute wuchs der Druck der Öffentlichkeit, die ihn gnadenlos verurteilte. Wie lange würde Alexander dem etwas entgegensetzen können, ehe er daran zerbrach? Wie lange würde es dauern, bis die Vergangenheit unsere Liebe erneut zerstörte?

»Ich beschütze Alexander«, erklärte Norris, nahm meinen Arm und führte mich zum Haus. »Trotzdem wird er immer seine eigenen Schlachten schlagen.«

»Aber wie bringe ich ihn dazu, damit aufzuhören?« Meine Stimme war kaum mehr als ein Flüstern. »Wie soll ich ihm klarmachen, dass er nicht länger zu kämpfen braucht?«

Norris lächelte traurig. »Die Antwort auf diese Frage kennen Sie bereits, Miss Bishop. Seit dem Tag, als Sie sich das erste Mal begegnet sind, heilen Sie seine Wunden, aber Verletzungen wie diese brauchen sehr lange, bis sie vernarbt sind.«

»Uns läuft die Zeit davon.« So schmerzlich es war, entsprach es doch der Wahrheit. Und mit jedem weiteren lange gehüteten Geheimnis, das ans Licht kam, wurde es noch schlimmer. Es wurde für mich immer schwieriger, meinen Weg durch den undurchsichtigen Nebel aus Fehlern zu finden, der unsere Liebe trübte.

»Die Liebe funktioniert nicht nach der Stechuhr.« Er tätschelte meine Hand und hielt mir die Tür auf. Seine klugen Worte hallten noch in mir nach, als ich zusah, wie er davonging. Seit ich mich in Alexander verliebt hatte, hing das drohende Ende unserer Beziehung wie ein Damoklesschwert über mir. Es fühlte sich an, als würde ich auf einer tickenden Zeitbombe sitzen. Aber vielleicht hatte Norris ja recht – meine Liebe für Alexander ließ sich durch nichts auslöschen, was der Vergangenheit angehörte. Weder Drohungen noch Lügen und gemeiner Klatsch hatten ihr bisher etwas anhaben können. Der einzige Mensch, der zulassen könnte, dass unsere Liebe starb, war ich selbst.

Und dazu würde ich es unter keinen Umständen kommen lassen.

Alexanders athletische Gestalt erschien im Türrahmen. Ich sah ihn an, spürte, wie mir die Gewissheit neue Kraft verlieh. Ich trat zu ihm, doch er wich zurück.

»Ich kann nicht. Es tut mir leid. Ich kann einfach nicht.«

Seine Worte trafen mich wie ein Schlag in die Magengrube, aber ich durfte nicht zulassen, dass er sich von mir entfernte, nicht jetzt, wo er mich so dringend brauchte.

»Dann lass es mich tun«, sagte ich sanft. »Ich beschütze heute Abend dich.«

»Davor kann mich niemand beschützen«, stieß er barsch hervor, riss seine Jacke vom Geländer, auf das er sie vorhin achtlos geworfen hatte, schlüpfte hinein und ging zur Tür.

Irgendwo ganz tief in meinem Innern fand ich die Kraft, mich zwischen ihn und die Tür zu stellen. »Tu das nicht. Versuch nicht, die Geister der Vergangenheit zu jagen. Bleib hier. Bei mir.«

»Das würde ich gern, aber es bringt doch nichts, noch länger so zu tun als ob, Clara. Wir wussten beide, dass dieser Tag irgendwann kommen würde.«

»Aber nur wenn wir es zulassen«, flüsterte ich, aber meine Worte verhallten in der Finsternis, die ihn zerfraß. Sie hatte die Oberhand gewonnen und sorgte dafür, dass er den Weg ins Licht, den Weg zu mir, nicht fand.

»Ich habe versprochen, dich zu beschützen.« Beim Anblick des lodernden Feuers in seinen Augen legte sich wieder die Angst wie eine eisige Faust um meinen Magen. »Und das werde ich auch für immer tun. Du bist die Luft, die ich zum Atmen brauche, Clara, das einzig Wahre und Gute in meinem Leben. Mir ist jetzt klar, was es bedeutet, dich zu beschützen.«

Auch ich verstand, was er meinte. Seine Worte schmerzten mich, drohten, die hauchfeinen Narben um mein Herz aufzureißen, von denen ich geglaubt hatte, sie wären längst verheilt. Ihn einmal verloren zu haben, hätte mich stärker gemacht, hatte ich geglaubt, aber dieser neuerliche Schmerz schnitt sich tief in mein Inneres. Mit jedem Atemzug verengte sich meine Brust weiter, bis ich kaum noch Luft bekam.

»Nein«, stieß ich mühsam hervor.

Alexander trat zu mir, legte die Hand in meinen Nacken und beugte sich vor. Es war ein zärtlicher Kuss, ohne die gewohnte Gier, und in seinem bittersüßen Kummer doch voller Leidenschaft. Meine Lippen teilten sich, lockten ihn, während er verzweifelt nach der Antwort auf eine Frage suchte, die er nicht kannte. Und ich antwortete ihm mit meiner ganzen unerschöpflichen Liebe. Ich spürte das Vibrieren zwischen uns. doch bevor ich mich an ihn schmiegen konnte, löste er sich von mir und ging ein weiteres Mal zur Tür.

Diesmal unternahm ich keinen Versuch, ihn zurückzuhalten, als er sie öffnete. Ein düsterer, distanzierter Ausdruck lag in seinen Augen, als er sich noch einmal nach mir umsah.

»Komm zurück zu mir«, befahl ich.

»Ich versuche es. Versprochen.« Und dann war er fort.

Unser Bett war viel zu groß. Ich rollte mich zusammen und zog die Knie an die Brust, trotzdem spürte ich seine Abwesenheit ebenso intensiv wie sonst seine Gegenwart. Ich weinte nicht, weil ich schlicht keine Tränen mehr hatte. Jeder Atemzug war ein reiner Akt des Willens, das Leben sollte trotz allem weitergehen, und als mich der Schlaf endlich in seine tröstlichen Arme schließen wollte, gestattete ich mir, mich ein wenig zu entspannen. Die Minuten vergingen. Stunden. Die Nacht wurde zu meinem Freund.

Und dann war ich plötzlich nicht länger allein. Ich fand ihn in meinen Träumen und spürte zu meinem Erstaunen seinen Körper an meinem, als ich aufwachte. Er schlang die Arme um mich, entriss mich der Dunkelheit, die mich umfangen hatte.

Seine Finger tasteten nach meinen Brüsten und massierten sie, bis sie sich ihm sehnsuchtsvoll entgegenreckten, die Knospen hart und schmerzlich pulsierend. Ich wölbte mich ihm entgegen, musste seine Haut auf meiner spüren, brauchte die Gewissheit, dass ein Mensch aus Fleisch und Blut neben mir lag. Die Hitze seines Körpers drohte mich zu versengen. Ich drehte mich um.

»Ich konnte nicht wegbleiben«, murmelte er an meinem Hals. »Ich brauche dich, Süße.«

Die Worte schwebten zwischen uns, während die Begierde weiter wuchs. Hungrig presste ich die Lippen auf seinen Mund, unsere Zungen fanden einander zu einem wilden Spiel, während wir uns aneinanderdrängten. Doch so eng wir einander auch umschlungen hielten, schien es nie eng genug zu sein, um unsere Lust zu stillen. Alexander drehte mich auf den Bauch und ließ seine Zunge über mein Rückgrat gleiten, ehe er sich erhob und mich an die Bettkante zog, sodass meine Hüften in die Luft ragten.

Ein animalisches Grollen drang aus seiner Kehle, als er mit beiden Händen mein Hinterteil umfasste und mich hochriss, vor seinen steil aufgerichteten Schwanz. Begierig stieß er mit der Eichel gegen meine geschwollene Spalte. Meine Sehnsucht nach ihm war unbeschreiblich, sowohl körperlich als auch emotional. Ich konnte die Geister der Vergangenheit nicht vertreiben, aber zumindest gelang es mir, sie in Schach zu halten. Ich ergab mich seinem Willen, begann, die Hüften zu bewegen, sodass meine Muschi die Spitze seines Schwanzes liebkoste. Alexander brauchte das Gefühl, die Kontrolle über sein Leben zu haben, und da dies unmöglich war, hatte ich beschlossen, ihm die Kontrolle über mich zu geben.

»Nimm mich«, bettelte ich. »Nimm dir, was du brauchst, X.«

Er rammte sich mit einer Wucht in mich hinein, die mir den Atem raubte, versenkte sich bis zur Wurzel seines Schwanzes in mich. Ein leises Wimmern drang aus meiner Kehle. »So ist es gut. Ich will dich hören.« Er begann, rhythmisch die Hüften zu bewegen. Meine Hände verkrallten sich in den Laken, während er sich erneut in mir versenkte. Tief. Unfassbar tief. Mein Gehirn versagte seinen Dienst, ergab sich dem Geflecht aus Bedürftigkeit und animalischen Reaktionen meines Körpers, während ich sämtliche Bewegungen überdeutlich wahrzunehmen schien: jede Bewegung, seine Finger, die sich in das Fleisch an meinen Hüften gruben, das Pulsieren seines Schwanzes in mir.

»Nicht aufhören«, flehte ich. In diesem Moment brauchte ich ihn ebenso sehr wie er mich. Ich brauchte seine Dominanz, die mir Sicherheit schenkte. Jede Faser meines Körpers sehnte sich nach ihm, danach, mich ihm zu unterwerfen, ihm Freiheit schenken zu können, indem ich selbst Freiheit fand.

Wieder vergrub er sich in mir, so tief, dass es mich von den Füßen riss. Er war das Zentrum meines Universums, mein Innerstes; ich war seine Zuflucht, sein Hafen.

»Verdammt!«, stieß er hervor und vergrub sich ein letztes Mal mit der gesamten Länge seines Schafts in mir, während er sich entlud. Seine Hand wanderte zu meiner Klitoris und presste sie zusammen, sodass ich von einem Höhepunkt geschüttelt wurde, seinen Namen auf meinen Lippen.

Ich erschlaffte, während mein Fleisch immer noch um ihn pulsierte. Einen Moment lang verharrte er reglos in mir und strich mit dem Finger an meinem Rückgrat entlang, ehe er sich zurückzog. Die klaffende Leere schmerzte, und als hätte er es gespürt, umfasste er mich und drückte mich aufs Bett zurück, ehe er sich gegen das Kopfteil gestützt auf die Matratze sinken ließ und mich an sich zog. Das Lodern in seinen blauen Augen war verebbt, dennoch ließ sich nicht leugnen, wie sehr wir uns danach sehnten, eins zu sein. Ganz langsam ließ ich mich auf seinen Schwanz sinken, der mich noch immer in voller Pracht erwartete. Wieder schien er mich förmlich aufzuspießen, und ich stöhnte auf. Einen Moment lang verharrten wir vollkommen reglos, hielten einander in den Armen, während sich unser Atem allmählich beruhigte.

»Das wird nicht einfach werden«, sagte Alexander schließlich.

»Das war es auch bisher nicht«, gab ich zurück. Ein Teil von mir hätte am liebsten die Flucht ergriffen, bevor es zu spät war, doch er war mein Meister und ich seine allzu bereitwillige Gefangene.

»Mein Vater will, dass ich ein paar Termine im Ausland wahrnehme.«

Das Blut gefror mir in den Adern. Alexander wurde außer Landes geschickt, ins Exil, für ein Verbrechen, das er gar nicht begangen hatte. Die Trennung an sich setzte mir weniger zu als die Vorstellung, in welchem Zustand er zu mir zurückkehren würde – verletzt oder gar gebrochen, sodass wir würden anfangen müssen, die Scherben unserer Liebe von Neuem zusammenzusetzen.

»Für wie lange?«, fragte ich und stürzte mich auf die Detailfragen, um mich mit der Tragweite des Problems nicht auseinandersetzen zu müssen.

»Tage. Wochen. Keine Ahnung«, antwortete er.

Ich fuhr die Linien seines Gesichts nach, versuchte, sie mir einzuprägen, während sich schon jetzt die tiefe Kluft der Trennung vor mir auftat. Nicht zu wissen, wie lange wir uns nicht sehen würden, war schlimmer als die Trennung selbst und ließ die verbleibende Zeit noch kostbarer erscheinen. *Die Liebe funktioniert nicht nach der Stechuhr* – Norris' Worte hallten in meinen Gedanken wider. Sich daran festzuhalten, war deutlich einfacher, solange wir zusammen waren, doch im Moment brauchte Alexander meine Zuversicht und Stärke, nicht meine Angst. Nun, da wir eng umschlungen dalagen, hatte ich nicht den geringsten Zweifel, dass wir auch diese Krise meistern würden.

Alexander sah mir in die Augen. Es gab eine Million Dinge, die wir einander sagen mussten, eine Million Entscheidungen mussten getroffen werden, ehe es losging, aber ich fand die richtigen Worte nicht, deshalb drehte ich mich um und presste mein Geschlecht gegen seinen harten Schwanz – das war die einzige Sprache, die ich beherrschte. Er antwortete, indem er mir entgegenkam und in mich eintauchte. Unsere Körper hatten ihre eigene Sprache, und als ich mich anspannte und Erlösung fand, fand er die einzige Antwort, die wir beide brauchten.

»Ich liebe dich, Clara.«

25

Mein Blick fiel auf den Kalender an der Wand über meinem Schreibtisch. Zwei Wochen. Er hatte mir Briefe geschrieben, dazwischen herrschte Funkstille. Die einzige Konstante war die einzelne rote Rose, die jeden Morgen mit einer aus zwei Worten bestehenden Nachricht vom Floristen geliefert wurde.

Für Montag.
Für Dienstag.
Für Mittwoch.

Ich versuchte zu ignorieren, dass die Rose für den heutigen Tag nicht geliefert worden war. Vermutlich war der Florist krank oder so.

Stattdessen verfolgte ich die Berichte über seine Reisen – auf die Fotos in den Tageszeitungen und online war einfach Verlass. Doch obwohl er sich längst im Exil befand, wollten die Gerüchte nicht verstummen. Pepper erzählte jedem ihre Geschichte, der sie hören wollte, und von diesen Leuten gab es mehr als genug. Heute zierte ihr Konterfei die Homepage des Londoner *Guardian*, wo sie lautstark die Ermittlungen einforderte, die Alexanders Familie um jeden Preis zu verhindern versuchte. Ich wusste, was an jenem Abend passiert war, aber auch, dass sich seine Unschuld unmöglich beweisen ließe, falls es zu offiziellen Ermittlungen käme. Bisher hatte Jonathan seine Version der Ereignisse nicht öffentlich gemacht, und es schien höchst unwahrscheinlich, dass er es je tun würde.

Ich hämmerte auf meine Tastatur ein, worauf Peppers Gesicht vom Bildschirm verschwand. Ich konnte ihr keinen Vorwurf daraus machen, dass sie in jener Nacht einen Fehler begangen hatte – von Fehlern konnte ich ein Lied singen – aber darüber, dass sie jetzt versuchte, Alexander zu ruinieren, konnte ich nicht hinwegsehen.

Abwesend wählte ich eine Nummer, und als die Stimme durch die Leitung drang, war es zu spät für einen Rückzieher.

»Miss Bishop«, rief Edward fröhlich, »Du lebst also noch.«

»Ich hatte in letzter Zeit ziemlich viel zu tun.« Jedes Kind würde diese Lüge durchschauen, aber Edward war Gentleman genug, um mich nicht bloßzustellen.

»Du fehlst mir.«

Mit diesem Eingeständnis hatte ich nicht gerechnet, aber wenn ich ehrlich war, musste ich zugeben, dass auch ich ihn vermisst hatte; nicht nur weil er ein Bindeglied zu dem Menschen darstellte, der gerade nicht bei mir sein konnte, sondern auch weil ich einen Freund brauchte. Allzu schnell war ich in meine alte Gewohnheit verfallen, mich in der Arbeit zu vergraben und die Zeit ohne Alexander mehr schlecht als recht zu überstehen. »Du mir auch. Hast du etwas gehört?«, fragte ich, wenn auch mit einem Anflug von Gewissensbissen. Edward sollte nicht den Eindruck haben, dass ich ihn bloß als Informationsquelle benutzte.

»Pepper weigert sich, mit irgendeinem Mitglied der königlichen Familie zu sprechen«, seufzte Edward – seine Frustration spiegelte meine eigene wider.

Also verbreitete Pepper lieber weiterhin ihre Version der Ereignisse jener Nacht, statt sich demjenigen zu stellen, gegen den sie ihre Vorwürfe richtete. Es tat weh, es von jemand anderem und nicht von Alexander zu erfahren.

»Geht es dir gut? Wir könnten uns ja zum Mittagessen treffen«, durchbrach Edward die Stille.

»Mir geht's gut, aber lass uns das lieber aufs Wochenende verschieben. Ich könnte deine Gesellschaft gebrauchen«, gestand ich.

»Moment, ich muss kurz in meinem Terminkalender nachsehen. Wir können uns ein paar Filme reinziehen und richtig viel Wein trinken.«

Ich musste lächeln. Das zeichnete einen wahren Freund aus – die Bereitschaft, meine Sorgen mit mir zu ertränken, obwohl er selbst gerade auf Wolke sieben schwebte. »Gebongt.«

»Clara.« Besorgnis schwang in seiner Stimme mit. »Falls du mich brauchst... Ich bin hier. Jederzeit. Egal wie und wo.«

»Das weiß ich«, flüsterte ich. Es war schwer, Stärke zu zeigen, wenn jemand die Schwäche in einem erkannte, doch wenn ich jetzt einknickte, würde das bedeuten, dass König Albert gewonnen und es geschafft hatte, meinen Willen zu brechen.

Ich legte auf und starrte einen Moment lang blicklos an die Wand. Ich hatte mich Alexanders Wunsch gefügt und mich herausgehalten, während er sich um die Widrigkeiten kümmerte, die unsere Beziehung bedrohten. Aber damit musste Schluss sein. Sofort.

Ich stand auf und ging in Bennetts Büro, wohl wissend, dass

ich ihn und Tori womöglich bei einem weiteren Tête-à-tête störte, aber er war allein. Seine Augen verengten sich besorgt, als er mich sah. Ich setzte mich hin und rutschte unbehaglich auf dem Stuhl herum.

»Raus damit«, sagte er.

»Ich würde gern eine etwas längere Mittagspause machen.« Er musterte mich verblüfft. »Natürlich«, sagte er langsam, »aber dafür brauchst du mich doch nicht erst um Erlaubnis zu bitten. Bestimmt hast du so viele Überstunden angesammelt, dass du locker eine ganze Woche lang Mittagspause machen könntest.«

»Ich weiß, aber es könnte sein, dass ich nicht wiederkomme.«

»Überhaupt nicht mehr?« Seine braunen Augen funkelten vor Belustigung.

Ich entspannte mich ein wenig und schüttelte den Kopf. »Nein, nur für heute. Ich muss mit jemandem reden, und es könnte sein, dass sich das Ganze etwas komplizierter gestaltet.«

»Nimm dir einfach so viel Zeit, wie du brauchst.« Bennett lehnte sich vor. »Ich will nicht neugierig sein, und ich weiß, dass du im Moment eine Menge am Hals hast, aber du weißt, was du tust, ja?«

Ich nickte, obwohl das eine glatte Lüge war. In Wahrheit hatte ich keine Ahnung, sondern folgte lediglich meinem Instinkt.

»Dann bis heute Nachmittag.«

Ich verließ das Büro und rief Belle an, die gleich beim ersten Läuten abhob.

»Ich brauche Verstärkung«, erklärte ich, bevor sie auch nur »Hallo« sagen konnte.

»Sag mir, wo ich hinkommen soll.«

Ich gab ihr die Adresse durch, die ich im Internet gefunden hatte. Sie stellte mir keinerlei Fragen.

Ich hatte Freunde, die liebend gern für mich da waren, und es wurde Zeit, sie nicht länger auszuklammern. Mit Entschlossenheit allein würde ich das Problem nicht lösen können, mit ihrer Unterstützung allerdings sehr wohl.

Wenig später stand ich in Kensington. Den Ersatzleibwächter, Norris war zum Glück mit Alexander unterwegs, bei ihm wäre das nicht so leicht gewesen, hatte ich spielend abgehängt. Belle hatte den Begriff *Verstärkung* offensichtlich sehr ernst genommen: Sie trug knallenge schwarze Leggings, einen weiten schwarzen Pulli darüber und hatte ihr blondes Haar zu einem straffen Knoten frisiert.

»Du siehst wie die reinste Klischee-Spionin aus«, sagte ich lachend.

»Pff.« Sie blickte mich über den Rand ihrer überdimensionierten Sonnenbrille hinweg an. »Erst rufst du nach Verstärkung, und dann bestellst du mich zu irgendeiner Adresse, die ich nicht kenne. Ich habe mich sicherheitshalber auf das Schlimmste vorbereitet, das ist alles.«

»Dann lass uns gehen, James Bond.« Doch bevor ich die Tür öffnen konnte, packte sie mich am Handgelenk.

»Was ist los, Clara? Was wird das hier? Wozu brauchst du mich?«

Ich wusste, dass sie hundertprozentig auf meiner Seite war, völlig egal, wie meine Antwort ausfiel. Es gab keinen Grund, meine Pläne noch länger zu verheimlichen. »Um mich daran zu hindern, sie umzubringen.«

»Wen, um Himmels willen?«, rief sie.

»Pepper Spray«, antwortete ich und sah zur Tür.

»Hältst du das wirklich für eine gute Idee? Wenn dich ein Paparazzo sieht, ist dein Gesicht morgen schon wieder in sämtlichen Blättern.«

Ich lächelte wehmütig. »Genau das ist der Plan.«

Ich klopfte an die Tür, während Belle mit ihrer – erstaunlich glaubwürdigen – finstersten Miene neben mich trat. In puncto Männer mochte ich das eine oder andere Mal danebengelegen haben, aber bei der Auswahl meiner Freunde hatte ich ein ausgezeichnetes Händchen, so viel stand fest. Niemand reagierte auf mein Klopfen. Ich spürte, wie meine Entschlossenheit ins Wanken geriet, riss mich aber zusammen. Ich war doch nicht den ganzen Weg hergekommen, um unverrichteter Dinge wieder abzuziehen. Also hob ich die Hand und hämmerte ein weiteres Mal gegen die Tür. Diesmal ging sie einen Spaltbreit auf, und ein vertrautes Augenpaar erschien, das bei meinem Anblick die Größe von Untertassen annahm.

»Wir müssen reden.« Ich drückte die Tür auf, bevor sie sie mir vor der Nase zuschlagen konnte.

»Wie hast du mich gefunden?«, fragte sie. Blankes Entsetzen trat auf ihre perfekt geschnittenen Züge.

»Ich habe so meine Quellen.« Ich verkniff mir die Bemerkung, dass man wohl kein Genie sein musste, um sich denken zu können, dass sie bei ihrer nächsten Verwandten in London unterkriechen würde. Dieses Mädchen war daran gewöhnt, ihr Gesicht tagtäglich in sämtlichen Klatschblättern zu sehen. Folglich musste ihr auch klar sein, dass ihr Privatleben alles andere als privat war. Und falls sie es bis jetzt nicht gewusst hatte, dann wusste sie es nun.

Pepper überkreuzte die dürren Arme vor der Brust, während ihr Blick nervös zu Belle glitt. Ich war meiner besten Freundin definitiv einen Drink schuldig. »Ich habe dir nichts zu sagen.«

»Kein Problem.« Ich schob mich an ihr vorbei, trat in den Flur und schnappte mir ein gerahmtes Foto von Pepper, auf dem sie Arm in Arm mit einer älteren Ausgabe ihrer selbst in die Kamera strahlte. Auch wenn ich es ungern zugab, aber wenn Pepper ihrer Tante nachschlug, wäre sie auch mit über vierzig noch eine echte Schönheit. »Mich interessiert nicht, was du zu sagen hast, sondern ich bin hier, weil ich dir erklären werde, wie es ab sofort läuft.«

Ihre Augen verengten sich zu Schlitzen. »Wenn du dir einbildest, ich lasse mich auf eine Vereinbarung mit dir ein…«

»Die Zeit für Vereinbarungen ist vorbei. Ich bin nicht die Königsfamilie.« Ich stemmte die Hände in die Hüften und starrte sie finster an. »Ab sofort wirst du jeden Kontakt zu Alexander und seiner Familie einstellen. Du wirst dich nicht mehr in ihrer Nähe aufhalten. Du wirst nicht mehr über sie sprechen. Und du wirst aufhören, irgendwelche Geschichten über sie in den Medien breitzutreten.«

»Und weshalb sollte ich das tun? Das wäre ja noch schöner. Du spielst doch überhaupt keine Rolle für sie«, fauchte sie.

»Weil dein Vater bestimmt nicht begeistert wäre, wenn er wüsste, dass du den britischen König vögelst«, schoss ich zurück und merkte, dass Belle neben mir die Gesichtszüge entglitten und sie ihre Sonnenbrille abnahm.

Peppers Solariumbräune schien schlagartig zu verblassen. »Das würdest du nicht wagen.«

Damit hatte ich ihren wunden Punkt gefunden. Jetzt musste ich nur noch Salz hineinreiben.

»Wetten, dass ich es wage?«, konterte ich und betonte jedes Wort einzeln, um es in ihrem Spatzenhirn unauslöschlich zu verankern. »Weißt du, was ich beruflich jeden Tag bei Peters & Clarkwell tue? Ich schreibe Pressemeldungen. Für die Klatschpresse habe ich noch nie etwas verfasst, aber allzu schwierig dürfte das eigentlich nicht sein.«

Pepper krallte die Finger um ihre elegant um ihren Hals drapierte Perlenkette. »Das ist Erpressung.«

»Ich weiß. Habe ich mir bei dir abgeschaut.« Konnte sie noch dämlicher sein? Es war verrückt, dass sie in ihrer heiklen Lage überhaupt auf die Idee gekommen war, es bei mir zu versuchen. »Ich habe mir sogar schon ein paar Schlagzeilen überlegt. *Gepfeffert – Der König und seine junge Geliebte.*«

»Das klingt super«, feixte Belle. »Der Aspekt älterer Mann und viel jüngere Frau kommt darin wunderbar zum Tragen.«

»Aber ist das auch sensationsgeil genug?«, hakte ich nach und tat so, als hätte ich Peppers entsetzte Miene nicht bemerkt. »Wie wär's mit *Wie lange wärmt Sarahs beste Freundin schon das Bett von deren Vater?*

Nachdenklich tippte Belle sich ans Kinn. »Nicht ganz so raffiniert, aber dafür mehr auf den Punkt. Ehrlich gesagt, kannst du mit keiner dieser Headlines etwas falsch machen.«

»Außerdem werden sie sowieso mehr als eine brauchen«, fügte ich hinzu. »Ich kann mir nicht vorstellen, dass sich irgendein Blatt die Story entgehen lassen wird.«

»Raus hier!«, kreischte Pepper, stürzte an uns vorbei zur Tür und riss sie auf.

»Erst wenn wir uns einig sind, dass du die königliche Familie in Ruhe lassen wirst. Deine Beziehung zu ihr ist zusammen mit Sarah gestorben«, erklärte ich eisig.

Pepper schäumte sichtlich vor Wut, als Belle und ich an ihr vorbei und zur Tür hinausschlenderten.

»Du wirst niemals eine von ihnen sein«, schrie sie mir hinterher.

Mein lässig ausgestreckter Mittelfinger zeigte ganz klar, wie wenig mich ihre Bemerkung kümmerte.

Kaum waren wir um die Ecke gebogen, bombardierte Belle mich mit Fragen. »Was zum Teufel war das denn? Stimmt das tatsächlich? Und was verdammt noch mal hast du mit meiner besten Freundin angestellt?«

»Es stimmt tatsächlich«, antwortete ich achselzuckend. »Sie hätte es kommen sehen müssen.«

»Was?«

»Mich«, murmelte ich. »Sie hätte wissen müssen, dass ich beschütze, was mir gehört.«

Auf dem Weg zurück ins Büro aßen wir noch eine Kleinigkeit – ich stellte fest, dass Rache ziemlich hungrig machte. Trotzdem hatte ich mich seit unserem Trip nach St. Moritz nicht mehr so leicht und unbeschwert gefühlt. Pepper zur Rede zu stellen, hatte meine Überzeugung gefestigt, dass ich stark genug war, um mich selbst und Alexander heil durch dieses Chaos zu manövrieren. Wenn sie meine Drohung ernst nahm, würde sie recht schnell aus dem medialen Rampenlicht verschwinden, und mit ihr die Forderung nach weiteren Ermittlungen zu Sarahs Tod. Jetzt musste Alexander nur wieder nach Hause kommen.

Kaum saß ich am Schreibtisch, spähte Tori über die Trennwand meines Kabuffs. »Dein Telefon hat ununterbrochen geläutet.«

»Tut mir leid.« Ich checkte den Anrufbeantworter, aber niemand hatte eine Nachricht hinterlassen.

»Sobald ich drangegangen bin, hat der Anrufer aufgelegt«, sagte sie. »Offenbar will jemand ausschließlich dich sprechen.«
Augenblicklich wallte Panik in mir auf. Daniel wusste, wo ich arbeitete. Er war sogar schon einmal hier gewesen. In dem ganzen Chaos hatte ich tunlichst jegliche Nachricht über den bevorstehenden Prozess gegen meinen Ex gemieden. Wäre er aus der U-Haft entlassen worden, hätte man mich zweifellos darüber informiert, aber solange er hinter Schloss und Riegel saß, war ich in Sicherheit. Natürlich hatte ich keine Beweise, dass er der Anrufer gewesen war, trotzdem sagte mir mein Bauchgefühl, dass er es gewesen sein musste, der mich im Sommer mit diesen ominösen Anrufen belästigt hatte. Und nach seinem Auftritt auf der Party war mir klar, wie gefährlich er war.

In diesem Moment ertönte das schrille Läuten, und Tori warf mir einen vielsagenden Blick zu, bevor sie hinter der Trennwand abtauchte. Mit zitternden Fingern hob ich ab.

»Hallo?«

»Clara.« Beim Klang der Stimme am anderen Ende der Leitung durchlief mich eine köstliche Wärme, die schlagartig in lodernde Hitze umschlug.

»X!«, rief ich erleichtert, doch meine Erleichterung währte nur kurz. »Hast du die ganze Zeit versucht, mich zu erreichen?«

»Ja.«

»Normale Menschen hätten eine Nachricht hinterlassen, statt einfach aufzulegen«, sagte ich, beschloss jedoch, ihm keine Vorwürfe zu machen. Allein der Klang seiner Stimme linderte meinen Schmerz, meilenweit von ihm entfernt zu sein.

»Na ja, Otto Normalverbraucher bin ich nicht gerade«, erwiderte er trocken.

»Das hat auch keiner behauptet.«

Ich ließ mich auf meinen Stuhl zurücksinken. Unser Geplänkel fand ich fast ebenso herrlich wie den Klang seiner Stimme.

»Norris holt dich später vom Büro ab.«

Ich setzte mich auf und umfasste den Hörer fester. Norris begleitete doch Alexander. Wenn er mich also abholte, bedeutete das ...

»Um halb sechs«, fuhr er fort, als ich nichts erwiderte.

»Du bist wieder hier«, hauchte ich und fürchtete mich beinahe davor, mir zu früh Hoffnungen zu machen.

»Ja«, antwortete er.

»Und sehe ich dich?«

»Ja. Es gibt einiges zu besprechen. Bitte entschuldige, aber im Moment kann ich leider nicht reden.« Ich hörte seine gedämpfte Stimme. Offenbar hatte er die Hand über die Muschel gelegt.

Ich beschloss, davon auszugehen, dass sein distanzierter Tonfall damit zu tun hatte, dass er gerade nicht allein war, auch wenn ich mir die Erklärung selbst nicht ganz abkaufte. Aber die Alternative war zu schmerzlich.

»Ich warte auf dich«, sagte ich, doch er hatte bereits aufgelegt.

26

London im abendlichen Berufsverkehr war jeden Tag aufs Neue eine Herausforderung. Frustriert blickte ich auf die Autos, die Stoßstange an Stoßstange die enge Straße entlangkrochen, als ich Peters & Clarkwell verließ. Der schnittige schwarze Rolls-Royce schob sich zentimeterweise vorwärts und kam schließlich vor mir am Straßenrand zum Stehen. Eilig glitt ich auf den Rücksitz, wartete nicht erst, bis Norris ausgestiegen war und mir die Tür aufhielt. Wie ich die letzten Stunden überstanden hatte, ohne den Verstand zu verlieren, war mir ein echtes Rätsel. Kaum hatte ich die Tür zugezogen, fuhr Norris los.

Ich ließ die Trennschreibe herunter. Norris redete zwar nicht gerade wie ein Wasserfall, doch seine wortlose Gegenwart war besser als nichts, auch wenn es mir nicht gelang, die schlimmsten Szenarien aus meinen Gedanken zu verbannen. Hin- und hergerissen zwischen halb garen Theorien und düsteren Erinnerungen zwang mich mein Instinkt, mich vorsichtshalber auf das Schlimmste gefasst zu machen. Seit Alexander aufgebrochen war, hatte ich mich fest an den Gedanken geklammert, dass wir auch diese Krise irgendwie überstehen würden. An manchen Tagen war es mir besser gelungen, an anderen weniger gut. Und heute war einer der Letzteren. Ich wusste nur eines:

Ich liebte ihn.

Mehr als gestern oder vorgestern und weniger als morgen. Meine Liebe zu ihm war in der Zeit unserer Trennung nur noch weiter gewachsen und stärker als jeder Zweifel. Wenn Alexander verloren war, würde ich ihn wiederfinden. Wenn er am Boden zerstört war, würde ich dafür sorgen, dass er genas. Wir würden einander wieder gesund machen. Eine andere Möglichkeit gab es nicht. Aufzugeben kam nicht infrage. Nicht mehr. Ich sah Alexander, wie er wirklich war, liebte den Mann, der er gern sein wollte und der er eines Tages sein würde. Es gab kein Zurück.

Norris warf einen Blick über die Schulter. »Ich nehme eine Abkürzung durch Westminster. Vielleicht kann ich so die A501 umfahren.«

»Okay.« Die Route war mir völlig egal. Einerseits hätte ich ihn vor Ungeduld am liebsten aufgefordert, mal auf die Tube zu drücken, oder wäre ausgestiegen und in die U-Bahn gesprungen, andererseits gab mir die Fahrt Gelegenheit, mich in Ruhe auf die bevorstehende Schlacht vorzubereiten. Die Wahl der Route mochte sich meinem Einfluss entziehen, doch über mein eigenes Schicksal konnte ich sehr wohl selbst bestimmen. Alexander wollte mich vielleicht aus irgendeinem fehlgeleiteten Beschützerinstinkt fortschicken, doch für mich gab es nur einen Ort, an dem ich mich sicher fühlte: an seiner Seite. Von ihm getrennt zu sein, fühlte sich an, als wäre ich zweigeteilt – als hätte mir jemand die eine Hälfte meines Körpers, meines

Herzens, meiner Seele entrissen. Erst durch ihn wurde ich zu einem vollständigen Ganzen, und daher würde ich ihn nicht gehen lassen. Zumindest nicht kampflos.

Vor uns tauchte das frühabendlich beleuchtete Parlamentsgebäude mit Big Ben auf, doch ich hatte kaum Augen für die beiden Sehenswürdigkeiten. Stattdessen fiel mein Blick auf einen relativ neuen Zuwachs im Viertel: das Westminster Royal. Mein Herz zog sich schmerzhaft zusammen. Es schien eine halbe Ewigkeit her zu sein, seit ich eingewilligt hatte, mich dort mit Alexander zu treffen. So vieles hatte sich seitdem verändert. Einen Moment lang wünschte ich mir, jemand hätte die Zeit zurückgedreht, und Norris würde mich dorthin bringen. Ich wünschte, ich könnte meine Erinnerungen konservieren, für immer in ihnen schwelgen. Das wäre so viel einfacher, als ewig nur kämpfen zu müssen.

Aber es wäre nicht die Realität.

Norris bog nach links ab und hielt auf die Brücke zu. Ich beugte mich vor. »Sie nehmen also doch den langen Weg nach Hause«, sagte ich.

»Alexander hat mich gebeten, noch kurz einen Stopp einzulegen«, gab Norris knapp zurück. Keine Plaudertasche zu sein, war eine Sache, aber seine Schweigsamkeit war von völlig anderem Kaliber.

Ich sah wieder aus dem Fenster auf die Westminster Bridge mit den Touristenschwärmen, die eifrig Fotos schossen. Wir fuhren zu schnell, um ihre Gesichter ausmachen zu können; stattdessen verschmolzen sie zu einem undefinierbaren Gewirr, ebenso undurchschaubar wie der Tumult in meinem Innern. Vor uns waren einige Fahrzeuge zum Stehen gekommen, und auch Norris hielt an. Ich rutschte auf die linke Seite und ließ das Fenster herunter, um zu sehen, was den Stau verursachte, konnte aber keinen Notarztwagen entdecken, sondern nur Massen von Touristen und etliche Sicherheitskräfte.

Private Sicherheitskräfte.

Ein Gedanke formte sich in meinem Kopf. In diesem Moment löste Norris seinen Gurt, stieg aus und hielt mir die Tür auf. Ich strich meinen Rock glatt und hielt nach Alexander Ausschau, konnte ihn aber nirgendwo entdecken. Die Herbstluft war kühl, deshalb zog ich meinen Mantel enger um mich und strich mein Haar glatt. Es war Wochen her, seit ich Alexander gesehen hatte, und ich war in Arbeitskleidung. Immerhin trug ich meinen auf Taille geschnittenen Alexander-McQueen-Mantel, der meinem Ensemble eine feminine Note verlieh. Vor Aufregung vergaß ich glatt meine Handtasche auf dem Rücksitz.

Ich wandte mich Norris zu und hob eine Braue. »Wieso bin ich hier?«

Zu meiner Verblüffung lächelte er breit. Der sonst so zurückhaltende und nüchterne Norris schien sich aufrichtig zu freuen, als er auf die Steinstufen zeigte, die zu den am südlichen Ufer der Themse gelegenen Sehenswürdigkeiten hinabführten. Mein Blick folgte seinem ausgestreckten Arm. Verblüfft stellte ich fest, dass die Touristen in geordneten Reihen links und rechts der Stufen Stellung bezogen hatten. Einige schossen Fotos von mir, als ich vorsichtig die Treppe hinunterging. Beim Anblick der beiden Gestalten auf dem ersten Treppenabsatz wusste ich endgültig nicht mehr, wie mir geschah.

Edward und David standen Hand in Hand da und strahlten mich an. Bestimmt wussten die beiden, was hier los war, doch als ich zu ihnen trat, zog Edward eine Rose hinter dem Rücken hervor.

»Für heute«, sagte er leise.

Tränen schossen mir in die Augen. Zwar verstand ich immer noch nicht, was hier gerade passierte, aber mein klopfendes Herz versuchte zu erklären, was mein Verstand nicht erfassen konnte. Alexander hatte nicht etwa vergessen, mir heute eine Rose zu schicken, sondern gewusst, dass er nach Hause kommen würde und… dieses… dieses Schauspiel arrangiert, von dem ich immer noch nicht wusste, was es zu bedeuten hatte.

Forschend sah ich David an, dessen Mundwinkel zuckten, als er Edward einen Blick zuwarf und ebenfalls eine dunkelrote Rose präsentierte. »Für morgen.«

Nun liefen mir die Tränen ungehindert übers Gesicht. Ich nahm die Blumen entgegen und ließ mich von den beiden in die Arme schließen, ehe ich meinen Weg fortsetzte. Auf jeder Stufe drückte mir jemand eine weitere Rose in die Hand.

»Für Donnerstag!«, rief eine Frau.

»Für Freitag.«

Für Oktober. Für November. Für den Weihnachtsmorgen. Obwohl ich halb blind vor Tränen war, ging ich weiter, lachend und weinend zugleich. Meine Nase lief. Bestimmt war sie schon ganz rot, und ich sah wie eine Vogelscheuche aus, aber das war mir gerade völlig egal. Unterwegs geriet ich beinahe ins Straucheln. Eilig nahm ich die Rosen in die andere Hand – ich würde diesen Moment auf keinen Fall ruinieren, indem ich hinfiel und mir das Genick brach! Jemand griff nach den Blumen und nahm sie mir ab. Als ich herumwirbelte, stand Belle hinter mir, ebenso tränenüberströmt wie ich. Wenigstens brauchte ich jetzt keinen Spiegel mehr, um zu wissen, wie ich selbst aussah. Ich schlang die Arme um sie und drückte sie zutiefst gerührt an mich. Als wir uns voneinander lösten, reichte sie mir ein Taschentuch, mit dem ich mir die Tränen abtupfte. Schließlich nickte sie zufrieden.

»Du wusstest heute Nachmittag schon Bescheid«, rief ich vorwurfsvoll.

Mit einem selbstgefälligen Grinsen zuckte sie die Achseln. »Es weiß doch jeder, dass ich gern bereit bin zu helfen.«

»Könntest du die Rosen halten?« Ich hatte so eine Ahnung, dass dies noch nicht die letzten waren.

»Immer. Ich bin immer für dich da.« Ihre Worte ließen meine Tränen nur noch mehr fließen, doch dann verpasste sie mir einen spielerischen Schubs. »Los, geh schon. Er wartet auf dich.«

Ich ging weiter die Treppe hinunter und entdeckte meine Eltern auf halbem Weg, die mir gemeinsam eine Rose reichten.

»Für die schlechten Tage«, flüsterte meine Mutter.

In diesem Moment war mir der Verrat meines Vaters egal und auch, wie meine Mutter damit umging. Die beiden waren immer für mich da, ganz gleich, was passierte... Auf ihre eigene, verkorkste Art und Weise.

Lola stand auf der nächsten Stufe und hielt mir ebenfalls eine Rose hin. »Für die Fehler der Vergangenheit.«

Abgesehen von Edward, David und meiner Familie kannte ich niemanden. Es waren wildfremde Menschen, die mir den Weg in meine Zukunft wiesen. In den Bäumen glitzerten winzige Lichter und tauchten das Ufer in einen unwirklichen frühabendlichen Schimmer. Manche drückten mir meine Rose in die Hand, andere legten sie vor mir auf den Boden, um mir damit meinen Weg aufzuzeigen. Ein kleines Mädchen riss sich von ihrer Mutter los, kam auf mich zugetaumelt und hielt mir eine Rose hin. Ich bückte mich, um sie entgegenzunehmen.

»Fürs Liebhaben«, erklärte sie mit hinreißendem Babylispeln.

Ich zupfte ihren Zopf gerade und drückte sie an mich.

Für die Liebe.

All das hier passierte für die Liebe.

Als ich mich aufrichtete, fiel mir auf, dass London Eye zum Stillstand gekommen war. Wie in Trance ging ich darauf zu, ohne die Glückwünsche und Kamerablitze ringsum richtig wahrzunehmen. An der Zugangsrampe, wo sich sonst die Touristen drängten, stand ein Mann im Anzug, der mich mit einem Nicken begrüßte und beiseitetrat, um das Seil, das den normalen Eingang vom VIP-Zugang trennte, zu lösen. Langsam ging ich die Treppe hinauf, während mein Herz wie verrückt hämmerte.

Alexander stand in einer Gondel am Fuß des Riesenrads. Sein dunkler Anzug war eng geschnitten und unterstrich seine athletische Figur, auch wenn sich der Stoff leicht über seinem Bizeps spannte. Verblüfft schnappte ich nach Luft. Es war derselbe Anzug, den er am Tag unseres Kennenlernens getragen hatte, bis hin zur gelösten Krawatte und dem offenen Hemdkragen. Unsere Blicke begegneten sich, und um seine Mundwinkel spielte ein vielsagendes Lächeln, bei dessen Anblick mir die Hitze ins Gesicht stieg.

»Ganz schön große Nummer, X«, rief ich ihm zu.

»Ich habe noch eine Rose für dich«, gab er zurück, machte jedoch keine Anstalten, mir entgegenzukommen, sondern wartete, dass ich zu ihm in die Gondel stieg. Erschrocken fuhr ich herum, als die Türen hinter mir zugingen und die Gondel sich langsam in Bewegung setzte. Einen Moment lang war ich völlig verzaubert vom atemberaubenden Ausblick auf die Stadt, deren zahllose Lichter sich in der Themse spiegelten. Als ich mich umdrehte, stand Alexander nicht länger hinter mir.

Beim Anblick des Rings inmitten der samtigen roten Rosenblüte schlug ich mir die Hand vor den Mund. Er war absolut außergewöhnlich, genauso wie Alexander selbst, und nicht annähernd so, wie ich es mir in meinen Mädchenträumen jemals ausgemalt hätte. Dutzende winziger Brillanten waren um einen makellosen, tiefroten Rubin arrangiert, der im Schein der Lichter der Stadt mit atemberaubender Schönheit funkelte.

»Für immer«, sagte Alexander. »Heirate mich, Clara.«

Obwohl er vor mir kniete, war das keine Frage. Selbst in dieser Position war sein dominantes Naturell deutlich. Widerstreitende Gefühle drohten, mich zu übermannen – ich wollte den Ring am Finger, wollte weglaufen, wollte weinen und ihn küssen und Ja sagen. Ich wollte ihm Vernunft einprügeln.

»Ich … ich …« Noch wusste ich nicht, welcher Teil von mir am Ende gewinnen würde.

»Wusste ich's doch. Du denkst einfach zu viel nach.« Er stand auf und nahm meine Hand. »Wann lernst du endlich, einfach zu tun, was ich dir sage?«

»Dabei habe ich mich im Schlafzimmer doch ziemlich gut gemacht als Schülerin, meinst du nicht?« Ich holte tief Luft, um mich zu sammeln. Ich war in der Annahme im Büro aufgebrochen, eine schlimme Auseinandersetzung vor mir zu haben, aber mit einem Heiratsantrag hatte ich nun wirklich nicht gerechnet. »Nur in anderen Bereichen vielleicht nicht so.«

»Genau deshalb sind wir hier«, sagte er. »Die nächste halbe Stunde kommst du hier nicht raus.«

»Wir sind in einer Glasgondel«, wandte ich ein.

»Dich zu verführen, wäre viel zu einfach.« Ich erschauderte, als er mich an sich zog – eine Reaktion, die nicht unbemerkt blieb. Vielsagend hob er eine Braue.

»Und wie lautet dein Plan?«, fragte ich, während mein Blick zwischen dem Ring und seinem perfekt geschnittenen Gesicht hin und her schweifte.

»Dich zu überzeugen, dass du meine Frau wirst«, antwortete er und küsste mich, doch es war keiner jener gierigen, leidenschaftlichen Küsse wie sonst, sondern ein Kuss voller Zärtlichkeit und Versprechen. Als er sich von mir löste, musste ich gegen das Bedürfnis ankämpfen, ihn wieder an mich zu ziehen. Wie er angekündigt hatte, versuchte er nicht, mich zu verführen, aber wenn ich nicht bald meinen Körper wieder unter Kontrolle bekam, würde genau das trotzdem passieren.

Er löste das Problem, indem er einen Schritt zurücktrat und die Rose mit dem Ring in die Tasche seines Jacketts gleiten ließ, ehe er mich zu sich winkte.

Unabhängig davon, wie meine Entscheidung ausfallen mochte… fest stand, dass ich viel zu lange nicht mehr in Alexanders Armen gelegen hatte. Ich trat zu ihm, und er drehte mich an den Schultern herum, sodass wir auf die Stadt hinunterblicken konnten.

»Das alles gehört dir«, sagte er mir leise ins Ohr.

Ein Fremder hätte glauben können, dass er mich mit seiner sanften Stimme verführen wollte, doch mir entging der spröde Unterton nicht. Was er tat, war kein Versuch einer Verführung, sondern eine Warnung. Mich für Alexander zu entscheiden bedeutete, die Pflicht über die Freiheit zu stellen. Alexander zu heiraten, bedeutete, mein geplantes Leben für einen Weg voll unkalkulierbarer Verantwortung aufzugeben. Wenn ich seine Frau werden sollte, stünde ich jede Sekunde meines restlichen Lebens unter strengster Beobachtung und würde gnadenlos seziert werden, von den Kleidern bis hin zu den Veranstaltungen, die ich besuchte. Einen Vorgeschmack auf dieses Leben hatte ich ja bereits bekommen. Die Geier hatten sich im Vorfeld auf mich gestürzt, und ich konnte nicht behaupten, ich hätte keine Wunden davongetragen.

»Ich weiß, dass es egoistisch von mir ist, dich zu fragen«, fuhr er fort. »In meinem Leben gibt es nur sehr wenig Spielraum. Durch meine Pflichten als Thronfolger bin ich an dieses Land gebunden, und nun wünsche ich mir, dass du dich ebenfalls daran bindest. Aber eine Wahl kann ich treffen: Ich kann dich als meine Frau wählen, und genau das tue ich auch, und zwar über allem stehend und für den Rest meines Lebens.«

Ich blickte aufs Wasser hinunter, während unsere Gondel den obersten Punkt erreichte und wieder abwärts schwebte. Im Gegensatz zu Alexander stand mir eine wahre Fülle an Wahlmöglichkeiten zur Verfügung: Ich konnte mich für meine Karriere entscheiden, konnte mir meine Freunde aussuchen oder sogar beschließen, in ein Flugzeug zu steigen und irgendwo einfach ganz von vorn anzufangen. Und ich könnte mir jeden Mann aussuchen, den ich wollte.

Aber ich wusste, dass meine Entscheidung längst gefallen war.

Ich wählte Alexander trotz des Preises, den ich dafür bezahlen musste.

»Ja«, murmelte ich.

Alexander erstarrte.

»Ja«, wiederholte ich, diesmal lauter. Alexander ließ mich los, trat zwischen mich und die Glaswand der Kabine, zog den Ring aus seiner Tasche und schob ihn über meinen zitternden Finger. Tiefe Gewissheit erfasste mich, als ich ihn auf meiner Haut spürte. Der Ring gehörte dorthin, hatte schon immer dorthin gehört. Alexander küsste meine Hand mit seinem Ring daran.

»Ja, ja, ja«, sprudelte ich heraus, jedes Wort mit noch größerer Zuversicht und Überzeugung.

Alexander hob mich hoch und wirbelte mich im Kreis herum. »Erst seit ich dich das erste Mal geküsst habe, weiß ich, was wahre Freude bedeutet.«

»Dann küss mich gleich noch mal«, hauchte ich. Er setzte mich auf das Geländer vor der Glasscheibe und trat zwischen meine Beine, die ich um seine Hüften schlang, dann küsste er mich voller Leidenschaft, während seine Hand zu meinem Nacken wanderte und zärtlich meinen Hinterkopf umfing. Sein Kuss war langsam und voll unendlicher Zärtlichkeit.

Schließlich löste er sich von mir und rieb seine Nase an meiner. »Du hast ja keine Ahnung, wie schwierig es ist, dich nicht gleich jetzt und hier flachzulegen.«

»Menschen in Glaskabinen sollten lieber die Hosen anbehalten«, gab ich breit grinsend zurück.

»In diesem Fall hoffe ich nur, du hast heute Abend nichts vor«, sagte er trocken.

»Ich habe für den Rest meines Lebens jeden Abend etwas vor«, flüsterte ich, worauf er die Finger in meinem Haar vergrub und meinen Kopf nach hinten bog, um mich noch besser küssen zu können. Ich packte sein Revers und presste mich gegen ihn, während unser Verlangen mit jeder Sekunde wuchs.

»Noch ist die Show nicht vorbei«, raunte er dicht an meinen Lippen und stellte mich auf den Boden. Erst jetzt merkte ich, dass uns nur wenige Meter vom Boden trennten – wir waren wieder dort, wo wir begonnen hatten… und standen zugleich ganz am Anfang. Ein leises Lachen perlte in mir. Ich nahm Alexanders Hand.

»Show?«, fragte ich atemlos.

»Seit dem Tag, als ich dir begegnet bin, muss ich dich mit dem Rest der Welt teilen«, sagte er und hob meine Hand an die Lippen, als die Türen aufgingen und Dutzende Kamerablitze aufflammten. »Genau diesen Moment wollte ich mit der ganzen Welt teilen. Jeder sollte wissen, dass Clara Bishop sich für mich entschieden hat.«

»Das werde ich immer tun, jeden Tag aufs Neue.« Es schien mir unvorstellbar, dass je ein anderer Mann seinen Platz einnehmen könnte, trotzdem zwinkerte ich ihm verschmitzt zu. »Was wäre gewesen, wenn ich Nein gesagt hätte?«

»Ich wusste, dass du das nicht tun würdest.« Er straffte die Schultern und zwinkerte mir ebenfalls zu. Wie um alles in der Welt schaffte er es immer wieder, Großspurigkeit so sexy wirken zu lassen? Wir stiegen aus und gingen auf die wartende Menge zu, während er meine linke Hand hob, damit jeder sie sehen konnte. »Sie hat Ja gesagt.«

Die Menge brach in Beifall und Jubel aus, doch ich bekam kaum etwas davon mit, da Alexander mich ein weiteres Mal küsste und unser Versprechen vor aller Welt besiegelte.

27

Die folgende Stunde brachten wir damit zu, uns von Familie und Freunden umarmen und beglückwünschen zu lassen. Belle wollte meine Hand mit dem Verlobungsring gar nicht mehr loslassen, meine Mutter hatte sich bereits kopfüber in die Planungen für die Hochzeit gestürzt, und Edward schien Feuer und Flamme zu sein, ihr dabei zu helfen. Als Alexander uns endlich aus dem Gratulantengrüppchen losgeeist hatte, konnte ich es kaum noch erwarten, endlich mit ihm allein zu sein.

»Bring mich nach Hause und ins Bett«, murmelte ich, als er mir auf den Rücksitz half und neben mich glitt.

»Versuch mal, mich davon abzuhalten.«

Ich kletterte auf seinen Schoß, noch immer wie in Trance von der euphorischen Stimmung und der Gewissheit, die richtige Entscheidung getroffen zu haben. Alexander zu heiraten und mich den Aufgaben zu stellen, die mit einem Leben als Frau des Thronfolgers verbunden waren, würde zwar schwierig werden, aber einfache Lösungen strebte ich nicht länger an. Nicht, wenn es bedeutete, ohne ihn sein zu müssen.

Er strich über den Ring an meinem Finger und lächelte verschmitzt. Es war ein höchst ungewöhnlicher Anblick, so anders als der dominante, selbstbewusste Mann, der mich seit dem Tag unserer ersten Begegnung faszinierte.

»Der hat meiner Mutter gehört«, gestand er.

»Oh.« Plötzlich sah ich das Schmuckstück in einem ganz neuen Licht.

»Sie hat ihn mir vor ihrem Tod geschenkt.« Alexander sprach nicht oft von seiner Mutter, aber wenn er es tat, schwang stets tiefe Traurigkeit mit. »Sie hätte dich sehr gemocht. Meine Mutter war eine bildschöne Frau, die genau wusste, was sie wollte, und Vater in jeder Hinsicht ebenbürtig war. Sie war die Einzige, die ihm die Stirn bieten konnte. Du erinnerst mich ein wenig an sie.«

Das war ein ziemlich großes Kompliment. Ich schluckte beklommen. Würde ich seiner Mutter gerecht werden? »Ich liebe den Ring. Genauso wie dich ... Mir ist bewusst, dass das im Moment alles ein bisschen viel für dich ist«, fuhr er eilig fort. »Wenn du also lieber einen anderen hättest ...«

Ich riss meine Hand zurück. »Nur über meine Leiche.«

»Sterben musst du dafür nun auch wieder nicht.« Er lachte. Alexander konnte distanziert, dominant und besitzergreifend sein – all diese Facetten seiner Persönlichkeit erregten mich unglaublich –, aber wenn er einfach nur glücklich war, schmolz ich vor Zuneigung dahin.

Er hauchte mir einen Kuss aufs Haar. »Wenn ...« Er stockte und starrte wie gebannt auf etwas draußen vor dem Fenster. »Scheiße!«

»Was ist?« Ich hatte Angst, mich umzudrehen. Vielleicht würde ich mich ja eines Tages daran gewöhnen, dass ständig irgendwelche Katastrophen unser Glück zu überschatten drohten, aber heute war nicht dieser Tag.

»Wir haben Gesellschaft«, stieß er zwischen zusammengebissenen Zähnen hervor, stopfte sich das Hemd in die Hose und fuhr sich durch sein zerzaustes Haar, ehe er mir half, meine Kleider zu glätten. Dann strich er mir eine Haarsträhne hinters Ohr und lächelte mich an. Das Verlangen, das mich gerade noch durchströmt hatte, erfasste mich neuerlich, doch als ich die Hände nach ihm ausstreckte, löste er sich von mir und schüttelte bedauernd den Kopf.

Ich sah aus dem Fenster, um herauszufinden, was nun schon wieder los war. Jeder wusste, dass er mir gerade einen Heiratsantrag gemacht hatte. Wenn wir künftig pausenlos von unangemeldeten Besuchern heimgesucht wurden, sollten wir vielleicht über einen Umzug nachdenken. Mehrere schwarze Limousinen standen vor dem Haus aufgereiht – offensichtlich war ihnen das Parkverbot völlig egal. Als wir näher kamen, sah ich mindestens ein Dutzend Männer, die sich am Tor, am Zaun und vor der Eingangstür postiert hatten. Im Haus selbst brannten sämtliche Lichter, und die Tür stand sperrangelweit offen.

»Ist das eine Razzia?«, fragte ich verwirrt. War irgendetwas in seiner Abwesenheit vorgefallen? Vielleicht war es auch das Standardverfahren, wenn ein Mitglied der königlichen Familie von einer längeren Reise zurückkehrte.

»Zweifellos.« Angewidert verzog Alexander den Mund. »Wenn der König kommt, kann man nie vorsichtig genug sein.«

»Der K-K-König?«, stammelte ich.

»Mein Vater stattet uns einen Besuch ab.«

Kaum hatte Norris angehalten, sprang Alexander hinaus, reichte mir die Hand und zog mich in Richtung Haus. Einige Wachleute wollten sich uns in den Weg stellen, wichen jedoch sofort zurück, als sie ihn erkannten. Ich lächelte ihnen verlegen zu und fragte mich, ob es wohl gegen das Protokoll verstoßen würde, wenn ich ihnen etwas zu trinken anböte. Nach meiner letzten Begegnung mit Alexanders Vater wäre mir jede Ausrede willkommen, nur um nicht mit ihm im selben Raum sein zu müssen.

König Albert hatte sich im Wohnzimmer mit einem Glas Wein im Ledersessel neben dem Kamin niedergelassen. Sorgsam darauf bedacht, möglichst unbeeindruckt von seiner Anwesenheit zu wirken, zog ich meinen Mantel aus und legte ihn über die Sofalehne, dabei war ich in Wahrheit völlig verunsichert. Bislang hatte König Albert kein Interesse an unserem Zuhause in Notting Hill gezeigt, wenn man von seiner Forderung, unsere Lebensgemeinschaft aufzulösen, einmal absah. Sein unangemeldetes Auftauchen konnte kein gutes Zeichen sein.

»Bist du hier, um uns zu gratulieren?«, fragte Alexander mit steinerner Miene.

»Glückwunsch zu deinem kleinen Spektakel«, höhnte der König, nippte an seinem Wein und schüttelte den Kopf. »Das hätte ich dir gar nicht zugetraut.«

Alexander starrte ihn finster an. »Vorsicht, Vater, das klingt ja fast wie ein Kompliment.«

»Ist es aber nicht, das kann ich dir versichern.« König Albert stellte sein Weinglas auf dem Beistelltisch ab und legte gedankenvoll die Fingerspitzen aneinander. »Vielleicht habe ich dich ja unterschätzt.«

In diesem Moment dämmerte es mir. Natürlich hatte König Albert herkommen müssen. Alexander hatte heute Abend nicht nur Mitglieder unser beider Familien eingeladen, sondern auch die wohlgesinnte Öffentlichkeit an seinem Antrag teilhaben lassen – eine romantische Geste, um zu gewährleisten, dass wir uns nicht trennen konnten, ohne dass es den Leuten das Herz brach, ebenso wie mir. In Wahrheit hatte Alexander mir gar keinen Antrag gemacht, sondern seinen Vater mit der Geste herausgefordert. Er hatte die Öffentlichkeit hinzugeholt, damit König Albert unsere Beziehung nicht länger unter den Teppich kehren konnte. Meine Kehle wurde eng, und mir kamen neuerlich die Tränen. Es war alles ein Trick gewesen.

»Du hast *Show* gesagt«, sagte ich.

Die beiden Männer sahen mich an. König Albert runzelte die Stirn. »Wovon redet sie?«

»Es war alles nur eine Show.« Ich sah König Albert an und trat einen Schritt auf ihn zu. »Um Ihre Autorität zu untergraben.«

Ebenso gut konnte ich diejenige sein, die ihm die Wahrheit ins Gesicht sagte. Vielleicht gelang es mir dadurch, ein Stück weit die Kontrolle zurückzugewinnen, die ich wegen dieser Lüge verloren hatte. Ich schloss die Augen, in der Hoffnung, dass sich alles als Traum entpuppte, wenn ich sie wieder aufschlug. Dass nichts davon real war.

König Albert packte meine Hand und zerrte mich ins Hier und Jetzt zurück. Es war real. Alles. Es passierte wirklich.

»Musstest du ihr unbedingt den Verlobungsring deiner Mutter schenken?« König Alberts Kiefer spannte sich an. »Wenn du mich fragst, ist das hier die pure Verschwendung.«

»Was ich mache, ist keine Scharade«, sagte Alexander langsam. »Ja, ich habe Clara tatsächlich in aller Öffentlichkeit einen Antrag gemacht, aber nur weil ich wollte, dass alle Welt davon erfährt und jeder weiß, wen ich heiraten werde.«

Ein Hoffnungsfunke glomm in meinem Innern auf, trotzdem lauschte ich weiter mit angehaltenem Atem. Welche Absichten er auch immer gehabt haben mochte – die Vorstellung, dass sein Antrag bewusst darauf angelegt gewesen war, möglichst viel mediale Aufmerksamkeit zu erlangen, gefiel mir ganz und gar nicht. Wie viele private Momente meines Lebens würden in Zukunft noch zu einem Spektakel für die Öffentlichkeit gemacht werden?

»Es gibt ein Protokoll«, zischte Albert. »Das du einfach ignorierst...«

»Scheiß auf das Protokoll!«

»Aber du hast eine Verantwortung gegenüber...«

»Ich habe eine Verantwortung gegenüber mir selbst«, unterbrach Alexander ihn erneut und hob die Hand. »Und ihr gegenüber.«

»Und deinem Land«, erinnerte ihn sein Vater und öffnete seinen obersten Hemdknopf. »Es gibt Wichtigeres als deine kleine Romanze hier.«

»Wir leben nicht mehr im siebzehnten Jahrhundert, und ich werde auch nicht aus politischen Erwägungen heiraten.«

»Die Welt dreht sich nicht nur um das, was dein Schwanz will.« Albert musterte seinen Sohn einen Moment lang, dann packte er mich am Arm und zerrte mich zu sich heran. »Weiß sie von deinen unappetitlichen Neigungen? Weiß sie, wieso du weggeschickt wurdest?«

»Ich habe keine Geheimnisse vor Clara.«

Es war sinnlos, weiter mit dem König zu diskutieren. Er

hatte sich vor Jahren ein Urteil über seinen Ältesten gebildet, ihn sogar in den Krieg geschickt, um ihn nicht länger um sich zu haben.

König Albert ließ meinen Arm los und musterte mich angewidert. »Hätte ich gewusst, dass diese hässlichen Bedürfnisse nicht bloß eine Phase sind, hätte ich dich gleich an die Front beordert.«

Alexander öffnete den Mund, um etwas zu erwidern, doch ich kam ihm zuvor.

»Raus hier«, herrschte ich ihn an, ging zur Tür und riss sie auf. »Verschwinden Sie auf der Stelle aus meinem Haus.«

Beide Männer starrten mich fassungslos an. »Sie sind nicht in der Position, mir irgendwelche Anweisungen zu erteilen«, schoss König Albert zurück, als er sich gefangen hatte.

»Oh doch, das bin ich«, widersprach ich. »Ich habe Sie nicht eingeladen, und jetzt sage ich Ihnen, dass Sie verschwinden sollen.«

»Stolz haben Sie, das muss man sagen.« König Albert sah mich eisig an und ging zur Tür. »Betrachten Sie sich hiermit als in die Familie aufgenommen.«

Selbst ein Opferritual wäre angenehmer gewesen als dieses Schmierentheater. Ich schlug die Tür hinter ihm zu und spürte, wie ich am ganzen Leib zu zittern begann. Der König hatte meine Entschlossenheit ins Wanken gebracht. Alexanders und meine Beziehung stand noch immer auf so wackligen Füßen, und sollte sie eines Tages zerbrechen, würde ich mich davon nicht wieder erholen, so viel stand fest. Ich zog mir den Ring vom Finger und hielt ihn Alexander hin. Der Schmerz auf seiner Miene spiegelte meine eigene Höllenqual wider. »Nimm ihn zurück.«

»Was tust du da?«, fragte er mit belegter Stimme.
»Nimm ihn«, sagte ich und spürte die Tränen, die in meinen Augen brannten. Wenn das Ganze ein gemeiner Trick war, musste ich dem ein Ende machen.
Er legte die Finger über meine Hand und schloss sie um den Ring. »Er gehört dir. Er ist mein Versprechen an dich – ein Versprechen, das ich zu halten gedenke.«
»Wieso hast du mich gebeten, deine Frau zu werden?« Ich zwang mich, ihm die Frage zu stellen, obwohl ich nicht sicher war, ob ich die Antwort hören wollte.
»Weil ich dich liebe.«
Alexander trat noch einen Schritt näher und drängte mich gegen die Tür. Ich saß in der Falle. Mein Instinkt sagte mir, dass ich ihn wegschieben und mich dem Einfluss seiner körperlichen Nähe so schnell wie möglich entziehen sollte. Solange er mir so nahe war, lief ich nur Gefahr, alles zu glauben, was er sagte.
»Ich verdiene es, die Wahrheit zu erfahren. Wenn du mich nur gefragt hast, um dich an deinem Vater zu rächen...«
»Mit meinem Vater hat das überhaupt nichts zu tun«, brach es aus ihm heraus.
»Dann erklär es mir, X.« Meine Stimme war kaum mehr als ein Flüstern, und ich starrte auf den Fußboden, während erneut ein Hoffnungsschimmer in mir aufglomm – dass es womöglich doch noch ein Happy End für uns geben könnte.
Alexander nahm mir den Ring aus der Hand und schob ihn mir wieder über den Finger.
»Ich werde dich morgen heiraten, Clara. Das ist unser Geheimnis. Ich werde es tun, wenn es dir dadurch leichter fällt, mir zu glauben. Ich habe dir einen Antrag gemacht, weil ich

will, dass du meine Frau wirst. Es ist mir egal, was andere denken... die Zeitungen, mein Vater, es ist mir völlig egal.« Er hielt inne, legte einen Finger unter mein Kinn und zwang mich, ihn anzusehen. »Ein Wort von dir, und ich mache es heute Abend noch offiziell.«

Ich schmiegte meine Wange gegen seine Handfläche. »Es tut mir leid. Dein Vater macht mich immer ganz verrückt.«

»Das macht er mit allen seinen Kindern«, erklärte Alexander. »Und du passt perfekt dazu, Süße.«

»Selbst wenn wir heute Nacht durchbrennen würden, gäbe es eine Hochzeit, nicht wahr?«

»Eine Hochzeit gehört zu genau diesen Pflichten, vor denen ich dich gewarnt habe.« Ein Anflug von Traurigkeit zeichnete sich auf seiner Miene ab, ehe er sich zu einem Lächeln zwang. »Aber wenn du es dir anders überlegt haben solltest, verstehe ich das.«

»Nein, ich habe es mir nicht anders überlegt«, murmelte ich. Trotz König Alberts Auftauchen und seiner feindseligen Äußerungen gab es keinen Zweifel für mich, dass ich die richtige Entscheidung getroffen hatte. Alexander und ich gehörten zusammen. Ich strich über seine Anzugweste, unter der seine Bauchmuskeln trotz des dicken Stoffs deutlich zu spüren waren, und verharrte auf der Höhe seines Herzens. »Das hier gehört mir.«

Meine Hand glitt tiefer und schloss sich um seinen harten Schwanz. »Und der hier auch.«

»Du wirst allmählich ziemlich besitzergreifend.« Ein Stöhnen drang aus seiner Kehle, als ich den Reißverschluss herunterzog und die Hand um ihn schloss. Er schob meinen Rock hoch und strich über die Spitze meines Slips.

»Absolut«, bestätigte ich und massierte mit der einen Hand seinen Schwanz, während ich ihm mit der anderen die Hose über die Schenkel streifte. »Du gehörst mir, und jetzt will ich, dass du mich nimmst.«

Seine Fingerspitzen glitten über mein feuchtes Höschen.

Er packte mein Handgelenk und drückte mir den Arm auf den Rücken, dann griff er nach dem anderen. Ich leistete keinerlei Widerstand, als er meine Arme nach unten drückte und mich auf diese Weise zwang, meinen Oberkörper zurückzubiegen, dann strich er mit den Zähnen über meine Brustwarze und zog sie zwischen die Lippen. Wieder und wieder glitt seine Zunge über den Stoff meiner Bluse. Mein Verlangen wuchs, als er meine Brüste abwechselnd so liebkoste, und ich wölbte mich ihm entgegen, sodass meine geschwollene Muschi seine aufgerichtete Eichel berührte. Die Spitze meines Höschens war zum Zerreißen gespannt, als er seinen Schwanz an meinem feuchten Fleisch entlanggleiten ließ. Ein Beben lief durch meinen Körper.

Aber natürlich erlaubte er nicht, dass ich so schnell Erfüllung fand. Er ließ meine Arme los, hob mich hoch und trug mich ins Schlafzimmer, wo er mich zu küssen begann, zuerst langsam, dann immer leidenschaftlicher, bis ich vor Begierde fast den Verstand verlor. Er schob mich aufs Bett. Atemlos sah ich zu, wie er zuerst sein Jackett, dann die Weste und schließlich sein Hemd abstreifte. Dann stand er vor mir, maskulin und unbeschreiblich schön.

Noch immer erschien es mir unvorstellbar, dass wir einander für immer besitzen würden, uns gegenseitig für den Rest unseres Lebens erkunden konnten. Für immer vereint, um Antworten zu finden, um unserer Liebe in allen Facetten Ausdruck zu verleihen. Allein bei dem Gedanken stockte mir der Atem. Er gehörte mir. Bis in alle Ewigkeit.

Und wenn es nach mir ging, sollte diese Ewigkeit auf der Stelle beginnen. Ich fummelte an den Knöpfen meiner Bluse herum, doch er beugte sich vor und riss kurzerhand den Stoff entzwei, sodass die Knöpfe quer durch den Raum flogen. Dann schob er mir den dünnen Stoff über die Schultern und befreite meine Arme, während meine Brüste geradewegs in seine gierigen Handflächen glitten.

»Ich muss dich schmecken. Seit ich die Stadt verlassen habe, musste ich ununterbrochen an dich denken«, stieß er mit rauer Stimme hervor. Ich ließ den Kopf in den Nacken fallen, während er meine Brüste knetete, meine glühend heiße Haut liebkoste und sich küssend und leckend abwärts arbeitete, über meinen Nabel und meinen Bauch hinweg. Mit dem Kinn spreizte er meine Schenkel, wobei seine rauen Bartstoppeln über die zarte Haut auf der Innenseite streiften, sodass ich kichern musste.

»Gefällt dir das, Süße?« Er rieb seine Wange an meinem Bein, worauf das Prickeln in eine sehnsuchtsvolle Begierde umschlug, die mir den Atem raubte. Ich hob mich ihm entgegen. Er löste die Hände von meinen Brüsten und schob den dünnen Stoff zur Seite, der meine Scham bedeckte. »Wie ich deine Muschi vermisst habe. Ich werde den Rest meines Lebens damit zubringen, ihr zu huldigen. Hat sie mich denn auch vermisst?«

Ich stöhnte ein Ja, während er mich zärtlich küsste. Einladend spreizte ich die Beine, worauf er seine Zunge in mein weiches Fleisch schob und meine pulsierende Klitoris zu liebkosen begann. Ich schrie auf und musste mich beherrschen, nicht die Beine zusammenzupressen und ihn auf diese Weise festzuhalten und zu zwingen, sich die ganze Nacht mit mir zu beschäftigen. Aber dazu bestand kein Grund, denn er hatte es keineswegs eilig, sondern leckte mein seidiges Fleisch mit langsamen, bedächtigen Bewegungen.

Wie hatte ich es nur so lange ohne ihn ausgehalten? Eigentlich verdiente ich eine Tapferkeitsmedaille. Ein Mädchen sollte nicht so lange ohne einen Mann wie Alexander existieren müssen. Und genau das würde ich auch sagen... später, wenn er... Meine Gedanken verflüchtigten sich, als er einen Finger in mich schob und das Terrain erkundete. Ich wünschte mir, dass er nie wieder damit aufhören möge. Mein ganzer Körper spannte sich an, als ich an der Schwelle des Höhepunkts balancierte. Dies war der Mann, den ich liebte. Den ich heiraten würde. Allein der Gedanke brachte mich an den Rand des Wahnsinns, doch ich verkrallte die Finger in den Laken, wollte die Zeit anhalten, während er die Bewegungen seiner Zunge beschleunigte und mich immer weiter dem Orgasmus entgegentrieb. Er leckte, massierte die Stelle mit wachsender Eindringlichkeit, schien mein Fleisch förmlich aufzusaugen, während in mir jeder Anflug von Widerstand einfach erlosch. Schließlich explodierte ich schaudernd und zuckend, als der heftigste Orgasmus meines gesamten bisherigen Lebens über mich hinwegspülte.

Bevor das Beben verebben konnte, zog er mich zu sich heran und zwang mich, ihm ins Gesicht zu sehen, während ich allmählich wieder ins Hier und Jetzt zurückkehrte. »Ich will, dass du mich reitest«, befahl er. »Ich will zusehen, wie mein Schwanz in dich hineingleitet.«

Ich ignorierte das wunde Gefühl zwischen meinen Beinen, kniete mich hin und ließ mich ganz langsam auf ihn sinken, sodass sein praller Schwanz Zentimeter um Zentimeter in mich glitt, bis er mich voll und ganz erfüllte. Ein Keuchen drang aus meiner Kehle, als seine Eichel meinen Muttermund berührte. So tief hatte ich ihn noch nie in mir gehabt, und doch wollte ich mehr. Ich wollte ihn ganz. Behutsam bewegte ich die Hüften, und umkreiste seinen Schaft, der sich bis zur Wurzel in mich bohrte. Dann hob ich das Gesäß an und sank wieder hinab, während er die Hände um meine Hüften legte und meine Bewegungen dirigierte.

Wieder stemmte ich mich hoch und sank hinab, lehnte mich nach hinten und genoss das Gefühl, ihn zu reiten, ihn ganz tief in mir zu spüren.

»Lass los«, befahl er. »Ich will sehen, wie schön du bist, wenn du dich in mir verlierst.«

Und das tat ich auch. Ich zeigte mich ihm, während all die Versprechungen über meine Lippen sprudelten. Ich gehörte ihm. Ich musste es ihm sagen, doch die Lust spülte die Worte fort, und dann wurde ich von der nächsten Woge erfasst und ertrank gleichsam in unserer Liebe. Eng umschlungen sanken wir zusammen, unfähig, die Blicke voneinander zu lösen. Wir hatten so sehr für unsere Liebe gekämpft, hatten die Einwände seiner Familie überwunden und die bösen Geister unser beider Vergangenheit verjagt.

Ich presste mein Gesicht an seinen Hals, zählte die Schläge seines Herzens – meines Herzens, das in seinem Körper schlug. Und hier, im Bett, fernab von all den anderen Menschen, stellte er mir die Frage noch einmal. »Willst du den Rest deines Lebens mit mir verbringen?«

Die Frage verschlug mir den Atem. Das hier war keine aufgemotzte Show für die Klatschpresse, sondern echt und unverbrämt, und es bedeutete mehr als zahllose Rosen und schöne Worte.

Meine Antwort war dieselbe. Und würde es auch immer bleiben. Aber dies war unser gegenseitiger Schwur – Worte, die niemand anders jemals zu hören bekäme. Die Worte, die uns aneinander banden, in guten und in schlechten Tagen.

»Ja, ich will.«

Epilog

Regen prasselte auf die finstere Ecke der Tower Bridge herab. Die Touristen waren den Warnungen der Reiseführer gefolgt, die Gegend nach Einbruch der Dunkelheit zu meiden, was Ethan durchaus entgegenkam. Je weniger Aufmerksamkeit seine nächtlichen Aktivitäten auf sich zogen, desto besser.

Er sah auf die Uhr und stellte verärgert fest, dass sich seine Kontaktperson verspätete, doch die Anweisungen waren glasklar gewesen: Er sollte warten. Der Kunde seines Bosses hatte ein stattliches Sümmchen für das in braunes Papier gewickelte Päckchen in seiner Jackentasche bezahlt.

Die schlimmsten Typen zahlten immer am besten.

Ganz langsam drehte Ethan sich um, als Schritte hinter ihm zu hören waren, um den Mann nicht zu verschrecken. Bei einem Kerl, der mit den DeAngelos Geschäfte machte, war Vorsicht geboten. Ethan hatte Mühe, sein halb durch eine Kapuze verborgenes Gesicht im Dunkeln zu erkennen.

»Ich bin hier, um die Lieferung abzuholen«, sagte der Typ.

Ethan stieß einen erleichterten Seufzer aus. Tatsächlich seine

Kontaktperson und nicht etwa ein Teenie, der Streit suchte. Der Fremde machte keine Anstalten, seine Kapuze herunterzuziehen, als Ethan ihm das Päckchen reichte.

»Das sollte die Kosten decken.« Der Mann gab Ethan einen dicken Umschlag, den dieser in der Tasche seiner Lederjacke verschwinden ließ.

Er war heilfroh, das Päckchen los zu sein – das hier war ein weiterer Schritt zur Schuldenfreiheit bei jenem Gangsterboss, der derzeit das Sagen hatte. Ethan hatte keine Ahnung, wofür der Mann die Waffe brauchte. Und er wollte es auch gar nicht wissen.

Die Männer trennten sich wortlos – der eine wollte am liebsten ganz schnell vergessen, dass seine Ware neue Gewalt säen würde; der andere konnte es kaum erwarten, endlich zuzuschlagen.

Dank

Ich bin vielen, vielen Menschen zu Dank verpflichtet, die mir bei der Entstehung dieses Buches geholfen haben. Ohne die Liebe und Unterstützung meines Ehemanns hätte ich all das niemals geschafft. Danke für deine Engelsgeduld, während ich abwechselnd geheult und geschrieben, geschrieben und geheult habe. Danke, dass du die Kinder zur Schule gebracht und mich daran erinnert hast, ab und zu etwas zu essen. Und am allermeisten für deine Bereitschaft, auf Sex zu verzichten, nur weil das Manuskript wieder mal überarbeitet werden musste. Dein Journalistikstudium hat sich echt ausgezahlt!

Mein tiefster Dank gilt Tamara Mataya für ihren messerscharfen Blick und die vielen tollen Korrekturen in den Alexander-Kapiteln. Durch dich hat dieses Buch enormen Schliff bekommen.

Ich danke Bethany Hagen für die Korrektur der vielen Kleinigkeiten und die Fähigkeit, meine Figuren besser im Auge zu behalten, als ich es selbst je gekonnt habe. Ich gebe dir jederzeit Rückendeckung, falls du mich brauchst.

Ich danke Laurelin Paige – ich bin wirklich froh, dass du eine so leidenschaftliche Autorin bist. Danke, dass du dir stets die Zeit zum Lesen genommen hast, für die vielen Ratschläge und deine Unterstützung meines Abenteuers.

Mein Dank geht an Melanie Harlow und Kayti McGee dafür, dass ihr euch immer treu geblieben seid und mich angespornt habt.

Ihr habt keine Ahnung, wie sehr ich euch alle liebe. Sobald ich morgens meinen sexy Typen geknuddelt habe, gilt mein erster Gedanke euch, Ladies. Jeden Tag.

Ich danke den Mädels von FYW, dass ihr diese kleine Anfängerin unter eure Fittiche genommen und all ihre lächerlichen Fragen beantwortet habt. Ihr seid meine Inspiration!

Ich danke Lauren Blakely, Melody Grace und K. A. Linde für Abendessen, Drinks und Strategien – und viele, viele Nachrichten. Nächstes Mal gehen die Getränke auf mich.

Ohne dich, E. M., hätte ich vermutlich den Verstand verloren. Danke für deinen festen Glauben, dass ich das hier schaffen kann, trotz der vielen 3-Uhr-morgens-Verzweiflungsmails. Ich hätte keinen besseren Komplizen finden können. Du solltest dringend wieder hierherziehen.

Bei Lindsey möchte ich mich entschuldigen. Ich bin so froh, dass du das Manuskript für dieses Buch nicht einfach in den Atlantik geworfen, sondern mich bis zur letzten Zeile durch dieses Projekt geprügelt hast. Ich hoffe, du nimmst es mir nicht übel, dass ich so viel Zeit mit Alexander verbracht habe. Ich hab dich lieb, Miststück.

Ich danke Tara und dem Team von Draft2Digital dafür, dass sie sich mit all meinen Mails herumgeschlagen haben und die Besten der Branche sind.

Danke an Vania, Chandler und VLC Productions für die sensationellen Covervorschläge. Ich kann es kaum erwarten, was ihr für die Gestaltung des dritten Teils auffahrt. Ich sondiere schon mal in der Dessous-Abteilung!

Ich danke Cait Greer für die Formatierung in letzter Minute. Tausend Dank!

Ganz besonderer Dank gilt Trish Mint und den Schmexy Girls für ihr grünes Licht, für ihre Blödeleien und ihre Bombenstimmung. Danke an Angie McLain und den Fan Girl Book Blog dafür, dass ich euch zitieren durfte. Ihr ahnt nicht, was mir das bedeutet. Ich danke auch Summer's Book Blog, der schon zu Beginn auf Alexander aufmerksam geworden ist. Und all den anderen Bloggern, die Autoren mögen und unterstützen – ihr seid diejenigen, die ernsthaft etwas bewirken. Eure Leidenschaft ist eine echte Inspiration für mich. Danke für das, was ihr tut!

Und ich danke meinen Leserinnen – eure Anregungen, Hinweise und Unterstützung geben mir die Kraft, die ich brauche, wenn ich kurz davor bin, das Handtuch zu werfen. Diese Geschichte ist nur für euch, und ich hoffe, dass ich euch noch viele, viele mehr erzählen darf. Danke, dass ihr meine Bücher lest. Ich liebe euch.

Wir lieben Geschichten,
die unseren Puls beschleunigen.
Wir schreiben über alles, was uns fasziniert,
inspiriert oder anmacht.
Und was bewegt dich?

Willst du mehr?
Hier bist du goldrichtig:

www.sinnliche-seiten.de
WIR LESEN LEIDENSCHAFTLICH

Leseprobe

Geneva Lee
Royal Love
Band 3 der Royals-Saga

Clara sollte die glücklichste Frau auf der Welt sein: In wenigen Wochen wird sie den Mann heiraten, den sie liebt, dem sie verfallen ist. Doch Alexanders Vater lehnt ihre Verbindung kategorisch ab, und Clara findet heraus, dass Alexander immer noch Geheimnisse vor ihr hat und sie heimlich beschatten lässt. Clara liebt Alexander, aber kann sie ihm auch vertrauen? Und ist ihre Liebe stark genug, um ihre Unabhängigkeit und ihr eigenes Leben für das Königshaus zu opfern?

I

Die fahle Wintersonne schien durch das Küchenfenster. Am Himmel zogen vereinzelte lila Wolken vorüber, die die stillen Wohnstraßen in Notting Hill in ein für Februar ungewöhnlich strahlendes rosa Licht tauchten. Doch trotz der Schönheit dieses friedlichen Londoner Morgens hatte ich nur Augen für den Mann in der Küche. Er trug eine schwarze Seidenpyjamahose, die locker auf seiner schmalen Hüfte saß. Ich ließ den Blick auf seine deutlich hervortretenden Bauchmuskeln schweifen, und als er sich zur Theke umdrehte, um Kaffee einzuschenken, bewunderte ich ausgiebig das gemeißelte V seines Rückens, das ich so gern mit den Fingern erkundete. Sein schwarzes Haar war noch zerwühlt von unserem frühmorgendlichen Liebesspiel, das mir zwei fantastische, alles verschlingende Orgasmen beschert hatte. Doch so prachtvoll sein Körper auch sein mochte, war es doch sein Herz, mit dem er mich im Sturm erobert hatte. Mir stockte der Atem, als mir einmal mehr bewusst wurde, dass dieser unglaublich schöne Mann mir gehörte, so unfassbar es auch erscheinen mochte.

Alexanders sinnlicher Mund verzog sich zu einem wissenden Grinsen, während er mir einen Becher hinhielt. »Für dich, Süße.«

Vorsichtig nippte ich daran und nickte genießerisch.

»Und? Habe ich allmählich den Dreh raus?«, fragte er.

»Nicht übel«, bestätigte ich und trank noch einen Schluck.

»Dich aufzuputschen ist das Mindeste, was ich nach gestern Abend tun kann, selbst wenn es bedeutet, dass ich dafür Kaffee kochen muss.«

»Wenn du mich die halbe Nacht wachhältst…«, neckte ich ihn und versuchte, das Ziehen im Unterleib zu ignorieren, das sich bei der Erinnerung an die Gründe für meinen Schlafmangel einstellte. Allmählich war es zur Gewohnheit geworden, dass ich zu spät bei der Arbeit erschien.

Während der vergangenen Monate hatte sich eine entspannte morgendliche Routine entwickelt – inklusive der Grundsatzdebatte über Tee oder Kaffee als Start in den Tag. Wir hatten die Feiertage und die damit verbundenen familiären Verpflichtungen unbeschadet überstanden, was eine ziemlich reife Leistung war, wenn man bedachte, dass Alexanders Vater sich wünschte, ich würde mich in Luft auflösen, und die Ehe meiner Eltern immer noch am seidenen Faden hing. Trotzdem war unsere Beziehung enger und stabiler denn je. Die vielen Lügen und Geheimnisse, die sich einst zu einer Mauer zwischen uns aufgetürmt hatten, waren einem Fundament aus Vertrauen und Verständnis gewichen. Nun war es für mich an der Zeit, mich auf die Neuerungen zu konzentrieren, die dieses Jahr mit sich bringen würde. Nicht dass ich Alexander nicht gern heiraten würde – in Wahrheit konnte ich es kaum erwarten, seine Frau zu sein –, das Problem war eher, dass ich dadurch gezwungen sein würde, mich mit Menschen zu umgeben, von denen ich mich lieber fernhalten würde. Außerdem musste ich mich damit auseinandersetzen, dass sich mein Leben von Grund auf ändern würde.

Er legte die Hand um mein Kinn und zwang mich, meine Aufmerksamkeit auf ihn zu richten... weg von der Zukunft und auf die Gegenwart. »Du hast wieder diesen Ausdruck im Gesicht... Du machst dir viel zu viele Gedanken, Süße.«

Ich zwang mich zu einem Lächeln und schüttelte den Kopf. »Ich habe im Moment bloß eine Menge um die Ohren.«

»Aber schon bald ist da ein Punkt weniger, um den du dir Gedanken machen musst.« Trotz der Beiläufigkeit seiner Bemerkung sog ich scharf den Atem ein.

Da hätten wir es wieder – genau diese Art Unterhaltung wollte ich mit ihm nicht führen.

»Ich werde meine Arbeit vermissen. Außerdem brauchen sie mich«, sagte ich. Für andere mochte es kein Traumjob sein, aber die Arbeit, die ich bei Peters & Clarkwell leistete, war wichtig. Zumindest für mich. Obwohl ich noch nicht lange dort war, hatten einige der Umwelt- und Sozialkampagnen, an denen ich mitgearbeitet hatte, weltweit für Aufsehen gesorgt. Das Schönste an meiner Arbeit war, dass ich tatsächlich dazu beitrug, die Welt zu einem besseren Ort zu machen. Reich würde ich dadurch ganz bestimmt nicht werden, was jedoch dank meines Treuhandfonds auch gar nicht nötig war. Allerdings hatte der Umstand, dass ich bald Mitglied der königlichen Familie sein würde, auch seinen Preis: Durch die vielen anderen Aufgaben würde ich nicht länger in meinem alten Job weiterarbeiten können. Das war eine bittere Pille, die ich immer noch nicht vollständig geschluckt hatte.

Alexanders blaue Augen funkelten. »Ich brauche dich an meiner Seite, und du brauchst nicht zu arbeiten.«

»Ich will aber. Mein eigenes Vermögen zu haben, ist keine Ausrede dafür, den ganzen Tag nur shoppen zu gehen und mich von einer Wellnessbehandlung zur nächsten zu hangeln.«

»Keine Angst, du wirst schon nicht wie deine Mutter«, erklärte Alexander rundheraus. Natürlich wusste er nur zu gut, dass genau das der wahre Kern meines Problems war. Zumindest dachte ich das, bis er fortfuhr. »Schon bald wirst du so viele Aufgaben haben, dass für Shoppingtouren und Schlammpackungen keine Zeit ist, glaub mir.«

Ich stellte meinen Kaffee weg und ließ meine Hand über seine Brust bis zu den Bändern seiner Pyjamahose wandern. »Zum Beispiel?«

Er schlang den Arm um meine Taille und zog mich mit einem Ruck an sich. Ich spürte, wie sein Schwanz zwischen uns anschwoll, bis kein Zweifel mehr bestand, was er von mir erwartete. »Könnten wir vielleicht damit anfangen, den ganzen Tag im Bett zu verbringen?«

»So sehr mir die Vorstellung gefällt, dich nackt um mich zu haben, rede ich von deinen anderen Verpflichtungen. Man wird einige Erwartungen an dich haben, wenn du erst meine Frau bist, Süße.« Sein Tonfall war weich, obwohl er keine Anstalten machte, seinen Griff zu lockern.

»Oh.« Natürlich. Bereits vor Monaten hatte ich im Büro angekündigt, dass ich nur bis Februar bleiben würde. Wieso also wollte ich nicht wahrhaben, dass es demnächst so weit war? Weil das hieß, dass ich damit alles hinter mir ließ, was ich an der Uni gelernt hatte, und stattdessen versuchen musste, mich in den trüben Gewässern der königlichen Familie zurechtzufinden. Für die meisten war ich bloß eine amerikanische Aufschneiderin, die keinerlei Berechtigung hatte, den Thronfolger heiraten zu wollen. Meine Ausbildung, meine Herkunft – all das spielte keine Rolle für sie, was es noch schmerzlicher für mich machte, meiner Karriere den Rücken zu kehren.

Alexanders Lippen strichen an meinem Kiefer entlang. »Das ist doch kein Todesurteil.«

»Vermutlich nicht. Wenn du es nicht immer so darstellen würdest, als wäre es genau das«, gab ich zurück.

»Du wirst weiterhin im karitativen Bereich arbeiten, aber wenn wir erst verheiratet sind, stehen dir auch alle meine Ressourcen und Verbindungen zur Verfügung. Du wirst die wichtigsten Führungspersönlichkeiten der Welt kennenlernen und mit ihnen zusammenarbeiten, statt lediglich Online-Kampagnen ins Leben zu rufen.«

Ich hatte so einen Verdacht, dass er diese Begegnungen wesentlich glamouröser und gewichtiger darstellte, als sie es am Ende sein würden. Das Problem war, dass ich den Unterschied zwischen Engagement und Politik sehr wohl kannte. Und Alexander wusste das. Aber ich hatte mich entschieden – für ihn und damit gegen das Leben, wie ich es bisher kannte. Ich hatte bloß gehofft, ein bisschen mehr Zeit zu haben, um mich an alles zu gewöhnen. Aber bei Alexander gab es keine allmählichen Entwicklungen. Alles zwischen uns hatte sich in geradezu rasantem Tempo entwickelt – unser Kennenlernen auf der Abschlussparty in Oxford, unsere Affäre und die unvorhersehbare Tatsache, dass wir uns ineinander verliebt hatten. Wir hatten einen ziemlich holprigen Start hingelegt, doch seit wir uns im letzten Herbst zueinander bekannt hatten, lief alles in etwas ruhigeren Bahnen. Die Hochzeit würde in nicht einmal zwei Monaten stattfinden. Seit Wochen wusste ich nicht mehr, wo mir der Kopf stand.

»Ich würde lieber mit dir im Bett liegen, als mit irgendwelchen Politikern am Tisch sitzen zu müssen«, gestand ich seufzend. Doch so schwer es mir auch fiel, meine Karriere aufzugeben, hatte ich immer noch Alexander, der mich auffangen würde. Er war mein Fels in der Brandung, auch wenn ringsum die Wellen noch so hochschlugen. Er war mein Mittelpunkt. Alles was ich brauchte. Solange er an meiner Seite war, bekam ich all das Neue in meinem Leben schon irgendwie in den Griff.

Seine Hände glitten zu meinem Hinterteil. »Wir könnten tatsächlich heute im Bett bleiben.«

»Vergiss es.« Ich verpasste ihm einen spielerischen Klaps. »Ich habe Tori versprochen, dass wir zusammen mittagessengehen, und geschworen, pünktlich zu sein.«

»Sag deinem Boss einfach, wichtige Staatsangelegenheiten hätten dich aufgehalten.« Er presste sich gegen mich, um mir zu zeigen, welche Angelegenheiten er genau meinte.

Ich unterdrückte ein Stöhnen, und Alexander nutzte den kurzen Moment meiner Unkonzentriertheit schamlos aus und schob mir den Rock über die Hüften. Ein dumpfes Grollen drang aus seiner Kehle, als er über das hauchzarte Spitzenset aus Strumpfgürtel und dazu passendem Höschen strich und mit einem Finger den Stoff zur Seite schob, unter dem mein Geschlecht zum Vorschein kam. Ich spürte, wie die Erregung mich durchströmte.

»Ich kann dich nicht ohne anständige Verabschiedung gehen lassen«, raunte er mit samtiger Stimme.

»Dabei hatte ich heute Morgen schon zwei.« Doch es war sinnlos. Mein Körper reagierte augenblicklich mit wachsender Gier auf seine Zärtlichkeiten, und ich kam ihm nur allzu bereitwillig mit den Hüften entgegen.

»Oh Gott, ich liebe dich so sehr«, stöhnte er, als ich die Hand in den Bund seiner Pyjamahose schob und die Finger um seinen betonharten Schwanz schloss.

Die Arbeit konnte definitiv noch etwas warten.

Eine halbe Stunde später war ich endgültig zu spät dran. Vielleicht war es ja sogar gut, dass mein letzter Tag unaufhaltsam näher rückte. Wenn ich so weitermachen würde, müsste Bennett mich sowieso demnächst feuern. Ich schlug die rote Haustür zu, schwang meine Tasche über die Schulter und winkte dem Rolls-Royce, der am Straßenrand geparkt stand. Norris, Alexanders Leibwächter, der inzwischen auch für mich zuständig war, konnte ich nicht entdecken, wusste aber, dass er mich bereits erwartete, um mich ins Büro zu fahren. In diesem Moment trat ich auf etwas Weiches. Ich blieb stehen und sah auf den Boden, dann bückte ich mich und hob mit zitternden Fingern die Rose auf. Ich ließ den Blick durch den kleinen Garten schweifen, der eigentlich ein Minimum an Privatsphäre gewähren sollte, und ließ die Überreste der Blume fallen.

Jemand war hier gewesen.

In diesem Augenblick trat Norris zu mir. Trotz seiner gewohnt neutralen Miene verriet seine angespannte Körperhaltung, dass er dasselbe dachte wie ich: War eine Rose vor der

Haustür lediglich ein Ausdruck von Bewunderung oder eine Drohung?

»Haben Sie jemanden gesehen?«, fragte ich wohl wissend, wie albern diese Frage war. Hätte Norris jemanden in der Nähe des Hauses beobachtet, wäre derjenige längst auf dem Weg ins nächste Polizeirevier.

Er hob die Rose auf und inspizierte sie. Aus einem Impuls heraus zupfte ich ein Blütenblatt ab und zerdrückte es zwischen den Fingern. Es fühlte sich ganz kalt an, beinahe gefroren. Womöglich hatte die Rose die ganze Nacht hier gelegen, folglich hatte sich derjenige, der sie hingelegt hatte, an den Sicherheitsleuten vorbeigeschmuggelt, die das Haus rund um die Uhr zumindest grob im Auge behielten.

»Miss Bishop«, sagte Norris bedächtig und schob mich zur Haustür, »warten Sie bitte drinnen, während ich mit Alexander spreche.«

Ausgeschlossen. Mein Leben war schon jetzt völlig aus den Fugen, und ich durfte nicht zulassen, dass mich jede vermeintliche Drohgebärde in Angst und Schrecken versetzte. Und mich zu verbarrikadieren, war definitiv keine Lösung. »Ich muss aber dringend zur Arbeit. Ich bin jetzt schon spät dran.«

»Es dauert nur einen Moment«, beharrte er.

Mit einem frustrierten Schnauben ließ ich mich von ihm wieder ins Haus führen. Schließlich blieb mir kaum eine andere Wahl. So gern ich so tun würde, als wäre alles wie immer, war ich darauf angewiesen, dass Norris mich zur Arbeit fuhr, deshalb musste ich entweder allein draußen warten oder wieder hineingehen. Auf diese Weise konnte ich wenigstens sicher sein, dass ich nichts Wichtiges verpasste. Seit mein durchgeknallter Exfreund Daniel vor ein paar Monaten bei unserer Einweihungsparty auf mich losgegangen war, hatte Alexander die Sicherheitsmaßnahmen verstärken lassen. Daniel saß in Untersuchungshaft und wartete darauf, wegen versuchten Mordes und einer Reihe weniger dramatischer Vergehen vor Gericht gestellt zu werden. Alexander und Norris beschränkten ihre Gespräche rund um meine Sicherheit sorgsam auf ein Minimum – zumindest solange ich in der Nähe war. Nach seinem Heiratsantrag hatte ich nur allzu gern in meiner Blase der Glückseligkeit geschwebt, aber dieser Vorfall änderte alles schlagartig. Wenn irgendetwas vor sich ging, musste ich Bescheid wissen.

Kaum war die Tür ins Schloss gefallen, erschien Alexander im Flur. Seine Miene verriet nichts – eine Fähigkeit, die er in all den Jahren im Blickfeld der Medien perfektioniert hatte –, doch seine starre Körperhaltung ließ keinen Zweifel daran, dass er in höchster Alarmbereitschaft war. Ich wusste nicht recht, ob ich zu ihm treten oder neben der Tür stehen bleiben sollte... ob ihn meine Nähe beruhigen oder nur noch mehr in Aufruhr versetzen würde. Nach dem Verlust seiner Mutter und seiner Schwester hatte er schreckliche Angst, auch mich zu verlieren, und Daniels Übergriff hatte diese Furcht nur noch verstärkt, ganz egal wie eng das Sicherheitsnetz auch immer sein mochte.

Norris reichte ihm die Rose. Keiner der beiden Männer sagte etwas, doch ihre Mienen sprachen Bände.

»Was ist hier los?«, fragte ich.

»Könnten Sie bitte kurz draußen warten?«, bat Alexander seinen Leibwächter.

So viel zum Thema Informationen.

»Erklär mir jetzt bitte, dass die Rose das Geschenk eines glühenden Verehrers ist«, sagte ich, sobald die Tür hinter Norris zugefallen war.

»Kann sein«, sagte er, doch viel wichtiger war, was er nicht sagte.

»Daniel sitzt doch in Untersuchungshaft und wartet auf seinen Prozess«, fuhr ich fort.

»Clara.« Der warnende Unterton in seiner Stimme war unüberhörbar, doch ich beachtete ihn nicht.

»Hör auf, mich wie ein kleines Kind zu behandeln«, schimpfte ich. »Seit Monaten lässt du dieses Haus wie ein Versuchslabor für Atomwaffen bewachen. Wenn irgendetwas vor sich geht, muss ich darüber Bescheid wissen.«

Selbst in unseren eigenen vier Wänden standen wir rund um die Uhr unter Bewachung, doch die meiste Zeit konnte ich so tun, als würde ich es nicht bemerken. Die Männer, die Alexander angeheuert hatte, waren ehemalige Soldaten, die ihren Beruf ganz ausgezeichnet beherrschten. Doch trotz aller Diskretion spürte ich, dass sie stets da waren. Bei der Arbeit konnte ich ohne bewaffnete Eskorte vor der Tür nicht einmal über Mittag einen Happen essen gehen. Was hier lief, ging weit über die üblichen Maßnahmen hinaus, selbst wenn die größte Bedrohung für meine Sicherheit eigentlich hinter Schloss und Riegel saß. Es sei denn…

In diesem Moment fiel der Groschen. Erschrocken schlug ich die Hand vor den Mund. »Oh Gott.«

Alexanders Arme schlossen sich um mich, noch bevor ich die Worte aussprechen konnte. »Du bist in Sicherheit.«

Aber das war ich nicht. Nicht, wenn…

»Wie lange schon?« Meine Stimme klang hohl.

»Es besteht keine Gefahr. Nicht, solange Norris und das Team ...«

Ich unterbrach ihn mit einer knappen Geste. »Wie lange schon?«

»Seit St. Moritz«, antwortete er mit ungewöhnlich leiser Stimme.

»Seit St. Moritz?«, krächzte ich. Das war mehrere Monate her: Damals war Pepper mit irgendwelchen Anschuldigungen, Alexander hätte sie unter Drogen gesetzt, an die Öffentlichkeit gegangen, und Alexander hatte mit einer einzigen Frage mein ganzes Leben von Grund auf verändert. »Und du wusstest die ganze Zeit Bescheid? Schon als du mir einen Antrag gemacht hast?«

»Ja.«

Ich stieß ihn von mir, weil ich plötzlich das Gefühl hatte, keine Luft mehr zu bekommen. Der Raum ringsum begann sich zu drehen. Die Schutzmauern, die ich so sorgsam um mich errichtet hatte, fielen wie ein Kartenhaus in sich zusammen, und eine Welle der Panik erfasste mich, die ich nicht länger ignorieren konnte.

»Ich wollte nicht, dass du Angst hast. Das hätte doch nichts geändert.«

»Es hätte verdammt noch mal *alles* geändert.« Aber das stimmte nicht. Zu wissen, dass Daniel sich irgendwo dort draußen herumtrieb, hätte mir keineswegs ein Gefühl der Sicherheit gegeben. In diesem Fall war Wissen nicht gleichbedeutend mit Macht. Das änderte aber nichts an der Tatsache, dass ich es jetzt wusste. »Wie konnte das passieren?«

»Mit Hilfe eines übereifrigen Anwalts.« Alexanders Lippen verzogen sich zu einem freudlosen Lächeln. »Als man mich in Kenntnis gesetzt hat, war er längst über alle Berge.«

»Über alle Berge?«, wiederholte ich ungläubig und spürte, wie unterschiedlichste Emotionen Besitz von mir ergriffen, die ich nicht recht zuordnen konnte. Wie konnte er einfach verschwinden? Selbst wenn er vorläufig aus der Haft entlassen worden war, standen doch immer noch meine Anschuldigungen gegen ihn im Raum.

»Für jemanden ohne militärischen Hintergrund hat er es ziemlich gut drauf, unter dem Radar zu bleiben.«

Diesmal wehrte ich mich nicht, als Alexander mich in die Arme nahm, sondern schmiegte mich mit der Gewissheit an ihn, dass er alles tun würde, mich zu beschützen. Aber was sollte ich davon halten, dass allem Anschein nach nicht einmal Norris Daniel aufstöbern konnte und keiner von Alexanders Männern mitbekommen hatte, dass er hier gewesen war und mir eine Rose vor die Tür gelegt hatte? Allein bei der Vorstellung gefror mir das Blut in den Adern.

Ich löste mich von ihm und ging zur Tür. »Ich muss jetzt los.«

»Clara, wenn ich...«

»Ich will nichts hören«, unterbrach ich ihn. Seit Monaten hatte ich Alexanders Beschützerinstinkt übertrieben gefunden, weil ich schlicht und einfach davon ausgegangen war, dass der Verursacher seiner Paranoia hinter Gittern saß. »Ich weiß nicht, was schlimmer ist. Dass Daniel aus der U-Haft entlassen wurde, oder dass du mir diese Tatsache vorenthalten hast. Du hast mich belogen. Ich muss in Ruhe nachdenken.«

»Clara«, rief er scharf, doch ich schenkte ihm keine Beachtung.

»Ich dachte, wir hätten so etwas nicht länger nötig. Bis später, X.« Ich ging, bevor er mir noch weitere Ausreden präsentieren konnte. Natürlich wusste ich, dass er mich nur hatte beschützen wollen, aber das schmälerte weder das Ausmaß seines Verrats, noch machte es die Tatsache wett, dass mein mühsam errungenes inneres Gleichgewicht ein weiteres Mal jäh zerstört worden war. Ich wollte einfach nur in Ruhe verdauen, was ich soeben begriffen hatte:

Niemand konnte mich wirklich beschützen.

2

Kaum saß ich am Schreibtisch, erschien ein vertrauter Rotschopf an der Eingangstür zu meinem Kabuff. Ich winkte die müde lächelnde Tori herein, die sich mit einem Seufzer auf meinen Besucherstuhl fallen ließ und ihr kleines Bäuchlein rieb, das sich seit Kurzem zu wölben begann. Wie es aussah, stand ihr Frust meinem eigenen in nichts nach, und keiner von uns schien sich auf einen angenehmen Wochenstart zu freuen. Ich konnte nur hoffen, dass ihr Ärger nicht von durchgeknallten Exfreunden oder übertrieben besorgten Verlobten herrührte. Andererseits war sie mit einem der warmherzigsten, nettesten Männer zusammen, daher war meine Sorge vermutlich unbegründet.

»So schlimm?«, fragte ich mitfühlend, lehnte mich mit überkreuzten Armen auf meinem Stuhl zurück und wartete geduldig. Zugegeben – sie sah tatsächlich ziemlich mitgenommen aus. Unter ihren Augen lagen dunkle Ringe, die wegen ihres hellen Teints noch deutlicher hervortraten, und ihr normalerweise üppig gewelltes Haar hing in einem schlaffen Pferdeschwanz über ihren Rücken.

»Ich hinke mit der PostAid-Kampagne hinterher. Eigentlich hätte ich am Wochenende nacharbeiten wollen, aber ich bin todmüde. Dabei sollte es im zweiten Drittel eigentlich leichter werden.«

»Du solltest wohl mal mit deinem Boss reden«, bemerkte ich trocken und zwinkerte ihr zu.

»Ich glaube, er ist noch kaputter als ich. Die Zwillinge hatten die Grippe. Wir sind alle völlig fertig.« Wieder blickte sie auf ihr Bäuchlein. »Ich habe keine Ahnung, wie ich die nächsten fünf Monate überstehen soll. Mein armer Rücken ist jetzt schon total im Eimer. Ich habe mir überlegt, mir einen von diesen ergonomischen Stühlen zu besorgen, aber nachdem ich einen Blick aufs Preisschild geworfen hatte, war's das.«

»Das hier ist die Vorstellung meines Workaholic-Vaters von einem perfekten Weihnachtsgeschenk.« Ich tippte mit dem Finger auf die Armlehne meines nagelneuen Schreibtischstuhls, wobei ich geflissentlich unterschlug, dass das extravagante Geschenk ein weiterer Versuch gewesen war, mich milde zu stimmen – eine absolut lächerliche Geste, wenn man bedachte, dass ich meinen Vater weder gemieden noch ihm irgendwelche Vorwürfe gemacht hatte, nachdem ich ihn in Begleitung einer anderen Frau gesehen hatte. Meine Mutter und meine Schwester waren mit ähnlich kostspieligen Gaben bedacht worden. Aber wir alle wussten nur zu gut, dass kein Geschenk der Welt wettmachen konnte, was er meiner Mutter angetan hatte. »Ehrlich gesagt, brauche ich ihn nicht.« Ich stand auf und schob ihn ihr hin. Damit konnte ich mit dem emotionalen Bestechungsversuch meines Vaters wenigstens noch ein gutes Werk tun.

»Ehrlich?« Ihre Miene hellte sich auf, doch dann schossen

ihr ohne Vorwarnung Tränen in die Augen. »Ich vergesse ständig, dass das ja deine letzte Arbeitswoche ist.«

»Und ich vergesse ständig, dass du im Moment bei jedem noch so kleinen Anlass in Tränen ausbrichst«, zog ich sie auf. »Aber sieh es doch mal von der positiven Seite. Jetzt bekommst du wenigstens einen neuen Schreibtischstuhl.«

Sie rang sich ein Lächeln ab. »Da fühle ich mich gleich noch viel mieser. Der Arzt hat angerufen und gesagt, ich soll unbedingt heute noch vorbeikommen. Könnten wir unser Mittagessen vielleicht verschieben?«

»Kein Problem.« Ich hoffte, dass meine Fröhlichkeit nicht allzu gezwungen klang. Sosehr ich mich über das Baby freute, machte mich die Aussicht, auf eine meiner letzten gemeinsamen Mittagspausen mit Tori verzichten zu müssen, tieftraurig.

Mir war schon jetzt klar, wie schwer es mir fallen würde, meine professionelle Fassade zu wahren, wenn es an den Abschied ging. Immerhin würde der Kontakt zu Bennett und Tori nicht abreißen – sie standen auf der Gästeliste meiner Verlobungsfeier und der Hochzeit selbst. Allerdings würde Tori den ausschweifenden Junggesellinnenabschied, den Belle für mich organisiert hatte, wegen ihrer Schwangerschaft auslassen müssen. Gleichzeitig freute ich mich unbändig darauf, in wenigen Monaten das Baby in den Armen halten zu dürfen. Inzwischen hatte sich eine tiefe Freundschaft zu den beiden entwickelt, allerdings rührte meine Zuneigung teilweise auch daher, dass ich sie um ihre vermeintlich normale Beziehung beneidete – die beiden konnten einfach ins Kino gehen, wohingegen wir stets von einem Pulk von Fotografen verfolgt wurden und unsere Gesichter am nächsten Morgen unweigerlich in den Klatschblättern fanden. Ich schnappte mir Block und

Stift und machte mich auf den Weg ins Büro meines Chefs zu einer meiner letzten morgendlichen Besprechungen mit ihm. An der Tür blieb ich stehen, doch Bennett winkte mich, den Telefonhörer am Ohr, zu sich herein.

»Verstehe«, sagte er, drehte sich auf seinem Bürostuhl um und blickte konzentriert auf die verspiegelte Fassade des Gherkin, Gurke, genannten auffälligen Wolkenkratzers direkt nebenan, in dem sich das fahle Sonnenlicht spiegelte.

Bei seinem Anblick stürzte ich geradewegs in die nächste Gefühlsachterbahn. Letzte Woche hatte mir meine Mutter netterweise einen Artikel über die fünfundzwanzig stressigsten Ereignisse im Leben eines Menschen in die Hand gedrückt. Bei zehn Übereinstimmungen hatte ich frustriert aufgehört zu zählen, aber in Wahrheit trafen vermutlich deutlich mehr Punkte auf mich zu. Der Druck und die Anspannung angesichts all der bevorstehenden Veränderungen machten mich wohl ähnlich anfällig für Tränenausbrüche wie Tori, doch ich beschloss, mich am Riemen zu reißen. Schließlich beendete Bennett das Telefonat, drehte sich zu mir um und fragte, wie es mir gehe. Nein, ich würde nicht weinen; zumindest nicht heute schon, sondern erst an meinem letzten Arbeitstag.

Stattdessen stürzte ich mich kopfüber in die Strategien, die ich übers Wochenende zu Papier gebracht hatte – der einzige Vorteil von Alexanders zahlreichen Verpflichtungen bestand darin, dass mir etwas mehr Zeit für Projekte außerhalb meiner normalen Arbeitszeit blieb. Eine Stunde später war es mir gelungen, Bennett für halbwegs alles zu gewinnen, was ich mir überlegt hatte.

»Was werde ich nur ohne dich anfangen?«, seufzte er, nachdem ich die Details für eine groß angelegte Gesundheitskampagne heruntergerattert hatte, die wir mit der BBC auf die Beine stellen würden.

Ich drohte ihm mit dem Finger. »Fang bloß nicht wieder damit an.«

»Du willst den Kerl doch nicht ernsthaft heiraten, oder?«

»Apropos heiraten«, konterte ich spitz. »Wann machst du aus Tori endlich eine ehrbare Frau?«

»Hey, ich habe sie gefragt!« Lachfältchen erschienen um seine braunen Augen, und er hob die Hände. »Sobald sie das erste Mal wieder acht Stunden Schlaf am Stück bekommt, schleppt sie mich in die nächste Kirche, hat sie gesagt.«

»Zu meiner Verteidigung muss ich anführen«, erklärte Tori, die hinter mir in die Tür getreten war, »dass ich gerade wie ein Zombie aussehe. Ich wünsche mir nur ein einziges halbwegs anständiges Foto von meinem Hochzeitstag, auf dem ich nicht aussehe, als würde ich gleich jemanden anspringen und ihm das Hirn aus dem Schädel fressen.«

Unter schallendem Gelächter kehrte ich in mein Büro zurück, um mich der wachsenden Zahl an Projekten zu widmen, die ich noch an den Start bringen wollte, bevor ich die heiligen Hallen endgültig verließ. Eine Stunde später hatte ich sämtliche Akten sortiert und an die jeweiligen Projektmanager delegiert, die sich um die Umsetzung kümmern würden. Auf dem Rückweg zu meinem Büro läutete mein Handy. Lolas Gesicht prangte auf dem Display. Eilig rannte ich in mein Kabuff zurück, ehe ich das Gespräch annahm. Mein Alltag war häufig genug Gegenstand reißerischer Berichterstattung, und Spekulationen über die Ehe meiner Eltern waren so ziemlich das Letzte, was ich gerade gebrauchen konnte. Es mochte lächerlich sein, für ein Millionenpublikum aufzulisten, was ich in der

Lebensmittelabteilung des Supermarkts kaufte, aber die Leute auch noch einzuladen, sich über die Eheprobleme meiner Eltern auszulassen, kam nicht infrage.

»Hey, Lola«, stieß ich atemlos hervor.

»Bist du einen Marathon gelaufen, oder was?«, fragte sie und fügte leicht verärgert hinzu: »Und wieso flüsterst du?«

»Ich bin auf der Arbeit«, antwortete ich mit sanfter Stimme. So sehr ich meine Schwester liebte, aber in ihrer Unverblümtheit mangelte es ihr etwas an Einfühlungsvermögen.

»Ich dachte, du arbeitest in einem Büro und nicht in einer Bibliothek.«

Wieder einmal konnte ich nur über die eigenwillige Mischung aus britischer und amerikanischer Kultur staunen, die in meiner Schwester miteinander verschmolzen. Bei unserer Übersiedelung nach Großbritannien war sie noch klein genug gewesen, um sich einen leichten britischen Akzent anzugewöhnen, doch ihre Direktheit war typisch amerikanisch. Ich dagegen sprach eher wie eine Amerikanerin, wählte meine Worte jedoch wie viele Briten mit Bedacht. Meistens zumindest.

»Ich habe mir überlegt, es wäre vielleicht ganz nett, wenn mein Privatleben ein Stück weit privat bliebe«, gab ich zurück und verdrehte unwillkürlich die Augen – ein Glück, dass sie mich nicht sehen konnte. »Deshalb will ich nicht, dass unsere Familienangelegenheiten in den Zeitungen breitgetreten werden.«

Zwar hatte ich keinen Anlass zur Vermutung, dass einer meiner Kollegen bei Peters & Clarkwell Informationen über mich an die Klatschpresse verkaufen würde, aber seit meiner Verlobung mit Alexander hatte sich in den Medien ein geradezu hysterisches Interesse an mir entwickelt. Es gab nichts, worüber nicht berichtet wurde – von meiner Vorliebe für Eier von frei laufenden Hühnern bis hin zu meinem Charakter, über den sich in Interviews plötzlich Menschen ausließen, die vor Jahren einmal ein Seminar an der Uni mit mir besucht hatten.

»Mom ist ganz heiß darauf, in der Zeitung zu stehen«, wandte Lola ein.

Normalerweise hätte ich ihr zugestimmt, aber die beharrliche Weigerung meiner Mutter zuzugeben, dass Dad fremdging, war ein untrügliches Anzeichen dafür, dass sie eine klare Grenze zog. Eine pikante Enthüllungsstory wäre eine lukrative Angelegenheit – und könnte meine Mutter schwer in Mitleidenschaft ziehen. Natürlich würde Lola niemals zugeben, dass sie es genoss, ebenfalls auf den Titelseiten abgebildet zu sein. Unsere gemeinsamen Gene spiegelten sich dahingehend wider, dass sie wie eine jüngere, schlankere und besser gekleidete Version von mir aussah; deutlich besser, wenn ich ehrlich war. Mittlerweile war sie zu einer Art Trendsetterin avanciert und hatte einen regelrechten Hype um die New Yorker Kate-Spade-Handtaschen ausgelöst. Sämtliche Klatschblätter stürzten sich auf sie, analysierten ihre Garderobe bis ins Detail und nahmen sie in die Liste der zehn begehrtesten Junggesellinnen auf. Für meinen Geschmack war das eindeutig zu viel des Guten, andererseits war es immer noch besser, die Presse auf diese Weise von dem abzulenken, was sich gerade hinter den Kulissen abspielte. Außerdem schien es Lola nicht zu stören.

»Sie will, dass ich mir ein Kleid und einen Hut für einen gewissen hochoffiziellen Anlass kaufe«, fuhr sie fort. »Bitte sag mir, dass du bald deinen letzten Arbeitstag hast. Sie besteht darauf, dass wir zusammen losziehen.«

»Geh doch erst mal mit ihr etwas Hübsches für die Verlobungsfeier nächstes Wochenende kaufen«, wiegelte ich ab.

»Den Hut dafür hat sie schon seit Monaten im Schrank«, erklärte Lola nachdrücklich. »Sie wird dich nächste Woche beim Familientreffen fragen, das schwöre ich dir. Mach dich schon mal drauf gefasst.«

»Natürlich wird sie das.« Seufzend sah ich auf die Uhr. »Ich muss jetzt Schluss machen. Ich hab's eilig.«

»Wenn du Mom noch länger warten lässt, wird es erst richtig unangenehm für dich«, warnte Lola und legte auf.

Ich zwang mich, jetzt nicht übers Shoppen nachzudenken. Das war ein weiterer Grund, weshalb ich meinen Job vermissen würde: Er bot eine willkommene Abwechslung zu dem Tamtam um meine bevorstehende Hochzeit. Vor allem jetzt, wo Alexander wieder einmal Geheimnisse vor mir hatte und sein Vater sich nach wie vor weigerte, uns seinen Segen zu geben ... und Daniel nach wie vor dort draußen frei herumlief. Ein dicker Kloß bildete sich in meinem Hals, und ich hatte Mühe, gegen meine Angst anzukämpfen. Noch konnte ich mich zumindest in meiner Arbeit vergraben und brauchte mich nicht mit der Realität zu konfrontieren.

Einige PowerPoint-Präsentationen und Berichte später sah ich auf die Uhr und stellte fest, dass es fast Mittag war – auf meinen an regelmäßige Essenszeiten gewöhnten Magen war definitiv Verlass, denn er knurrte, doch Appetit hatte ich keinen. Ohne Tori, die mich davon ablenken würde, dass ich unter Dauerbeobachtung stand, sowie ich das Bürogebäude verließ, hatte ich keine große Lust, vor die Tür zu gehen. Mein Handy gab einen Summton von sich. Ich schaltete den Wecker ab, der mich ans Essen erinnern sollte, und stellte fest, dass es in Wahrheit nicht die Weckfunktion war, sondern jemand anrief.

»Hier Clara Bishops Büro«, meldete ich mich mit gespielter Förmlichkeit.

»Ist die Schlampe da?«, fragte Edward mit übertrieben britischer Trockenheit.

Ich konnte mir ein Grinsen nicht verkneifen. Alexanders jüngerer Bruder Edward war das einzige Mitglied der königlichen Familie, das ich liebend gern ertrug. »Ich fürchte, sie ist gerade beschäftigt.«

»Zu schade. Ich wollte sie wissen lassen, dass ihre Anwesenheit bei einem Mädelsabend am Wochenende dringend erwünscht ist.«

Ich prustete in den Hörer. Seit seinem Coming-out zelebrierte er seine sexuelle Orientierung mit bemerkenswertem Genuss. Was ihn nur liebenswerter machte. »Mädelsabend, ja?«

»Ich weiß genau, was du sagen willst, aber was mir an gewissen Stellen an Ausstattung fehlt, mache ich durch *Attitude* wieder wett. Und *Drama* gibt's noch obendrauf.«

»Sag bloß nicht, auch ihr habt Ärger im Paradies.«

»Nein, nein, ich bin geläutert«, konterte er sarkastisch. »Ich will mich nur mit meinen beiden Lieblingsbräuten ein bisschen amüsieren. Belle ist dabei, und sollte Alexander einen Abend ohne dich und deine Vagina nicht aushalten, können wir es auch bei dir machen.«

»Du bist so was von schamlos.«

»Genau deshalb liebst du mich ja so, gib's zu.«

In diesem Punkt konnte ich nicht widersprechen. »Ich werde …«

Die Worte blieben mir im Hals stecken, als Alexander sich auf den Stuhl neben mir setzte und mit einem überheblichen Grinsen zusah, wie ich mühsam um meine Fassung rang.

»Entschuldige ... ich war gerade abgelenkt. Ich rufe gleich zurück«, presste ich schließlich hervor.

»Sag ihm, ich lasse ihn schön grüßen«, erklärte Edward.

Ich holte tief Luft und steckte das Handy in meine Handtasche.

»Hättest du nicht eine Nachricht schicken können?«, platzte ich heraus – endlich gestattete ich mir, den Tumult in meinem Inneren ausbrechen zu lassen.

»Wir müssen reden.« Seine Stimme war leise, aber fest. Dominant. Voller Kraft und Entschlossenheit. Ein leises Schwindelgefühl ergriff Besitz von mir, als ich gegen die Wirkung ankämpfte, die er auf mich hatte.

Diesen Tonfall kannte ich. Er hatte das Kommando, und so sehr mich das im Bett mittlerweile auch erregen mochte, wollte ich mich jetzt nicht davon einlullen lassen. »Auf einmal willst du also reden? Ist irgendetwas passiert, das du nicht hinter meinem Rücken regeln kannst?«

»Süße ...«

»Ich habe jetzt Mittagspause und muss etwas essen.«

Und ich musste um jeden Preis ein Wortgefecht im Büro vermeiden.

»Genau deshalb bin ich hier.« Er trat näher und strich mit dem Finger über meinen Arm. Die Berührung zeigte schlagartig Wirkung. Ein Schauder lief von meinem Arm bis hinauf zu meinem Nacken, und ich spürte, wie ich mich ihm instinktiv entgegenneigte, als wäre er ein Magnet, der mich anzog, so wie es seit dem Tag unserer ersten Begegnung war.

Aber so einfach würde ich mich nicht einwickeln lassen. »Ich hatte eine Verabredung zum Mittagessen, schon vergessen?«

»Die abgesagt wurde.« Er zuckte viel zu unschuldig die Achseln.

»Das ist ja nicht zu fassen.« Ich schnappte mir meine Tasche und machte mich auf den Weg zum Aufzug, doch er war schneller. Noch bevor ich eintreten konnte, hatte er meinen Arm genommen und hielt mich fest.

»Hast du etwa den ganzen Laden hier verwanzt?«, zischte ich in der Hoffnung, dass keiner meiner Kollegen etwas davon mitbekam.

Alexander zeigte sich ungerührt und stand mit einer geradezu übernatürlichen Gelassenheit neben mir, die mich beinahe in den Wahnsinn trieb. Als die Aufzugtüren aufglitten, bedeutete er mir mit einer Geste einzutreten. Meine Verärgerung schlug in lodernde Wut um, als er in aller Seelenruhe den Knopf drückte. »Ich werde informiert, wenn sich deine Termine ändern.«

»Ist dir eigentlich bewusst, wie durchgeknallt das klingt?«, brach es aus mir heraus.

»Das ist eine reine Sicherheitsmaßnahme. Dein Leben könnte in Gefahr sein.« Seine Gelassenheit schürte meine Wut noch weiter.

»Könnte! Könnte! Du könntest mich auch in den Irrsinn treiben!« Nach Daniels brutalem Übergriff hatte ich mich aus purer Angst mit erweiterten Sicherheitsmaßnahmen einverstanden erklärt. Aber vielleicht sah ich das Ganze auch falsch ... Vielleicht hatte er ja recht, und ich musste die Situation nüchterner betrachten. »Du warst mir gegenüber nicht ehrlich. Ich habe mich mit den erweiterten Sicherheitsmaßnahmen einverstanden erklärt, damit du dich besser fühlst. Eigentlich dachte ich, dass wir bald damit aufhören können, aber jetzt stellt sich heraus, dass die ganze Zeit eine konkrete Gefahr bestand. Wie würdest du dich fühlen, wenn jede Sekunde deines Lebens beobachtet, aufgezeichnet und an jemanden kommuniziert wird, ohne dass du etwas davon weißt?«

Er zog nur eine Braue hoch. »Mein ganzes Leben war so. Jede einzelne Minute.«

»Stimmt.« Ich ließ mich gegen die kühle Metallwand sinken. Natürlich. Und das war bis heute so. Für ihn war all das völlig normal, sprich, es würde auch für mich irgendwann völlig normal werden müssen. Ich rührte mich nicht vom Fleck, als der Aufzug das Erdgeschoss erreichte.

Sanft legte Alexander die Hand um meinen Oberarm und schob mich in die Eingangshalle. Diesmal machte er keine Anstalten, sich bei mir unterzuhaken, sondern dirigierte mich wortlos hinaus auf den Bürgersteig.

»Ich hätte dir gegenüber aufrichtiger sein müssen«, gestand er schließlich. »Wir können das gleich besprechen, aber jetzt müssen wir erst mal dafür sorgen, dass du etwas zu essen bekommst.«

Entschlossen schob ich den Gurt meiner Handtasche hoch und deutete auf ein Bistro in einem der Nebengebäude, von dem ich wusste, dass es hauptsächlich von Businesstypen besucht wurde, die viel zu wichtig und geschäftig waren, um uns zu beachten. Alexander nahm meine Hand, als wir die Straße überquerten, und achtete darauf, auf der Seite zu gehen, von der der Verkehr kam, auch wenn kaum Autos unterwegs waren. Wenige Momente später hielt er mir die Tür auf, und wir betraten das schwach erleuchtete Restaurant, in dem sich leise Musik mit gedämpften Unterhaltungen mischte.

»Zwei Personen«, sagte Alexander zu der Hostess, die am

Eingang die Speisekarten stapelte. Als sie aufsah, fiel ihr förmlich die Kinnlade herunter.

»Selbstverständlich«, sagte sie und fuhr mit zitternden Fingern über ihre Tischbelegungsliste.

Alexander beugte sich vor und sah ihr tief in die Augen. »In einer ruhigen Ecke bitte…«

Meine Knie wurden weich, sodass ich Mühe hatte, mich auf den Beinen zu halten. Er schloss die Finger fester um meine Hand, wobei sich der mächtige Rubinring tief in meine Handfläche bohrte. Der Schmerz mischte sich mit meinem Frust, gleichzeitig spürte ich eine unerwartete Erregung in mir aufwallen.

Nahezu unbemerkt von den anderen Gästen folgten wir dem Mädchen in den hinteren Teil des Restaurants zu einem einigermaßen abgelegenen Tisch, trotzdem konnte ich mein leises Unbehagen nicht abschütteln. Wurden wir beobachtet? Folgte uns ein Security-Team? Gab es überhaupt jemals so etwas wie Privatsphäre für uns?

»Sind Sie mit dem Tisch einverstanden?«, fragte sie und wrang nervös die Hände, während Alexander meinen Stuhl zurechtrückte.

»Ja, absolut«, antwortete er freundlich und legte den Kopf schief. Ihr Blick schweifte von ihm zu mir und zurück, dann machte sie einen angedeuteten Knicks und verschwand eilig.

Mir war die Begierde in ihrem Blick nicht entgangen. Und in Wahrheit konnte ich ihr keinen Vorwurf daraus machen, schließlich war er nicht nur der Prince of Wales, sondern verströmte eine unverbrämte Sinnlichkeit, der sich wohl die wenigsten Frauen entziehen konnten. Nichtsdestotrotz war ich auf diese heftige Reaktion nicht gefasst gewesen. Eigentlich neigte ich nicht zur Eifersucht, die Schlange Pepper Lockwood war eine absolute Ausnahme, trotzdem musste ich mich zwingen, meinen Griff um die Armlehnen meines Stuhls zu lockern und mich zu beruhigen. Ich wusste, dass ich inzwischen völlig paranoid war. Alexander hatte mich zwar ein weiteres Mal belogen, aber als jetzt diese vermeintliche Rivalin aufgetaucht war, hatte mein Körper ganz klar signalisiert, dass mein Geliebter mir ganz allein gehörte.

»Du bist so still.« In seiner Stimme lag kein Vorwurf, sondern etwas anderes – Schmerz.

Langsam hob ich den Kopf und wappnete mich innerlich für den Stromschlag, der mich immer durchzuckte, wenn sich unsere Blicke begegneten. Auch jetzt durchfuhr es mich heiß, doch diesmal konzentrierte ich mich darauf, das glühende Verlangen als Treibstoff für meine Wut zu nutzen. Verrat und Lust waren eine hochexplosive Mischung, und es kostete mich meine gesamte Selbstbeherrschung, so leise zu sprechen, dass nur er mich hören konnte. »Ich komme mir vor, als hätte ich die ganze Zeit mit einer Lüge gelebt.«

»Ich hätte dir das von Daniel sagen müssen«, wiederholte er. »Aber irgendwie war nie der richtige Zeitpunkt. Eigentlich hatte ich erwartet, dass wir ihn schon vor Monaten schnappen.«

»Das ist aber kein Grund, mir die Wahrheit vorzuenthalten.«

»Ich dachte schon vor Wochen, die ganze Angelegenheit wäre im Handumdrehen erledigt. Vor Monaten. Und je länger es sich hinzog, umso schwieriger wurde es, dir alles zu erzählen.«

Ich fegte die lahme Ausrede mit einer knappen Geste vom

Tisch. »Das hätte dir doch ein Zeichen sein müssen, dass es falsch ist, was du tust.«

»Süße.« Er nahm meine Hand und küsste jeden einzelnen Fingerknöchel, ehe er an meinem Ringfinger innehielt, als wollte er mich behutsam an das Versprechen erinnern, das ich ihm gegeben hatte.

»Bilde dir bloß nicht ein, dass ich vergesse, was du getan hast, nur weil du einen auf sexy machst und mir Honig ums Maul schmierst«, schimpfte ich leise.

»Findest du mich denn sexy?« Es war unmöglich, beim Anblick dieses verwegenen Lächelns den Drang zu unterdrücken, ihn auf der Stelle zu küssen.

»Auch darum geht es jetzt nicht, X.«

»Wir sind hergekommen, um zu reden, was wir ja tun, aber ich wollte dir auch sagen, dass ich die Stadt verlassen muss«, erklärte er, ohne den Blick von mir zu lösen.

Ich nickte und musste schlucken. »Für wie lange?«

»Mein Vater will, dass ich an einem Jubiläumsabendessen teilnehme, und ich hätte gern, dass du mitkommst.«

»Aber ich kann nicht«, platzte ich spontan heraus. Bald würde die Zeit kommen, da meine Anwesenheit obligatorisch war, aber bis dahin wollte ich den letzten Rest Freiheit genießen, der mir noch blieb.

Meine Absage schien Alexander zu überraschen.

»Ich habe etwas vor«, fügte ich eilig hinzu. »Außerdem ist es meine letzte Woche im Büro.«

»Also hat es nichts mit unserem Streit heute Morgen zu tun?«

»Nein.« Ich hielt inne. »Obwohl... doch. Vielleicht gibt uns eine kurze Auszeit Gelegenheit, die Dinge aus einer anderen Perspektive zu sehen.«

»Na gut, aber eines will ich klarstellen.« Alexander packte die Armlehne meines Stuhls und zog ihn näher zu sich heran. Das Scharren der Stuhlbeine auf dem Holzboden schien förmlich durch meinen ganzen Körper zu hallen und brachte meine ohnehin angespannten Nerven vollends zum Vibrieren. Überdeutlich spürte ich die Hitze, die er verströmte und die mich magisch anzog, obwohl ich versuchte, mich ihr zu entziehen. Er hatte mich angelogen, aber die Geborgenheit in seinen Armen war wichtiger als alles andere. Sie war die einzige Wahrheit, die ich brauchte. Was er getan hatte, war bloß ein Beweis für seine ganz eigene Art, mich zu lieben. Das machte es noch schwerer, auf Distanz zu bleiben, vor allem da ich mich so sehr nach seinem Trost sehnte.

Er beugte sich vor, bis sein Atem meinen Hals streifte. Tief sog ich seinen herrlich würzigen, warmen, erdigen Geruch ein und schloss die Augen, als seine Hand sich über meinem Knie schloss und unter meinen Rock wanderte. Spielerisch glitten seine Finger über die weiche Haut meiner Schenkel nach oben.

»Was ich tue, dient nur zu deinem Schutz, Süße. Nicht nur vor jedem, der dir etwas antun will, sondern auch vor dir selbst.« Mit der freien Hand strich er mir eine Haarsträhne aus dem Gesicht und hob mein Kinn an. Erwartungsvoll schlug ich die Augen auf, wohl wissend, was er von mir wollte – nein, verlangte. Unsere Gesichter trennten nur wenige Zentimeter, wir waren uns so nahe, dass wir uns jederzeit küssen könnten. »Die Angst ist dein Feind. Sie kontrolliert dich, wenn du es zulässt, und dann bemühst du dich die ganze Zeit vergeblich, die Kontrolle zurückzugewinnen.«

Also kontrollierte er die Angst für mich. Er beschützte mich vor mir selbst. Manchmal hatte ich den Verdacht, er könnte immer noch wollen, dass ich ihn fürchtete. Schließlich hatte er anfangs alle Hebel in Bewegung gesetzt, um unsere Beziehung zu sabotieren. Ich schluckte und hielt seinem Blick stand, während er mit den Fingerspitzen über den Spitzenrand meines Höschens strich, das ganz feucht war, trotz meiner Verwirrung. Seine Lider wurden schwer, als er merkte, wie erregt ich war.

»Möchten Sie gern bestellen?«

Die Stimme des Kellners riss mich aus meinen Träumereien. Abrupt schlug ich die Augen auf, während Alexander mit ausdrucksloser Miene die Speisekarte überflog, ohne seine Hand wegzunehmen.

»Ich hätte gern die Lammkeule und den Fenchelsalat«, erklärte er ungerührt, während er die Spitzenborte zur Seite schob und seinen Finger in mein weiches Fleisch steckte. Ich biss mir auf die Innenseite der Wange, um nicht vor Lust laut aufzustöhnen. Doch Alexander blieb dermaßen gelassen, dass kein Mensch je auf die Idee gekommen wäre, dass er mich gerade unter dem Tisch mit der Hand vögelte.

»Und für Mademoiselle?«, erkundigte sich der Kellner

Ich spürte, wie mir die Hitze in die Wangen stieg, und wagte es nicht, ihn anzusehen, geschweige denn, mich vom Fleck zu rühren. Wenn ich jetzt den Mund aufmachte, würde er auf der Stelle merken, was hier los war, also klammerte ich mich an den letzten Funken Selbstbeherrschung, der mir noch geblieben war. Allein die Vorstellung, erwischt zu werden – dass ein Wildfremder mitbekommen könnte, was wir hier trieben –, hielt mich davon ab, auch nur einen Muckser zu machen, während meine Erregung mit jeder einzelnen von Alexanders Liebkosungen wuchs.

»Sie nimmt dasselbe«, kam Alexander mir zu Hilfe, wobei er

mit dem Daumen meine Klitoris umkreiste, und streckte dem Kellner die Speisekarte hin, ehe er zwei Finger in mich schob. Ich zwang mich zu einem höflichen, wenn auch angestrengten Lächeln, als der Kellner den Rückzug antrat. Kaum war er verschwunden, presste ich mein Gesicht gegen Alexanders breite Schulter und grub meine Zähne in seine Haut, um nicht laut zu stöhnen.

»Genau so läuft es zwischen uns«, stieß er mit heiserer Stimme hervor, die mir verriet, wie sehr auch er an sich halten musste. »Wenn ich dich um etwas bitte, wovon ich glaube, dass es das Beste für dich ist, wirst du gehorchen. Ich lebe für genau zwei Dinge, Clara – um dir Lust zu spenden und um dich zu beschützen. Und in keinem der beiden werde ich Zurückhaltung üben. Verstehst du das, Süße? Falls ja, dann nicke.«

Er krümmte die Finger und fing an, meinen G-Punkt zu massieren. Es war mir unmöglich, einen Ton herauszubringen, aber immerhin gelang es mir zu nicken.

Und ich verstand.

Mein Körper gehörte ihm.

Ich gehörte ihm.

»Und jetzt wirst du für mich kommen«, befahl er flüsternd. »Ich will deine Zähne in meiner Schulter spüren, weil du verhindern musst, dass du schreist. Ich will, dass du deine Spuren auf meinem Körper hinterlässt, während ich dich hier und jetzt, vor all diesen Leuten, nehme.«

Ich presste die Lippen aufeinander, um das ungezügelte Schluchzen zu unterdrücken, das seine Worte in mir heraufbeschworen. Ich konnte seine Dominanz ebenso wenig leugnen wie die Tatsache, dass ich Luft zum Atmen brauchte. Er machte mich wütend, aber die Wut stachelte meine Begierde nur noch weiter an. Und das wusste er. Er wusste, dass ich allein ihm gehörte.

*Wenn Sie wissen möchten,
wie es mit Clara und Alexander weitergeht, lesen Sie*

Geneva Lee
Royal Love

978-3-7341-0285-1

Blanvalet

Auch als E-Book erhältlich
987-3-641-18202-1